WERELD VOL WONDEREN

Charles Berlitz

WERELD VOL WONDEREN

UITGEVERIJ AREOPAGUS

Oorspronkelijke titel
World of the Odd and the Awesome
Uitgave
Ballantine Books, New York

Vertaling
Gerard Grasman
Omslagontwerp
Sjef Nix
Omslagdia
Picture Box

Inhoud

Voorwoord 15
De toekomst van het menselijke gezicht 17
Levende doden onder wate 18
Een dodelijk alibi 18
Buitenaardsen in de asteroïdengordel 19
Vogelregen 20
Een oeroude blonde mummie 21
Hij overleefde spontane zelfontbranding 22
Gecomputeriseerde evolutie 22
De Duivelszee 23
De holle aarde 24
Hitler en de holle aarde 25
De onverwoestbare Loch Ness-legende 26
Een Australische rotsschildering uit de ijstijd 27
Ezechiëls visioen 27
De nucleaire winter – een verschrikking 29
Verdwaalde dieren 30
Een meermonster aangeraakt 30
Het Oliver-mysterie 31
Een tienerwolf 32
De teruggevonden rivier 33
Een babymammoet 33
Bikini 34
De verzonken stad 35
De kus des doods 36

Een recente verdwijning in de Bermuda-driehoek 36
Het geheimzinnige manuscript 37
Buitenaardse Grootvoeten 38
Een toekomstige Duivelsdriehoek in Amerika? 38
De krachtbron in de Bermuda-driehoek 39
Merkwaardige diefstallen 39
Spontane zelfontbranding 40
De Zwarte Ster van de Hopi-Indianen 41
Ralph Waldo Emerson en mevrouw Luther 42
De vernietiging van Mary Reeser 42
Russische telepathie 43
De gieren van Gettysburg 44
Een telepathische morsecode 45
De droom van een Engelse geestelijke 46
Afwijking in het zwaartekrachtveld in India 46
Werden de piramiden van betonblokken opgetrokken? 47
De pharos van Alexandrië 47
Opgezogen door een UFO 48
De ruimtevaarder van 1897 48
Opsporing UFO verzocht: £1.000.000 beloning! 49
De reuzenkrater bij de zuidpool 51
Elektriciteit in de oudheid 51
Dodelijke ster 53
Gebruik van zonne-energie in het oude Griekenland 54
De ballonvaarders van Nazca 55
Apetaal 56
Krause, de wondermuilezel 57
Moderne Neanderthalers 58
Zij trekt de bliksem aan 59
UFO-kiekje 59
Opinie-onderzoek over uittredingen 60
Een UFO veroorzaakte een aanrijding 61
Elvis' comeback 62

Spinnewebstormen 63
Hemels manna 64
De verdwenen vloot van Alexander de Grote 64
Haargroei op het aardoppervlak 66
De ademende aarde 66
Eenzame monstervloedgolven 68
Kanonschoten in de mist 69
Holistische genezing 70
Kinderen en de bijna-doodervaring 71
Einstein en de horlogemaker 71
Piramiden op Mars 72
Nostradamus' voorspellingen 73
Per kano van Amerika naar Europa 75
Gevaarlijk spel 75
Een koninklijke heilige verbood het vloeken 76
De duivel aangeklaagd 77
Oude Semieten in Brazilië 77
De man die niet was op te hangen 78
Ratten en katten in de geschiedenis 78
Filmdebuut van een UFO 79
Sectiestudente: 'Dat is mijn tante!' 79
Krantekoppen in een droom 80
Het zoemende huis 81
Oude mummies in Rusland 82
Slaaptaal 83
Het Tasmaanse monster 84
Engelenvleugels 85
Loodvergiftiging in het oude Rome 86
Frasiers vroegtijdige veroudering 86
Het raadsel van de dode geleerden 87
Raspoetins wonderlijke genezingen 88
Tijdgat in Versailles 89
De droom van de weduwe 91

De deftige dame die droomde van moord 92
Onbestaanbare regen 93
De reddende inval 94
Bizarre blackouts 94
Een roerend monument 95
Spookschepen en de onderzeebootjager 96
Tijdgaten in de Bermuda-driehoek 97
Hij had al eerder geleefd 99
Reddende dromen voor Josiah Wilbarger 100
Het kale graf 101
Wie heeft werkelijk Amerika ontdekt? 102
Australische sterrenkundigen en een UFO 103
Waarschuwingen voor de dood 104
De verdwenen armen van de Venus van Milo 105
De geheimzinnige dood van Jimmy Sutton 107
Een moordseance 108
McDonald 1 en McDonald 2 109
Landingsbanen voor UFO's 110
Wandelende doden 110
Omgekeerde evolutie 111
De monsterfilm uit Chesapeake Bay 111
Is er intelligent leven in het heelal? 112
De grondwettelijke rechten van buitenaardsen 113
Het trieste lot van de dinosauriërs 114
Zelfmoord met zonnekracht 114
Satelliet van een andere wereld 115
Zij sliep decennia lang op een bom 116
Voortstuwingssystemen in de ruimtevaart 117
De mysterieuze onbekende die op Poe toostte 118
Chinese aapmensen 118
Hij droomde van een fossiel 119
Een droom uit de prehistorie 120
De premier droomde van zijn eigen dood 121

Mick snelt te hulp 122
De wondervrouw van het Rode Leger 123
De wondervrouw uit Georgia 124
De vreemde trance van Molly Fancher 125
Ziende blind 126
'Medische wonder'-hersenen 127
Het telepathisch gevonden bewijs 129
Arthur Price Roberts: de telepathische detective 131
Gladstones gave 133
Het sprekende potlood 134
Revolutionaire voorspellingen 136
Droomvertaling 138
De stelende slaapwandelaar 139
Paranormale pil 141
Waterapen 142
De boemerang-UFO 143
De smaak van diepvriesmammoet 144
UFO's en veranderde bewustzijnstoestanden 145
Een sigaarvormige UFO boven Mexico 146
De verbazingwekkende voorspelling van Jules Verne 147
Het Nostradamus-programma 147
Toekomstige levensvormen 149
Ruimtevaartpakken in het oude Japan 149
Raadselachtige katten en honden 150
De speurtocht naar Mallory's camera 151
Grootvoetjager 152
IJzig graf 152
Dromen over de doden 154
Moordvisioen 154
Het raadselachtige vliegtuig in de Bermuda-driehoek 155
Blauwhuiden 156
Een vervloekte snelweg 157
Bijna-doodervaringen en de toekomst 158

UFO-films 159
Een UFO in Brazilië 160
Reacties van pasgestorvenen 161
Het verdwenen dorp 161
Schip op het droge 163
Vikingen in Tennessee 164
De terugkeer van John Paul Jones 165
Het telepathische paard 167
De vreemde dood van Meriwether Lewis 168
De dag waarop de duivel het dorp bezocht 170
ITT versus Sharks 172
De kannibaalboom 172
Leven na de dood: ooggetuigeverslagen 173
Monsterschildpadden 175
Het getal van het Beest 176
Het doek viel voor de laatste maal 177
Oogafwijkingen 177
Pearl Harbor voorspeld 178
Het gezicht in de melkemmer 178
Een taaie rakker 179
Het onverklaarbare portret 180
Voetstappen op een grafsteen 180
De extra doodskist 181
Ouwe reus 182
Piloten die van de aardbol stapten 183
Zeeraadsel 184
Paranormale redding 184
Cinque 185
De *Lusitania*-nachtmerrie 187
Noorderlicht 188
Bliksemgrillen – grillende bliksems 188
Het stoomschip en de UFO 189
UFO's op Hawaii 190

Zelfmoorddroom 191
Buitenaardse kabouters 192
De neergestorte UFO in Nevada 193
Archeologische tips in de bijbel 194
Doodskisten kennen rust noch duur in de Buxhøwden-kapel 194
Ongeluksdroom 196
De slaperige moordenaar 197
Kalendertweelingen 197
Vorstelijke ontmoeting met de Vliegende Hollander 198
Een tijd om te zwijgen 199
Ontbrekende schakels 200
De ware Schone Slaapster 201
Zonnevlekken en zakendoen 202
Een enorme glazen plaat 202
De raadselachtige bollen van Costa Rica 203
Katachtige röntgendetectors 204
Walvisstrandingen 204
Muzikale muizen 205
Marskanalen 206
Maanbewoners 207
Meer dan toevallig 208
Een geïnspireerd slot 209
De idiot savant van Lafayette 210
Een huiveringwekkend kunstje 210
Afrikaanse griezels 211
Het reuzenei van Australië 212
Massale sterfte onder kameleonvissen 212
De raadselachtige Inca-schat 213
De regenboom 214
Wezens in de tuin 215
UFO boven Valencia 216
Cayces kosmische kennis 217
Redeneren dieren net als mensen? 218

(Aan)vallende meteoriet 219
De vis die uit het niets kwam 219
Massale visflauwten 220
Prehistorisch vliegend reptiel op Kreta 220
West-Virginia's vijandige hemel 221
Een telepaat in Mexico 222
Bridey Murphy 223
UFO in Argentinië 224
Kanonschoten en het meer 225
Akoestische luchtspiegelingen 226
Het fluisterende meer 227
Grillige meteoren 228
Fata morgana 228
Luchtspiegeling op zee 229
Verschijningen van de Heilige Maagd 229
Vikingen aan de westkust van Amerika 230
Oude Romeinse artefacten in Arizona 231
De poolmetropool 232
Luchtkastelen 233
Het geheugenwonder 233
De ongelooflijke bouwblokken van de Inca's 234
Zingend zand 235
Zij overleefde het 236
De grootste zoogdierenpopulatie 237
Spontane zelfontbranding en de ervaringen van medici 237
De stem 238
Een dwaallicht 239
Fotograferende hersenen 239
De Indiaanse messias 240
Stenengooiende spoken 241
De dood overstegen 241
Therese Neumann 242
Het eerste UFO-verslag 243

Croesus en de orakels 244
UFO in Ipswich 244
UFO-foto's 245
UFO's in Frankrijk 246
Prins Bernhards nipte redding 247
Het jaar waarin de zomer uitbleef 248
De reuzenvogel van Egypte 249
Rioolalligators 250
Op zoek naar Atlantis 251
BZW in Praag 252
Genezende naalden: een mysterie 253
Het spook van Redmond Manor 255
Vallende vissen 256
De drieste evolutietheorie van Driesch 257
Mene tekel via automatisch schrijven 259
Droomkometen 260
De witte merel 260
Bliksemkuur 261
De kanonnen van Barisal 261
Boodschap op het nippertje 262
Geest boven schimmels 262
De magiër van Strovolos 263
Een mislukte 'genezing' 264
Invasie van Marsbewoners 265
Is de ark van Noach inderdaad gevonden? 266

Voorwoord

In de regel kost het mensen moeite geloof te hechten aan begrippen en dingen die hen onbekend zijn. Veel objecten en machines die niet uit het dagelijks leven van nu zijn weg te denken, werden ooit als boerenbedrog of een hersenschim beschouwd.

Hoe hadden de mensen anders moeten reageren als destijds iemand het waagde om over vliegende machines of paardloze rijtuigen te praten? En klonk het niet absurd als iemand suggereerde dat het mogelijk zou zijn onder water te varen zonder nat te worden, of vanuit het eigen huis met vrienden in een ander land te praten of in de eigen huiskamer getuige te zijn van gebeurtenissen elders op de wereld? Was het geen terugval naar de mythologie uit de oudheid om zelfs maar te denken over bemande vluchten naar de maan, andere planeten of zelfs nog verder?

Er werd niet alleen geen geloof aan gehecht – tal van tegenwoordige wonderen van technologie en wetenschap werden gedurende hun experimentele fase luidkeels belachelijk gemaakt of fel bestreden. In 1868 brachten de dagbladen artikelen waarin de lezer werd bezworen dat de telefoon boerenbedrog was, bedoeld om het grote publiek te misleiden of op de hak te nemen. Nog vijf jaar na de geslaagde eerste vlucht van de gebroeders Wright weigerde de redactie van de *Scientific American* er ook maar één woord over te publiceren, zelfs niet bij wijze van commentaar. Simon Newcomb, verbonden aan het Smithsonian Institute, bewees wiskundig dat het mogelijk was dat een machine die zwaarder was dan lucht, kon vliegen. De beroemde 18de-eeuwse geleerde Antoine-Laurant Lavoisier verklaarde dat meteorieten niet bestonden. Hij zei: 'Het is onmogelijk dat er stenen uit de hemel vallen, aangezien er geen stenen in de hemel zijn.' Kort voor het jaar 1914 besloot het Franse opperbevel dat vliegtuigen wellicht nuttig konden zijn voor militaire verkenningsdoeleinden, maar dat ze verder militair onbruikbaar waren. Toen de fonograaf voor het eerst door de Franse Academie van Wetenschappen in Parijs werd geprobeerd, greep de permanent secretaris van dit doorluchtige college plotseling de demonstratiegever bij de keel en snauwde hem toe dat het geluid niet meer was dan buiksprekerij – maar natuurlijk verstomde de fonograaf niet.

Zelfs de atoomtheorie bleef tot augustus 1945 niet meer dan een toevallig van pas komende hypothese, totdat de eerste atoombomexplosie de juistheid ervan bewees en de hypothese tot theorie werd gepromoveerd.

De wetenschap hechtte aanvankelijk ook aan tal van andere wetenschappelijke veronderstellingen en hypothesen geen geloof, maar ze hebben in de afgelopen decennia niettemin een zekere mate van gezag gekregen en worden nu intensief bestudeerd, zoals telepathie, teleportatie, telekinese, precognitie, transmigratie, het vermogen tot het doen van voorspellingen en het bestaan van een ziel (Gr. *psyche*). De idee van het bestaan van een ziel – dat impliceert dat de mens nog een component zou hebben die los van zijn stoffelijke realiteit kan bestaan – is nog even raadselachtig als in de middeleeuwen. Zou deze afzonderlijke entiteit een intelligentie kunnen zijn voor wie de dood niet meer is dan een andere bestaansmodus, los van de tastbare materie? Er zijn steeds meer aanwijzingen die het vermoeden wettigen dat de ziel (*psyche*) géén eenvoudig gedrags- of denkpatroon is, maar aanzienlijk veel méér dan dat, namelijk een motiverende en doelgerichte kracht.

Dit raadsel wordt momenteel intensief onderzocht met behulp van alle moderne hulpmiddelen en onderzoeksmethoden, te zamen met alle overige hardnekkige raadsels die deze wereld en de rest van het universum nog herbergen.

De grenzen tussen het 'paranormale' en dat wat tot de algemeen geaccepteerde wetenschappelijke feitenkennis behoort, beginnen te vervagen en dingen die we aanvankelijk voor pure fantasterij beschouwden, kunnen heel goed nieuwe feiten zijn. J.B. Haldane heeft eens gezegd: 'Wij leven in een tijdperk waarin de geschiedenis de adem inhoudt en het heden zich losmaakt van het verleden, als een ijsberg die is losgebroken van zijn fundament.'

De toekomst van het menselijke gezicht

Voor de prehistorische mens was het gebit niet alleen een krachtig wapen, maar ook een onmisbaar gereedschap voor het vermalen van rauw voedsel. Maar naarmate de mensheid evolueerde, complete wapenarsenalen uitvond en erin slaagde allerlei toebereide, gemakkelijk te verteren voedingsmiddelen te produceren, zijn de harde aangroeisels van de kaakbeenderen steeds minder belangrijk geworden om te kunnen overleven. Het onvermijdelijke eindresultaat van deze evolutie, zo meent een deskundige op dit terrein, is het ontstaan van een slanke, haarloze en tandeloze versie van de moderne mens.

Volgens de orthodontie-expert David Marshall zijn 'de menselijke kaakbeenderen al bezig kleiner te worden, terwijl het volume van de hersenpan toeneemt. Onze tanden en kiezen verliezen in toenemende mate uitsteeksels en ook de wortels van het gebit worden kleiner.' Marshall heeft de menselijke schedel al 35 jaar lang bestudeerd en een anatomiemuseum in Syracuse (New York) geopend. Zijn onderzoekingen, zo betoogt hij, duiden op onmiskenbare veranderingen bij de mens. Als de evolutie op haar beloop wordt gelaten, zegt hij, zullen mensen over een paar miljoen jaar een volkomen kale schedel, geprononceerde fijnere gelaatstrekken en kleinere kaken hebben.

Anders dan de prehistorische *Homo sapiens* hebben *wij* echter greep op onze omgeving en ons milieu, zegt Marshall. 'Het is dan ook heel goed mogelijk dat genenmanipulatie en dergelijke methoden ervoor zullen zorgen dat er van mijn projecties weinig uitkomt.'

Levende doden onder water

De sultans van islamitisch Turkije hadden zeggenschap over leven en dood van hun onderdanen, net als de Romeinse keizers. Vooral bijvrouwen werden vaak het slachtoffer van grillen van een ontevreden heerser. Zo werden de ontrouwe of tegenstribbelende haremvrouwen van Abdoel de Vervloekte bijvoorbeeld in een hermetisch afgesloten zak vanaf de muren van zijn op een klip hoog boven de Bosporus gebouwde kasteel in zee gedumpt. Hoewel zij hun dood tegemoet vielen, verdwenen ze niet bepaald spoorloos in het diepe water. Jaren later, toen duikers bezig waren aan een onderzoek van de diepe zeestraat tussen Europees en Aziatisch Turkije, stuitten zij op deze nog in hun zak verpakte vrouwen, die rechtop op de zeebodem 'stonden' en in de stroming bewegingen maakten alsof ze nog leefden.

Duikers deden in 1957 op de bodem van het Duivelsmeer in het voormalige Tsjechoslowakije een nog verbazingwekkender vondst. Toen zij op zoek waren naar een jongeman die vermoedelijk tijdens een pleziertocht over het meer was omgekomen, stuitten ze op heel wat meer dan één lijk: een complete artillerie-eenheid van de Duitse Wehrmacht uit de Tweede Wereldoorlog – soldaten die nog in gevechtskleding in militaire trucks of op affuiten zaten, getrokken door – eveneens rechtop in het water staande – paarden. Deze afdeling veldartillerie had bij de winterse vlucht van Hitlers troepen voor het Rode Leger geprobeerd het bevroren meer over te steken. Vermoedelijk is het ijs onder het zware gewicht gebarsten, zodat de soldaten en hun paarden jammerlijk verdronken. In het uiterst koude en diepe water van het meer werden hun lijken geconserveerd totdat ze twaalf jaar later – ogenschijnlijk gereed voor de strijd – door duikers werden ontdekt.

Een dodelijk alibi

Op de zonnige, heldere middag van de 4de april 1953 zagen meerdere mensen hoe een man probeerde de voordeur van een chic appartement in Chicago open te breken. Deze getuigen noteerden niet alleen het tijdstip van het incident, maar ook herkenden zij de inbreker – de tweeëndertigjarige William Brooks.

Als er bij de gemeentepolitie van Chicago ooit aangifte was gedaan van een gemakkelijk op te lossen misdrijf, was dit het wel – zo leek het. De politie zou echter spoedig ontdekken dat de man bij wie alle sporen uitkwamen een nogal merkwaardig maar onomstotelijk alibi had.

De rechercheurs die de zaak onderzochten, ontdekten dat Brooks een straatarme kruimeldief was die op erewoord voorwaardelijk was vrijgelaten (*on parol*). De zaak leek geheel rond, toen er in Brooks aftandse brik bovendien een verborgen schroevedraaier werd gevonden waarvan de punt exact paste in de diepe sporen die de inbreker in spe in het hout van de deursponningen van het appartement had achtergelaten.

Op de rechtszitting baarde Brooks opzien door te verklaren dat hij onmogelijk schuldig kon zijn, aangezien hij op het desbetreffende tijdstip... dood was geweest. Zijn advocaat pro Deo trok de zaak na en stelde vast dat zijn cliënt de waarheid had gesproken.

Brooks verhaal luidde als volgt: nadat hij was ontslagen uit een ziekenhuis voor oorlogsveteranen, waar hij in maart 1953 tegen maagzweren was behandeld, was zijn patiënt-status verwisseld met die van een andere man met dezelfde naam. De moeilijkheid was dat deze andere man in het ziekenhuis was overleden. Op de dag van de inbraakpoging had Brooks een bezoek gebracht aan het Veterans Administration Office, om te proberen een eind te maken aan deze verwarring, opdat hij zijn uitkering wegens oorlogsverwondingen weer zou kunnen innen.

Uit de gegevens bleek nu zonneklaar dat hij inderdaad op het tijdstip van de inbraakpoging in het bureau was geweest, in afwachting van een telegram dat zijn ware identiteit zou bevestigen. Dat telegram was uiteindelijk om 13.44 uur binnengekomen.

De rechtbank verklaarde Brooks onschuldig – dank zij wat vermoedelijk wel het meest opmerkelijke unieke alibi uit de geschiedenis is geweest. Want op het moment van de inbraakpoging, 13.30 uur, was William Brooks officieel dood geweest.

Buitenaardsen in de asteroïdengordel

Het is goed mogelijk dat buitenaardse ruimtevaarders een ideale plek hebben gevonden voor het inrichten van een ruimtekolonie: de asteroïdengordel tussen Jupiter en Mars.

De astronoom Michael Papagiannis van de Universiteit van Boston somt diverse redenen op waarom deze in een baan om onze zon cirkelende rotsblokkenring voor ruimtevaarders aantrekkelijk zou kunnen zijn. De asteroïden zijn niet alleen rijk aan grondstoffen die een ruimtekolonie nodig zou hebben, maar bovendien bevinden ze zich dicht genoeg bij de zon om het gebruik van zonne-energie mogelijk te maken.

Papagiannis wijst erop dat het rotsachtige, geaccidenteerde terrein op veel van deze asteroïden nog een ander voordeel biedt – talloze mogelijkheden tot het camoufleren van de activiteiten van deze buitenaardsen. Maar waarom zouden buitenaardsen het noodzakelijk vinden hun ruimtekolonie te verbergen voor de spiedende telescopen op aarde? 'Vergeet niet dat wij reusachtige vorderingen op technologisch gebied hebben gemaakt,' zegt Papagiannis. 'Wellicht bezinnen deze buitenaardsen zich op de vraag of ze ons moeten helpen, òf ons beter kunnen verdelgen.'

Vogelregen

'Het regent pijpestelen' of, zoals in Angelsaksische landen wordt gezegd, *'It's raining cats and dogs'*, is in beide gevallen een plastische omschrijving voor een hevige stortbui. Het is in de geschiedenis echter meermalen voorgekomen dat het letterlijk vogels uit de hemel regende.

In de herfst van 1846, zo meldt bijvoorbeeld een algemeen gerespecteerde bron, lagen delen van Frankrijk plotseling bezaaid met dode of stervende vogels die samen met een merkwaardige 'rode regen' uit de lucht waren komen vallen. De wetenschappers in Lyon en Grenoble waren echter niet bij machte vast te stellen waardoor deze duizenden leeuweriken, eenden, roodborstjes en kwartels opeens naar beneden waren gestort, noch konden zij de chemische samenstelling van de 'rode regen' achterhalen.

Dertig jaar later, in juli 1876, stortten er honderden dode bonte spechten, Amerikaanse spotlijsters, lijsters, merels, wilde eenden en andere soorten vogels neer in de omgeving van Baton Rouge in de staat Louisiana. Het was bijzonder opmerkelijk dat sommige van deze verongelukte vogels niet eens inheems waren in dat deel van het continent.

In de zomer van 1960 herhaalde dit vreemde verschijnsel zich in de omgeving van Capitola in Californië. Politieman Ed Cunningham werd voor het eerst met deze 'stortbui' van vogels geconfronteerd toen er omstreeks halfdrie 's nachts plotseling grote dode vogels rondom zijn patrouillewagen neerploften. 'Ze vielen zó snel en waren zó zwaar dat ze mij gemakkelijk bewusteloos hadden kunnen slaan,' vertelde hij. 'Het leek me daarom beter in de auto te blijven zitten, wat ik dan ook heb gedaan.'

Toen hij echter vanuit Capitola naar West Clive Drive reed, een rit van zo'n acht kilometer, stelde Cunningham echter vast dat ook de weg langs de kust en het strand zelf bezaaid lagen met dode vogels. Tegens zonsopgang bleek er een ware slachting onder vogels te hebben plaatsgevonden – de dode vogels hingen en lagen letterlijk overal: aan telefoondraden, op hekpalen, in struiken en aan televisie-antennes.

Ornithologen herkenden de grote vogels als roetkopalbatrossen. Sommige van deze zeevogels overleefden hun val en konden na verloop van tijd wegvliegen.

Wat was er echter de oorzaak van dat deze vogels waren neergestort? Smog, ongunstige weersomstandigheden, een ziekte of zelfs vergif? Deskundigen die de dode vogels onderzochten, bevestigden dat zij door hun val waren gedood. Waarom ze echter niet meer door hun vleugels werden gedragen en plotseling naar beneden kwamen vallen, is tot op de dag van vandaag een onopgelost raadsel gebleven.

Een oeroude blonde mummie

Chinese oudheidkundigen hebben de oudste, meest complete mummie gevonden die ooit in China is opgedolven – maar deze goed geconserveerde vrouw, die omstreeks haar veertigste levensjaar is gestorven, was géén Chinese. Ze was een vrouw van het Kaukasische (blanke) ras, had blond haar en overleed ongeveer vierduizend jaar geleden in China.

De *China Daily* rapporteerde dat de vrouw ongeveer 1,50 meter lang moet zijn geweest. Ze had een roodbruine huid en lang, blond haar. Omdat de woestijn waarin ze was begraven zo droog is, was haar huid zó uitstekend geconserveerd dat het weefsel nog elastisch was gebleven. En haar inwendige organen bleken nagenoeg intact te zijn.

De onderzoekers kwamen tot de conclusie dat deze vrouw vermoedelijk tot een zwervende stam heeft behoord, de zogeheten Oeigoeren. Deze nomaden waren voorlopers van de moderne Turken en ze hebben – althans volgens de curator van het Museum voor Schone Kunsten in Boston, Wu Tung – niet alleen onder invloed gestaan van de oude Grieken en Chinezen, maar ook van die van de bevolking van India.

Medici in Sjanghai, die het geconserveerde lijk onderzochten, hadden na afloop opzienbarend nieuws over de blonde mummie van China te melden: de vrouw was gestorven met een zeer hoog gehalte aan cholesterol in haar spierweefsels, terwijl in haar longen bovendien onverklaarbare sporen van antimonium – een zilverwit bros metaal dat voornamelijk in China en Zuid-Afrika voorkomt – waren aangetroffen.

Hij overleefde spontane zelfontbranding

Ofschoon er veel gevallen zijn geregistreerd van mensen die zonder aanwijsbare reden plotseling in vuur en vlam stonden – in de meest letterlijke betekenis van die term – blijven sceptici volhouden dat het onmogelijk is dat mensen 'zomaar' uit zichzelf in brand vliegen. Ze zullen echter een harde dobber hebben om Jack Angel uit Atlanta in Georgia van hun gelijk te overtuigen. Sommigen geloven dat Angel tot nu toe het enige slachtoffer van dit verschijnsel is die het heeft overleefd.

Angel, ooit een kerngezonde vertegenwoordiger met een riant inkomen, ziet zich tegenwoordig genoodzaakt als gehandicapte de rest van zijn leven thuis te slijten – en dat allemaal als gevolg van een bizar incident dat zich voordeed toen hij voor zaken in Savannah was. Terwijl hij in zijn caravan een dutje deed, schrok hij plotseling wakker vanwege een folterende pijn in zijn lichaam, dat in brand bleek te staan. Toen de arts, David Fern, arriveerde om de ernstig verbrande man te helpen, stelde hij vast dat Angel een gat in de borstkas had, dat enkele wervellichamen door extreme hitte met elkaar waren versmolten en dat een van zijn armen zó ernstig was verkoold dat dit lichaamsdeel moest worden afgezet.

Volgens dr. Fern is er – aangezien geen van de objecten in het inwendige van de caravan zelfs maar was geschroeid – slechts één plausibele verklaring voor het letsel van de heer Angel: spontane zelfontbranding – een nog onverklaarde moleculaire reactie die ertoe leidt dat mensen spontaan verbranden.

Gecomputeriseerde evolutie

Is er een eind gekomen aan de menselijke evolutie? Niet volgens wetenschapper Hans Moravec. Zijn kijk op de mens van morgen verschilt echter aanzienlijk van de onbehaarde, grootschedelige humanoïde met de kleine mond en grote ogen die in de sf-literatuur zo populair is. In plaats daarvan voorspelt Moravec, die verbonden is aan het Carnegie-Mellon Robotica-instituut en daar experimenteert met artificiële intelligentie, dat de menselijke evolutie een heel andere route zal gaan volgen, namelijk die van een synthese van de mens en met de machine.

Binnen dertig jaar, zo betoogt Moravec, zullen mensen hun zwakke ledematen van vlees en bloed inruilen voor duurzamer exemplaren die door de robotica zijn ontwikkeld. Daarnaast zal hun betrekkelijk trage menselijke brein worden geassisteerd door superintelligente computers.

Naar zijn mening zal het mogelijk worden om uiterst nauwkeurige kopieën van onze hersenpatronen vast te leggen in computerprogramma's die ons in staat zullen stellen duizenden keren sneller te denken dan ooit voor wie ook mogelijk is geweest.

Een volgende reuzenstap in de evolutie zal worden gezet, legt Moravec uit, als supermenselijke robots hun verlangen naar een eigen identiteit overboord zetten en vrijwillig beginnen met het uitwisselen van hun programma's en databases. Dan zal bijvoorbeeld een architect die bij wijze van spreken nog geen ei heeft kunnen bakken, plotseling een eersteklas diner voor gourmets kunnen bereiden, eenvoudig door het geheugen en de kennis van een vermaard chef-kok te lenen. Geleerden zullen toegang krijgen tot waarlijk briljante geesten en hun tijd doorbrengen met collectief nadenken over de geheimen van het universum.

De volgende etappe op het evolutionaire pad van mens en machine, zo voorziet Moravec, brengt met zich mee dat het zelfbesef van levende entiteiten zal vervagen. Uiteindelijk zullen alle menselijke breinen één worden met die van zowel aardse als buitenaardse levensvormen. 'Na vele jaren van uitwisseling,' voorspelt hij, 'zal er één enkel bewust wezen zijn ontstaan, wiens geheugen is opgeslagen in een immense databank die bestaat uit alle levende wezens in het universum. De hindoeïstische wijsgeren uit het oude India zouden vermoedelijk over Moravecs redenering hebben gezegd dat er niets nieuws onder de zon is: in de oudste Sanskrietgeschriften wordt gesproken over de uiteindelijke terugkeer van alle levensvormen en door mensen geschapen dingen tot Brahma, de oorspronkelijke bron van al het bestaande.

De Duivelszee

De Bermuda-driehoek is niet het enige zeegebied waarin schepen en vliegtuigen met verontrustende regelmaat spoorloos verdwijnen. Een gebied in de Grote Oceaan voor de kust van Japan, de *Driehoek van de Draak**, heeft al zoveel schepen op onverklaarbare wijze verzwolgen dat de Japanse regering dit gebied officieel tot gevarenzone heeft verklaard.

Deze gevarenzone staat sinds 1955, toen er maar liefst negen schepen spoorloos verdwenen. Het gebied is sindsdien bekend als de Duivelszee,

* Onder deze titel publiceerde Charles Berlitz een boek waarin tal van deze geheimzinnige verdwijningen worden besproken. Het verscheen in 1990 bij De Kern, Baarn. (Vert.)

vooral ook omdat een door de regering uitgezonden onderzoeksschip, de *Kayo Máru 5*, na een dag of tien vergeefs zoeken eveneens is verdwenen. In de volgende vijftien jaar verdwenen er nog eens twaalf schepen in de Duivelszee.

Japanse onderzoekers opperen de mogelijkheid dat hevige winterse stormen en immense vloedgolven, bekend als *tsunami*, sommige van deze verdwijningen kunnen verklaren. Ook wijzen zij erop dat de Driehoek van de Draak wordt gekenmerkt door een opmerkelijke geologische eigenschap: het ware noorden en het magnetische noorden vallen hier precies samen, waardoor het onmogelijk is een accurate kompasstand af te lezen.

In de hoop dit mysterie van de verraderlijke Duivelszee te ontrafelen, heeft het Japanse ministerie van Transport opdracht gegeven tot het instellen van een nieuw wetenschappelijk onderzoek ter plaatse. Hierbij wordt echter niet opnieuw een schip met bemanning geriskeerd: de regering laat nu een robotboei in de Duivelszee stationeren, die tot taak krijgt om jarenlang nauwkeurig de heersende winden, weersomstandigheden en tsunami in deze Japanse tegenhanger van de Bermuda-driehoek te observeren.

De holle aarde

Het geloof in een holle aarde manifesteerde zich in allerlei culturen over de hele wereld. In het Griekenland van de oudheid geloofden de mensen bijvoorbeeld dat sommige vulkanen 'poorten naar de Hades' diep in het inwendige van de planeet waren. Volgens de Japanse mythologie roerde zich onder Japan een machtige onderaardse draak die de vele aardbevingen in dat land veroorzaakte. In Midden-Azië schetst de legende over Arghati uit het mahayana-boeddhisme een wereld 'onder Mongolië en Tibet' waar de koning der aarde en zijn gevolg zouden resideren.

Sommige Amerikanen hebben dergelijke verhalen letterlijk geïnterpreteerd. Zo richtte een zekere Cyrus Read in 1870 de Hollow Earth Society op en slaagde hij erin duizenden leden te winnen. Nog eerder, in 1832, stapte marinegezagvoerder John Symmes met deze theorie naar het Amerikaanse Congres. In het inwendige van onze wereld, zo betoogde hij, 'bevindt zich een rijk en warm land waarin het wemelt van welig tierende planten en dieren, zo niet mensen'. Om dat land te vinden, wilde Symnes naar de noordpool varen en daar op zoek gaan naar wat hij het 'Symnes Hole' noemde; door dit 'gat in de aardkorst' binnen te gaan, wilde hij het inwendige van de aarde verkennen. De ministers van Marine en Financiën gaven opdracht drie schepen voor deze avontuurlijke reis gereed te maken, maar president Andrew Jackson sprak een veto uit over deze wilde plannen.

Degenen die in een holle aarde geloven, blijven boeken over dat onderwerp uitgeven. In sommige ervan zijn zelfs luchtfoto's van dit vermeende 'gat bij de noordpool' afgedrukt. De aanhangers van deze redenering wijzen erop dat veel dingen in de natuur – bonen, pitten, vruchten en dieren – een structuur hebben rondom een inwendige holte. Volgens hen is het dan logisch aan te nemen dat ook de aarde zo is gestructureerd...

Hitler en de holle aarde

Een piloot van de Duitse Luftwaffe die in de Tweede Wereldoorlog door de geallieerden gevangen werd genomen en later weer werd vrijgelaten, een zekere Bender, intrigeerde zijn landgenoten met een uitzonderlijke theorie. Het land, het water en al het overige dat we op aarde zien, bevindt zich in werkelijkheid aan de binnenzijde van een reusachtige schil, zo betoogde hij. De zon en de maan, die veel kleiner zijn dan wij denken, bevinden zich in feite tussen ons en een buitenste koepel die we vanwege een dikke laag damp niet kunnen zien.

Adolf Hitler voelde zich zó aangesproken door Benders redenering dat hij zijn goedkeuring hechtte aan een door zijn regering bekostigde expeditie, in de hoop dat de resultaten hem zouden helpen de oorlog te winnen. In de overtuiging dat een holle aarde hen zou helpen de bewegingen van de Britse en Amerikaanse vloot in het oog te houden, verzamelde een fors aantal Duitse wetenschappers en officieren van de Luftwaffe en Kriegsmarine zich op het eiland Rügen in de Oostzee. Volgens G.S. Kniper, later verbonden aan het observatorium op Mount Palomar, meenden zij dat 'de kromming van een holle aarde het mogelijk zou maken om – met behulp van infrarode stralen – een systeem voor het op lange afstand observeren van schepen te ontwikkelen, mede omdat infrarode stralen een geringere kromming hebben dan zichtbare lichtstralen'.

Het geloof in de hypothese van een holle aarde bleek echter een groot nadeel te zijn voor de nazi's. Het kostbare en grootscheepse onderzoek op Rügen onttrok een fors aantal belangrijke wetenschappers en militairen aan de oorlogsmachine en legde bovendien beslag op enkele broodnodige radarinstallaties die Duitse steden tegen geallieerde luchtaanvallen moesten beschermen.

De onverwoestbare Loch Ness-legende

In de verhalen over het monster van het Schotse Loch Ness ligt gewoonlijk de nadruk op de lengte van het dier, die op 12-18 meter wordt geschat, de vier korte poten of zwempoten en de reptielachtige kop. Deze beschrijving lijkt sterk op die van de plesiosaurus, een dier dat geacht wordt al zeventig miljoen jaar uitgestorven te zijn.

De oudste verhalen over het monster in Loch Ness stammen uit de 6de eeuw, en het wordt erin beschreven als een 'beruchte demon... een bron van doodsangst in deze streek'. Naar verluidt zou de heilige Colomba het monster hebben belet een zwemmer te verslinden. In een ander verhaal zou Nessie, zoals het beest wordt genoemd, twee kinderen onder water hebben gesleurd, in een deel van het meer dat nu Children's Pool wordt genoemd. Ongeveer honderd jaar geleden zouden honderden mensen het dier aan het wateroppervlak hebben zien zwemmen.

In de 20ste eeuw meldt een groeiend aantal personen dat zij het monster hebben gezien. Wellicht aangemoedigd door de beloning van ruim viereneenhalf miljoen gulden, door de vooraanstaande Black and White Whiskey Company uitgeloofd voor een concreet bewijs van Nessies bestaan, is Loch Ness zeer zorgvuldig uitgekamd door meer dan één wetenschappelijk onderzoeksteam. In 1967 werd het monster gezien door een plaatselijk politicus, die prompt als neutrale voorzitter van een forum dat over het bestaan van Nessie zou discussiëren werd gediskwalificeerd. Een sceptische hoteleigenaar bij Loch Ness, John Macdonald, stond juist bij hoog en laag te beweren dat het monster niets anders was dan een mythe, toen deze mythe plotseling de kop hoog boven het water uitstak en langs het hotel zwom.

Nessie is door talloze mensen gefotografeerd en de snelheid van het dier werd 'geklokt' op 50-65 km/uur, waarbij soms een krachtige golfslag langs de oevers werd waargenomen. Op zijn minst één onderwaterfoto (met sterke schijnwerpers genomen) laat iets zien dat veel wegheeft van een vervaarlijke gehoornde kop die recht naar de camera staart. En elektronische detectors registreerden een langwerpige vorm van 7,5-10,5 meter lengte die op een diepte van circa 12 meter door het water zwom.

Het heeft er echter alle schijn van dat Nessie geen verscheurend dier is en alleen onbedoeld gevaar kan opleveren. Zo snelde bijvoorbeeld John Cobb in 1952 over het water toen zijn speedboat plotseling op een krachtige golfslag stuitte. Die plotselinge beroering zou veroorzaakt kunnen zijn doordat Nessie verrast werd door de speedboat en geschrokken omlaag dook.

Misschien zijn 'vreemdelingen' niet welkom in het meer. Tijdens de opnamen voor een film die aan het meer werd geënsceneerd, maakte de producer gebruik van een namaak-Nessie. Tijdens het draaien van een van de scènes knapte het touw waaraan de kopie was vastgelegd opeens en verdween het imitatiemonster onder de golven, om nooit meer boven te komen.

Een Australische rotsschildering uit de ijstijd

In Europa waren al eens rotsschilderingen ontdekt die kennelijk een diprotodon uitbeeldden, een dier uit de laatste ijstijd dat zo'n zesduizend jaar geleden is uitgestorven. Onderzoekers waren heel verbassd toen zij een overeenkomstige rotsschildering aantroffen in Australië, het continent van buidelzoogdieren als de kangoeroe, de koalabeer en de buidelrat. Deze rotsschildering werd gevonden in een groep rotsholen ten noorden van Cairns in Queensland. De diprotodon is afgebeeld met een touw om de nek, wat het vermoeden wettigt dat dit dier niet alleen ook op het Australische continent heeft geleefd, maar er bovendien was gedomesticeerd.

Ezechiëls visioen

Bij het lezen van Erich von Dänikens *Waren de goden kosmonauten?* raakte Josef Blumrich, de Duitse raket- een ruimteschipontwerper die later hoofd van de layout-afdeling van de NASA is geworden, tamelijk geïrriteerd. Von Däniken betoogde in dit boek dat het bijbelboek *Ezechiël* onmiskenbare verwijzingen bevat naar ruimteraketten en buitenaardse astronauten. Blumrich, die de Saturnus V en het Skylab had ontworpen, ergerde zich hevig aan de 'bespottelijke' hypothese van von Däniken en hij nam zich voor te bewijzen dat de auteur het mis had.

Het tegendeel gebeurde. Blumrich ontdekte dat de profeet Ezechiël heel goed de landing van een ruimteschip kon hebben gezien en dat hij er – zij het in de bewoordingen van iemand die niet in staat was een ruimteraket te herkennen – een gedetailleerde beschrijving van had gegeven:

> En ik zag en zie, een stormwind kwam uit het noorden, een zware wolk met flikkerend vuur en omgeven door een glans; daarbinnen, midden in het vuur, was wat eruitzag als blinkend metaal. En in het midden

daarvan was wat geleek op vier wezens; en dit was hun voorkomen: zij hadden de gedaante van een mens, ieder had vier aangezichten en ieder van hen vier vleugels. (Ezech. 1:4-6)
Want bij de cherubs was onder hun vleugels iets zichtbaar dat de vorm had van een mensenhand. (Ezech. 10:7)
Hun voetzolen waren als die van een kalf en fonkelden als gepolijst koper. (Ezech. 1:7)
En ik zag, en zie, er bevonden zich vier raderen naast de cherubs, naast elke cherub een rad. De aanblik van de raderen was als schitterend turkoois. En wat hun voorkomen betreft: ze hadden alle vier een zelfde vorm, alsof er een rad was midden in een rad. Als zij gingen, konden zij naar alle vier zijden gaan; zij keerden zich niet om als zij gingen. Naar de plaats waarheen de voorste zich wendde, volgden zij hem, zonder zich om te keren als zij gingen. Hun gehele lichaam – hun rug, hun handen, hun vleugels – en de raderen waren rondom vol ogen; alle vier hadden zij hun rad. Wat de raderen betreft, zij werden te mijnen aanhoren Werveling genoemd. (Ezech. 10:9-13)
... Als de cherubs gingen, gingen de raderen aan hun zijde; als de cherubs hun vleugels ophieven om op te stijgen boven de aarde, weken de raderen niet van hun zijde. Als genen stilstonden, stonden dezen stil, als genen zich verhieven, verhieven zich dezen met hen, want zij hadden de geest van de wezens in zich. (Ezech. 10:16-17)

Ezechiëls verwijzing naar een 'stormwind... uit het noorden, een zware wolk en omgeven door een glans' zou een wat onbeholpen beschrijving van de verticale landing van een raket kunnen zijn. En de 'voetzolen waren als die van een kalf en ze fonkelden als gepolijst koper' zouden de landingspoten kunnen zijn.

De vier aangezichten van deze 'gevleugelde wezens' vergeleek Ezechiël met respectievelijk het aangezicht van een mens, een leeuw, een os en een adelaar. Waarschijnlijk nam hij deze waar doordat het toestel om zijn as draaide. Interessant is in dit verband dat de Gemini-capsule met zijn raampjes aan stuurboord veel weg heeft van het 'aangezicht van een os'...

De zinsnede: '... bij de cherubs was onder hun vleugels iets zichtbaar, dat de vorm had van een mensenhand' lijkt in feite te verwijzen naar een mechanische grijphand, bevestigd aan hydraulische cilinders. De verwijzing naar 'brandende vuurkolen', en de zinsnede 'en het vuur glansde en bliksemen schoten daaruit', lijken te onderstrepen dat het hier om een landing van een ruimteschip gaat. Verder maakte Ezechiël melding van veranderende kleuren, die hij vergeleek met de kleuren van edelstenen, en van raderen die de aarde raakten. Hoofdstuk 10, vers 26 luidt:

> Boven het uitspansel boven hun hoofden was wat eruitzag als lazuursteen, dat de vorm had van een troon, en daarboven, op hetgeen een troon leek, een gedaante die eruitzag als een mens.

En vanzelfsprekend laat Ezechiël hierop volgen: 'Aldus was het voorkomen der verschijning van de heerlijkheid des Heren'.

Sinds hij dit bijbelboek onder invloed van het boek van von Däniken heeft bestudeerd, is Blumrich ervan overtuigd dat Ezechiël inderdaad een ruimteschip heeft gezien. En in plaats van von Dänikens ongelijk aan te tonen, schreef Blumrich een eigen boek over dit onderwerp, met de titel: *The Spaceship of Ezekiel.*

De nucleaire winter – een verschrikking

Ondanks alle voorspellingen dat een kernoorlog miljoenen of zelfs miljarden slachtoffers zal eisen, bleven er mensen die de optimistische overtuiging waren toegedaan dat de overlevenden op de een of andere manier in staat zouden zijn hun leven te hervatten en de schade te herstellen. Die veronderstellingen worden nu door geleerden in twijfel getrokken.

Volgens de hypothese van een 'nucleaire winter', ontvouwd door de astronoom Carl Sagan en anderen, zal een grootschalige kernoorlog immense hoeveelheden roet, stof en rook in de aardatmosfeer brengen. Als het licht van de zon het aardoppervlak niet meer kan bereiken, zullen meren, rivieren en zelfs delen van de oceanen bevriezen en zullen de temperaturen op aarde met ten minste 30-35 °C. dalen. Het grootste deel van de voedselgewassen op aarde sterft dan af, waardoor hongersnood zal ontstaan, die weer veldslagen uitlokt over de weinige resterende voedselvoorraden die nog bruikbaar zijn. Dit zal dan gepaard gaan met aanhoudende bosbranden en branden in grote stedenagglomeraties, zodat de 'overwinnaars' niet beter af zullen zijn dan de verliezers.

Verdwaalde dieren

Verhalen over in North Carolina rondhuppende kangoeroes zullen de meeste mensen even plausibel in de oren klinken als meldingen over het bestaan van roze olifanten. Maar Loren Coleman, een psychiater die maatschappelijk werk verricht en in zijn vrije tijd de cryptozoölogie beoefent, zegt dat er voor dergelijke berichten een andere verklaring mogelijk is dan de geijkte verwijzing naar 'hallucinaties'. Coleman, die tientallen van dergelijke gevallen heeft onderzocht, meent dat deze dieren op de een of andere raadselachtige manier via teleportatie van de ene naar de andere plaats op aarde zijn overgebracht.

'Dergelijke teleportaties worden gekenmerkt door onvoorspelbaarheid,' doceert Coleman. 'Soms komen zulke dieren letterlijk uit de lucht vallen.' Zo werden er in het begin van de jaren tachtig plotseling kangoeroes gezien in North Carolina, Oklahoma en Utah, en zag een wandelaar een pinguïn op een strand in New Jersey. Verscheidene inwoners van Florida schrokken hevig toen ze plotseling oog in oog kwamen te staan met circa twee meter lange Nijlvaranen (*Varanus Polydaedalus niloticus*) – reptielen die geacht worden uitsluitend in hun bakermat Afrika voor te komen.

Coleman erkent dat sommige geleerden zullen tegenwerpen dat dergelijke dieren eenvoudig door dierenimporteurs of liefhebbers als jonge dieren in Amerika zijn geïmporteerd. 'Maar de zaak ligt niet zo eenvoudig als het lijkt,' zegt hij. Hij wijst erop dat hij al honderden waarnemingen van uitheemse diersoorten heeft onderzocht en er met wildwachters, politiemannen en gewone burgers over heeft gesproken. Hoewel er in ruim de helft van de gevallen een logische verklaring kon worden gevonden, blijft op zijn minst 20 procent van deze waarnemingen volstrekt raadselachtig.

Een meermonster aangeraakt

In de loop der eeuwen hebben honderden mensen met de hand op het hart verklaard dat zij dinosaurusachtige meermonsters hadden gezien, zoals 'Nessie', het monster van Loch Ness. Een vrouw uit Brits Columbia (Canada) mag zich echter tot op dit moment de enige mens noemen die ooit een van deze dieren heeft *aangeraakt*.

Het grote avontuur van Barbara Clark begon op een zonnige juli-ochtend van het jaar 1974 in het Okanagan-meer. Barbara was zwemmend op weg naar een duikplatform dat ongeveer 400 meter van de oever in het meer is verankerd toen ze plotseling, toen ze het platform bijna had bereikt, iets ruws van immense afmetingen langs haar benen voelde schuren. In allerijl trok Barbara zich op en klom op het platform. Toen ze zich omdraaide, zag ze het – een donkergrijs, slangachtig dier van ongeveer tien meter lang en ruim een meter dik, dat op slechts vijf meter afstand van het platform kronkelend door het water zwom. De kop van het monster bevond zich onder water, maar de aan het eind afgeplatte staart was duidelijk te zien.

J. Richard Greenwell, secretaris van de International Society of Cryptozoology – een vereniging die raadselachtige waarnemingen over uitheemse dieren of dieren die geacht worden allang uitgestorven te zijn onderzoekt – ging met Barbara praten en beoordeelde haar als een zeer geloofwaardige ooggetuige. 'Ze is er pas kort geleden mee voor de draad gekomen,' merkte hij op. 'Ze was namelijk bang dat niemand haar zou willen geloven.'

Greenwell wijst erop dat de plaatselijke Indianen – al ver vóór de komst van de eerste blanken in dit gebied – elkaar verhalen vertelden over een monster dat in het Okanagan-meer zou huizen. In de loop der jaren zijn er inmiddels meer dan 200 ooggetuigeverklaringen verzameld van allerlei mensen die het monster – dat in de volksmond Ogopogo wordt genoemd – met hun eigen ogen hebben gezien. In het merendeel van deze verklaringen wordt een dier beschreven waarvan de uiterlijke kenmerken opmerkelijk goed overeenkomen met het watermonster dat Barbara had aangeraakt.

Wat voor dier het ook geweest moge zijn dat door het donkere water van het meer naar Barbara toe kronkelde, het schijnt er niet op uit te zijn geweest haar aan te vallen. Greenwell meent dat de afgeplatte staart de verklaring hiervoor kan leveren. 'Zo'n afgeplatte staart wijst erop dat het een zoogdier betreft,' legt hij uit. 'En zoogdieren zijn bijzonder nieuwsgierig. Misschien kwam het naar Barbara toe, eenvoudig omdat het even wilde zien wat daar zo in het water spartelde.'

Het Oliver-mysterie

Oliver werd ruim tien jaar geleden ontdekt in de Kongo, maar niemand weet met zekerheid of hij een mutant, een hybride levensvorm of een nieuw soort chimpansee is. Zo op het oog lijkt hij op een onbehaarde chimpansee, maar zijn oren bevinden zich eerder bovenaan zijn kop dan in het midden. Zijn neus steekt naar voren, zoals bij mensen het geval is, en anders dan apen – die het liefst op hun knokkels lopen – lijkt Oliver van nature rechtop te willen lopen.

Oliver is lang en intensief bestudeerd door Ralph Helfer, een onderzoeker van dierengedrag die directeur is van Gentle Jungle, een in het Californische Burbank gevestigde onderneming die dierlijke 'acteurs' africht. Het schijnt dat Oliver zevenenveertig chromosomen heeft (apen hebben er achtenveertig en de mens heeft er zesenveertig), hetgeen doet denken aan ofwel een kruising of een merkwaardige vorm van het syndroom van Down (mongooltje). Zijn intelligentie bewijst echter dat er geen sprake kan zijn van een geval van het syndroom van Down bij een aap. Oliver kan uren achtereen naar actiefilms en westerns kijken, een bezigheid waarvan chimpansees al na enkele minuten hun bekomst hebben.

Iedereen die Oliver heeft gezien – vanaf Grootvoetjagers tot antropologen – is verbluft. 'Niemand gelooft dat hij een chimpansee is, en evenmin heeft ooit iemand gesuggereerd dat hij een Grootvoetkind zou kunnen zijn,' zegt Helfer. Iedereen is het er echter over eens dat Oliver een uitzonderlijke primaat is.

Een tienerwolf

In 1976 ontdekte een plaatselijk dorpshoofd een mensenkind dat met drie kleine wolfsjongen dartelde in een bos in het district Sultanpur nabij Lucknow in India. Volgens latere berichten van het Indiase persagentschap Press Trust of India waren de nagels van de jongen vergroeid tot klauwnagels. Zijn leeftijd werd geschat op acht jaar. Hij had een opmerkelijk sterke lichaamsbeharing en het hoofdhaar was totaal vervilt.

Omdat de jongen zoveel op een beer leek, noemde het dorpshoofd hem 'Bhaloo' (Baloe). Hoewel die naam later werd veranderd in Bhaskar, bleven veel mensen hem eenvoudig de 'wolfsjongen' noemen, in de overtuiging dat hij was gezoogd door een wolvin.

Het dorpshoofd had gehoopt dat hij de wolfsjongen enige beschaving zou kunnen bijbrengen, maar al zijn inspanningen waren vergeefs. Uiteindelijk belandde Bhaskar in *Prem Nivas*, een tehuis voor wezen en in de steek gelaten arme kinderen van de Missionarissen van de Liefde in Lucknow, 435 kilometer ten zuidoosten van New Delhi. Hij bleef daar tot aan zijn dood in 1985.

De teruggevonden rivier

Toen twee miljoen jaar geleden de wereld afkoelde en de laatste Grote IJstijd begon, veranderde het gebied rondom de huidige grenzen van Egypte – Soedan en Libië – van grasland in woestijn. Vermoedelijk was de prehistorische mens de laatste die het groene landschap van rivieren, dalen, kanalen en vruchtbare vlakten daar heeft gezien. Sindsdien is de streek onherbergzaam voor nagenoeg alle levensvormen. En meteorologen menen dat het er slechts eens in de veertig jaar of zelfs nog minder vaak regent.

Sinds de oudheid hebben onderzoekers echter geprobeerd in deze mensvijandige omgeving de resten van het *Bahr-belama* terug te vinden, een gigantisch stelsel van rivieren en riviertjes dat onder het rulle zand van de Sahara moet hebben bestaan. De legende over de 'machtige rivieren zonder water' zijn tot in onze tijd blijven voortleven, hoewel er nooit een spoor van deze vermeende rivieren en hun vertakkingen werd gevonden – tot het jaar 1982.

Geleerden aan boord van ruimtecapsules die met behulp van radartechnologie een studie maakten van het aardoppervlak, legden sensationele beelden vast van een wijdvertakt stelsel van stroombeddingen onder het Sahara-zand. Volgens John McCaulkey van de Amerikaanse organisatie Geological Survey, de man die leider was van het onderzoeksteam dat de experimenten in het ruimtependel heeft verricht, is de kans klein dat de onder het zand verborgen rivierdalen ooit verbonden waren met de Nijl. Deze verborgen rivieren buigen af naar het zuiden en het westen, dus in richtingen die tegengesteld zijn aan het huidige verloop van de Nijl. Het is wèl mogelijk, zo gist hij, dat de verborgen rivieren en de Nijl vroeger in een binnenzee zijn uitgemond die even groot was als de Kaspische Zee.

Een babymammoet

In het tegenwoordige Siberië hebben in de prehistorie grote kudden mammoeten rondgetrokken. Tijdens een van de omzwervingen van zo'n kudde over de bevroren toendra belandde een zeven maanden oud mammoetjong in drijfzand. Het angstige dier heeft natuurlijk geworsteld om uit het drijfzand te ontsnappen, maar het raakte al spoedig uitgeput en werd door het drijfzand verzwolgen. Het karkas was toen onbereikbaar voor verscheurende dieren en het drijfzand zelf raakte later bedolven onder lawines van sneeuw die nooit meer zijn ontdooid.

Tot aan het jaar 1977 bleef deze plek ongerept – dat jaar ontdekte een bulldozer-chauffeur in de streek Magadan de jonge mammoet in een uit ijs, steengruis en zand bestaande aardlaag. Het volledig intact gebleven karkas werd overgebracht in een diepvriescel, waar de opgewonden Russische geleerden aan het meten, wegen en beschrijven sloegen en het dier zo goed mogelijk conserveerden. Vroegere mammoetvondsten waren vaak erg beschadigd, legt Nikolai Veresjagin uit, die voorzitter is van de Commissie voor Mammoetonderzoek van de Russische Academie van Wetenschappen.

Het mammoetjong – het eerste volledig geconserveerde exemplaar dat ooit werd gevonden – verschafte de geleerden een vollediger beeld van het uiterlijk van mammoeten, en ook van de structuur der inwendige organen. De onderzoekers konden een uitvoerige studie maken van de hersenen, het skelet en de spieren. Zij verwijderden het hart, de longen, de nieren, de maag en andere inwendige organen. Misschien zullen zij nog in staat zijn de eigenlijke oorzaak van het uitsterven van deze machtige dieren, die zo voortreffelijk leken aangepast aan barre klimatologische omstandigheden, te achterhalen.

Bikini

Tegenwoordig wordt deze naam eerder geassocieerd met een minuscuul badpak dan met het gelijknamige atol in de Grote Oceaan waar tussen 1946 en 1958 waterstofbommen zijn getest. Misschien werd de naam van het badpak gekozen op grond van de overeenkomst dat er zo weinig van beide is: Bikini heeft een oppervlakte van slechts vijf vierkante kilometer.

Ondanks dit geringe oppervlak huisvestte het eiland Bikini een aantal bewoners die heel tevreden waren met hun plekje in de oceaan. Ze werden echter door de Amerikaanse regering verhuisd, samen met de bewoners van het nabijgelegen eiland Eniwetok, waar in de jaren vijftig eveneens een reeks kernproeven is gehouden.

In 1968 kregen de oorspronkelijke bewoners van beide eilanden toestemming om terug te keren, maar toen de bewoners van Bikini weer landbouw wilden gaan bedrijven, bleek de grond nog te sterk radioactief en moesten de verbijsterde eilandbewoners opnieuw verhuizen. Eniwetok, een iets groter eiland, onderging een grootscheepse schoonmaakoperatie en er werden nieuwe palmbomen geplant, aangezien de kernbomexplosies niets hadden overgelaten van de oorspronkelijke vegetatie. De overheid verbood de bewoners echter te eten van de kokosnoten die aan de nieuwe bomen groeiden.

De inboorlingen waren zowel teleurgesteld als verbaasd, maar de meesten waren vertrouwd met de bijbel, dank zij de onvermoeibare inspanningen van generaties zendelingen en missionarissen, zodat veel eilandbewoners verband legden met het verhaal over een andere 'groene tuin' waarvan het de bewoners verboden was om van ogenschijnlijk onschuldige vruchten te eten – 'maar van de vrucht van de boom die midden in de hof staat... gij zult daarvan niet eten noch die aanraken, anders zult gij sterven' (Gen. 3:3).

De verzonken stad

De oude kuststad Baiae – het 'Monte Carlo' van het Romeinse rijk – telde vele luxe villa's en paviljoenen die in zee waren gebouwd. De stad besloeg een strook grond met een oppervlakte van 6,5 kilometer lang en 400 meter breed en was daarmee groter dan de naburige stad Pompeï. Zelfs keizer Augustus en de redenaar, staatsman en filosoof Cicero bezaten een huis in deze recreatiestad aan de westkust van Italië, nabij het huidige Napels.

In de 2de eeuw n.Chr. bouwden de Romeinen een zeewering teneinde Baiae tegen stormvloeden te beschermen. Deze zeewering bood echter onvoldoende bescherming tegen andere vormen van natuurgeweld. Onderzeese aardbevingen en vulkaanuitbarstingen waren er de oorzaak van dat Baiae in de Baai van Pozzuoli onder de golven verdween.

De grote villa's met hun kunstschatten en artefacten liggen nog altijd op de zeebodem, maar alleen duikers ervaren nu de opwinding van het onder water verkennen van deze goed bewaard gebleven stad. De Duitse archeoloog Bernard Andreae heeft voorgesteld een reusachtige koepel van kunststof over op zijn minst de keizerlijke villa te plaatsen. Andreae, die persoonlijk heeft deelgenomen aan opgravingen in Baiae, wil van hetzelfde materiaal een soort tunnelbuis construeren naar de kust, om dan al het water uit de koepel en de buis weg te pompen en het te vervangen door lucht. Bezoekers van dit onderwatermuseum zouden niet alleen de resten van de elegante villa kunnen bezichtigen, maar ze zouden er ook de reconstructies aantreffen van de vele standbeelden die er gedurende de Romeinse tijd hebben gestaan.

De kus des doods

Een jonge Chinese bruidegom en zijn bruid trokken zich terug van de feestelijke receptie ter gelegenheid van hun huwelijk in Noord-China en ze sloten zich op in de vlak bij gelegen bruidssuite. Daar zouden de jonggehuwden hun huwelijk voltrekken, en de bruidegom begon zijn bruid hartstochtelijk in de hals te kussen.

Kort daarna hoorden de bruiloftsgasten een ijzingwekkende gil. Ze drongen de slaapkamer binnen en troffen het pasgetrouwde paartje bewusteloos aan. Ze brachten man en vrouw in allerijl naar het ziekenhuis, maar bij aankomst daar kon bij de bruid slechts de dood worden geconstateerd.

De hevigheid van hun hartstocht en de lange duur van de kus die de geliefden hadden uitgewisseld, zo beredeneerden de dokters, hadden overmatig hevige hartkloppingen bij de bruid veroorzaakt, gevolgd door hartstilstand.

Een recente verdwijning in de Bermuda-driehoek

Nadat hij als eerste piloot dertig jaar lang in de luchtvloot van de Ford Motor Company had gediend en daar mannen als Henry Ford II en ook de toenmalige Ford- en huidige Chrysler-directeur Lee Iacocca had gevlogen, ging Dick Yerex in 1986 met pensioen. Zijn vrouw en hij verhuisden daarna vanuit hun huis in Gibraltar, Michigan, naar North Palm Beach in Florida, waar Yerex een baan aannam bij een vliegtuigmaatschappijtje dat lokale pendeldiensten onderhield.

Op 27 mei 1987 maakte Yerex eveneens zo'n routinevlucht, waarbij hij een tussenlanding moest maken op het eiland Abaco, dat tot de Bermuda's behoort. Zijn tweemotorige Cessna was in voorbeeldige staat en nog nooit hadden er zich mechanische storingen in het toestel voorgedaan. Het zicht was helder, hoewel er af en toe wat lichte regen viel. En Yerex had als piloot een prima staat van dienst. Alles scheen normaal te verlopen.

Veertig minuten nadat hij was opgestegen, nam Yerex echter contact op met een andere piloot in de buurt, teneinde hem te waarschuwen voor de positie van een weerballon die de metereologische dienst had opgelaten. Het was de laatste keer dat iemand iets van hem hoorde. Hij was voor het laatst gesignaleerd toen hij de Bermuda-driehoek binnenvloog, het beruchte gebied dat gelegen is binnen een denkbeeldige lijn die van Melbourne in Florida naar Bermuda loopt en vandaar wordt doorgetrokken naar Puerto Rico en terug naar Florida.

'Het enige concrete feit dat we kennen, is dat het toestel is opgestegen,' verklaarde Ron Bird, als inspecteur van de luchtvaart verbonden aan de National Traffic Safety Board in Miami. 'Daarna kan er van alles en nog wat met die kist zijn gebeurd.'

Na een uitgebreide maar vergeefse zoekactie werd Yerex als 'vermist' te boek gesteld, met de aantekening dat hij vermoedelijk dood is en zijn tweemotorige Cessna waarschijnlijk vernietigd.

Het geheimzinnige manuscript

In 1912 kocht de Britse boekhandelaar Wilfrid Voynich van een jezuïetencollege in Italië een eeuwenoud manuscript van 204 bladzijden, verlucht met tal van kleurrijke illustraties. Het geheimzinnige boek was met de hand geschreven, en wel in een onbekend alfabet. Voynich verstuurde fotokopieën van het boek aan iedereen die bereid was een poging te doen de tekst te vertalen.

Velen beproefden hun krachten op het ontcijferen van het handschrift, maar niemand boekte ook maar enig succes, totdat in april 1921 William Romaine Newbold van de Universiteit van Pennsylvania liet weten dat hij het alfabet had weten te decoderen. Volgens William Newbold was het manuscript van Voynich geschreven door niemand minder dan de geniale 13de-eeuwse Engelse franciscaan en uitvinder Roger Bacon. Uit de vertaling kon worden opgemaakt dat Bacon – ruim 400 jaar voordat die instrumenten werden geacht te zijn uitgevonden – microscopen en telescopen zou hebben geconstrueerd en gebruikt (Antonie van Leeuwenhoek leefde van 1632 tot 1723, vert.).

Kort na Newbolds dood werd echter aangetoond dat diens ijverige vertaalwerk niet deugde, hoewel niemand anders met een meer steekhoudende hypothese over de brug kwam. Het manuscript is uiteindelijk aan de Universiteit van Yale geschonken, waar het nog altijd wordt bewaard en voor linguïsten en andere geleerden een raadsel is gebleven.

Buitenaardse Grootvoeten

Een vrouw in Pennsylvanië zat laat op een avond in januari in haar huiskamer toen ze werd opgeschrikt door geluiden in de onmiddellijke nabijheid van haar huis. Ze nam geen enkel risico en stapte gewapend met een geweer via haar voordeur haar veranda op. Plotseling stond ze oog in oog met een Grootvoet-achtig wezen van vlees en bloed, op minder dan twee meter afstand. Ze vuurde haar geweer af, richtend op het middenrif van het wezen, en zag tot haar stomme verbazing dat het in een lichtflits verdween.

De schoonzoon van de vrouw had het schot gehoord en snelde haar te hulp. Toen hij buiten stond, zag hij nog meer Grootvoet-achtige wezens, die zich ophielden aan de rand van het nabijgelegen bos. Boven hen zweefde een rood, pulserend lichtschijnsel.

In een aantal UFO-meldingen is er sprake van gelijktijdige waarnemingen van Grootvoet-achtige wezens in dezelfde omgeving. Een van die gevallen speelde zich af in de nabijheid van een boerderij in de omgeving van Gettysburg, Pennsylvania. De tweeëntwintigjarige boerenzoon Stephen zag in een oktobernacht van het jaar 1973 een grote, helderrode 'lichtbol' laag boven de grond zweven en ging op onderzoek uit, samen met twee jongens van tien jaar. Toen ze het vreemde object naderden, zagen ze twee grote, aapachtige wezens met groene 'lichtende' ogen en lang zwart haar. Toen deze twee merkwaardige wezens naar het drietal toe kwam, loste Stephen een schot over hun hoofden, en toen ze tòch bleven doorlopen, vuurde Stephen nog drie schoten af, waarbij hij het grootste van de twee wezens raakte. Plotseling verdween de UFO, waarop de harige wezens zich omdraaiden en in de bossen verdwenen.

Een toekomstige Duivelsdriehoek in Amerika?

De Bermuda-driehoek wordt gevormd door een denkbeeldige lijn van Melbourne in Florida naar Bermuda, en vandaar naar Puerto Rico en terug naar Florida. Dit gebied is al decennia lang berucht vanwege de talloze verdwijningen van schepen en vliegtuigen die er hebben plaatsgevonden. Volgens Hugh Cochrane, een autoriteit op het gebied van dodelijke driehoeken op aarde, worden dergelijke zones gecreëerd door energie die afkomstig is uit de oceaanbodem.

Driehoekszones kunnen echter van plaats veranderen, net als het geval is met aardbevingszones, aldus Cochrane, auteur van het boek *Gateway to Oblivion*. En dat is in feite precies wat er momenteel met de Bermuda-driehoek gebeurt, zegt hij. Volgens hem verplaatst deze zone zich naar het westen, dus naar de oostkust van de Verenigde Staten. Dit zal wellicht tot gevolg hebben dat er zich op het land meer trein- en vliegtuigongelukken voordoen, maar dan zonder dat deze vervoermiddelen verdwijnen.

De krachtbron in de Bermuda-driehoek

Tom Gary, auteur van het boek *Adventures of an Amateur Psychic*, beweert dat de destructieve kracht in de Bermuda-driehoek een energie is die onder of in de zeebodem wordt opgewekt respectievelijk daar latent aanwezig is. 'Er wordt gespeculeerd over de mogelijkheid dat er onder water in de Bermuda-driehoek nòg een krachtbron aanwezig moet zijn,' zegt Gary. De desbetreffende structuur rust op een immense energiekern die zich door de aardkorst heen voortzet. 'Onder de daarvoor vereiste omstandigheden functioneert deze krachtbron bij tussenpozen, met het gevolg dat de gezagvoerders van schepen en vliegtuigen de macht over hun toestel of schip verliezen.'

Gary betoogt dat een immense stroom van ionen een krachtig elektromagnetisch veld produceert, waardoor navigatie-instrumenten binnen dit krachtveld van slag raken. Dit heeft niet alleen betrekking op magnetische kompassen, maar ook op brandstofmeters, hoogtemeters, gyroscopen en nog allerlei andere elektrische instrumenten. Bovendien hebben piloten die bijna-ongelukken in dit gebied overleefden ook melding gemaakt van het plotseling uitgeput raken van accu's, voegt Gary hieraan toe.

Merkwaardige diefstallen

Op een dag stapte een man een Amerikaanse winkel binnen, met het voornemen daar 'proletarisch' te gaan winkelen. Hij paste een sportjekker aan en wilde de winkel verlaten, maar nog voordat hij de uitgang had bereikt, explodeerde de jekker. Het schijnt dat een terroristische groep brandbommen in warenhuizen had geplaatst en dat een van die dingen zich in de jaszak van de desbetreffende jekker bevond. De winkeldief bleef weliswaar ongedeerd, maar hij was ernstig in verlegenheid gebracht en had later de grootste moeite het Federal Bureau of Investigations ervan te overtuigen dat hij geen terrorist was.

Een ander geval van diefstal en terrorisme waarbij de FBI betrokken was, betrof een vliegtuigkaping: Kroatische kapers dwongen de gezagvoerder van een groot passagiersvliegtuig om in Parijs te landen, waar de kapers werden ingerekend. De passagiers werden in een ander toestel teruggevlogen naar de Verenigde Staten, terwijl de bemanning met het gekaapte en weer bevrijde toestel terugkeerde naar Chicago. Niemand scheen echter te weten wat er met de door de kapers geplaatste bom was gebeurd, totdat de gezagvoerder en de rest van de bemanning eindelijk toegaven dat ze de helse machine hadden verduisterd, in de mening dat het een uniek souvenir zou zijn.

In de archieven van de FBI wemelt het van merkwaardige zaken. Het schijnt dat mensen in de meest letterlijke zin geneigd zijn alles te stelen 'wat los en vast zit' – zoals de truck van een bierbrouwerij die met een lading lege flessen op weg was naar North Carolina, of een zending runderlippen, of zelfs paardemest. Verder was er het geval van de sprekende papegaai die 250 woorden kende en zelfs kon blaffen als een hond. Deze opmerkelijk getalenteerde vogel was een onweerstaanbare buit voor een inbreker, die het dier meenam en aan een andere familie verkocht. Aangezien het nieuws over de begaafde papegaai zich als een lopend vuurtje door de buurt verspreidde, ontdekte de politie al spoedig de nieuwe verblijfplaats van de kostbare vogel.

Alles dat van waarde is, is begerenswaardig voor dieven in spe. Dat gold ook voor het ingevroren sperma van een van 's werelds beroemdste stamboekstieren, dat werd gestolen uit een opslagreservoir in een fokstation in Waupun, Wisconsin, en vermoedelijk naar Canada verdween. In de Verenigde Staten was dit zaad 90.000 dollar waard, maar aan de andere kant van de grens zou het zelfs het drievoudige hebben opgebracht.

Een andere vogel – in werkelijkheid een etalagepop in verenkleed – wekte de begeerte van een voorbijganger op. De man kon geen weerstand bieden aan de verleidelijke kip, sloeg de etalageruit stuk en ging ervandoor met zijn buit. Een paar straten verderop werd hij echter al in de kraag gegrepen.

Spontane zelfontbranding

Gevallen van spontane zelfontbranding lijken zich gewoonlijk achter gesloten deuren voor te doen, zonder dat er waarnemers bij zijn. In de nacht waarin de 18de-eeuwse Italiaanse Cornelia gravin di Bandi overleed, zagen enkele mensen een merkwaardige gele rook uit haar slaapkamer komen. Een dienstmeisje rende de kamer binnen, maar ze trof alleen nog een hoopje as naast het bed aan, samen met de benen van de gravin, die niet waren verbrand.

In Pontiac, Michigan, was een zevenentwintigjarige lasser bezig zelfmoord te plegen door in zijn afgesloten auto uitlaatgassen met giftig koolmonoxyde in te ademen toen hij plotseling door vlammen werd verteerd – eveneens een gebeurtenis die door niemand werd waargenomen.

Volgens de experts heeft het eerste geval dat door een bona fide ooggetuige werd waargenomen zich voorgedaan in 1982, toen een man die in zijn auto zat terloops naar een vrouw keek die bezig was de straat over te steken. Toen hij nog een oogje aan haar waagde, stond ze in lichterlaaie. Een grondig onderzoek door bom- en brandstichtingsexperts leverde geen verdachte aanwijzingen op.

De Zwarte Ster van de Hopi-Indianen

De overlevering van de Hopi-stam, die verder in de geschiedenis teruggaat dan die van iedere andere nog bestaande Indianenstam in Noord-Amerika, bewaart verslagen van verscheidene wereldrampen die de mensheid nagenoeg hebben vernietigd. Net als de Azteken verdeelden de Hopi de perioden tussen deze wereldrampen in zogeheten 'Zonnen' of cyclische perioden, bijvoorbeeld de Waterzon, de Aardezon, de Windzon en de huidige cyclische periode, de Vuurzon.

Volgens de Hopi zal de Vuurzon kort na het jaar 2000 eindigen, een einde dat zal worden aangekondigd door de ontdekking van een Zwarte Ster, die thans op weg is naar de aarde. Bovendien zal het einde van de Vuurzon worden aangekondigd door een uitzonderlijke blauwe bloem, die in de woestijn zal gaan bloeien. Volgens verhalen die in de stam circuleren, is er een tot nu toe onbekende blauwe bloem in de woestenij van New Mexico gevonden.

Hoewel de Azteken vijf 'Zonnen' onderscheidden, waren zij het met de Hopi over één ding eens: de huidige Zon, de Vuurzon, zal de laatste zijn.

Ralph Waldo Emerson en mevrouw Luther

Verschijnselen als spontane buitenzintuiglijke waarneming doen zich vaak voor als mensen ze het minst verwachten. Om die reden worden ze vaak als 'zuiver toevallig' afgedaan, zoals gebeurde met de BZW-ervaring van de echtgenote van een 19de-eeuwse wiskundige, verbonden aan het Amerikaanse Trinity College, F.S. Luther.

Een vriendin vroeg haar eens of zij misschien boeken van de Amerikaanse filosoof en dichter Ralph Waldo Emerson bezat. Nee, niet één, antwoordde ze dadelijk en dacht er verder niet over na. Diezelfde nacht droomde ze echter dat ze een dergelijk boek eens aan een vriendin had gegeven, terwijl deze vriendin die nacht droomde dat zij het had ontvangen! De volgende dag, zo vertelde de wiskundige later, draaide zijn vrouw zich plotseling en zonder aanwijsbare reden om naar de boekenkast, nam er een nummer van het tijdschrift *Century Magazine* uit en sloeg het meteen open bij een artikel, getiteld: 'De woon- en verblijfplaatsen van Ralph Waldo Emerson'.

De vernietiging van Mary Reeser

Toen onderzoekers in 1951 bij het huis van een zekere Mary Reeser arriveerden, was de voordeurknop zó gloeiendheet dat ze hem niet konden aanraken. Toen ze eindelijk de deur hadden opengebroken, golfde hun een vlaag verschroeiend hete lucht tegemoet. Het bleek al te laat om mevrouw Reeser nog te redden. Het enige dat ze vonden, waren haar verkoolde resten – 'in' de fauteuil waarin ze in de loop van de nacht in vlammen was opgegaan.

Deze luxe fauteuil was eveneens totaal verbrand, op de stalen springveren na. Het plafond recht boven de plaats des onheils was bedekt met roet. Anders dan bij normale verbrandingsgevallen – waarbij de schedel gewoonlijk opzwelt of uiteenspat – was het hoofd van Mary Reese door de intense hitte verschrompeld. Gezien de mate waarin het slachtoffer was verkoold, zo betoogde de forensische expert Wilton Krogman, zou eigenlijk het gehele appartement uitgebrand moeten zijn. Toch was niets anders in het huis door het vuur aangetast – zelfs niet de stapel kranten naast de fauteuil.

Er werden allerlei hypothesen naar voren gebracht om de raadselachtige dood van mevrouw Reeser te verklaren, zoals 'ontbranding van methaangas in haar lichaam', moord per vlammenwerper en moord met behulp van napalm. Iemand schreef een brief aan de onderzoekers waarin hij verklaarde dat hij een 'vuurbol' had gezien. Krogman zelf hield het erop dat mevrouw Reeser ergens anders was verbrand, door iemand die toegang had tot een crematorium of een soortgelijke oven, waarna hij de schamele resten naar het appartement zou hebben teruggebracht. Daar had de moordenaar een paar 'finishing touches' aangebracht, zoals door hitte kromgetrokken voorwerpen en een gloeiendhete deurknop.

De lijkschouwer vond de door de FBI geopperde mogelijkheid plausibeler: de FBI koesterde het vermoeden dat mevrouw Reeser gewoon tijdens het roken van een sigaret in slaap was gevallen en door de brandende sigaret in lichterlaaie was gezet. Het geval is echter nooit officieel opgelost.

Russische telepathie

Hoewel het onderzoek van paranormale verschijnselen in de vroegere Sovjetunie lange tijd als 'supergeheim' was geclassificeerd, onthulde de Russische fysioloog Leonid Vasiljev een poosje geleden dat hij en andere onderzoekers kans hadden gezien om gehypnotiseerde proefpersonen langs telepathische weg suggesties en opdrachten te geven. Ze waren zelfs, zo verklaarde hij, in staat geweest langs telepathische weg een hypnotische trance te bewerkstelligen.

Zo was bijvoorbeeld in een experiment met een gedeeltelijk verlamde vrouw, van wie de aandoening volgens de behandelend artsen van zuiver psychosomatische aard was, onder hypnose in staat gebleken haar linkerarm en -been moeiteloos te bewegen. Nog opzienbarender was, zo had Vasiljev ontdekt, dat deze vrouw haar ledematen ook kon gebruiken als hij haar telepathische instructies daartoe gaf – zonder dat er hypnose aan te pas kwam.

Tijdens een demonstratie voor een gehoor van andere onderzoekers blinddoekte Vasiljev deze vrouw. Iedere richtlijn werd eerst opgeschreven en werd daarna aan de groep overhandigd, voordat Vasiljev of zijn assistent zich erop concentreerde. Niet alleen kon de patiënt de boodschap telkens ontvangen en uitvoeren, maar bovendien kon ze precies zeggen wie de telepathische boodschap had 'uitgezonden'.

In een recenter onderzoek hield een commissie van Russische geleerden toezicht op een experiment waaraan de biofysicus Joeri Kamenski in Siberië en de acteur en journalist Karl Nikolajev in Moskou meewerkten. In een van de uitgevoerde tests kon Nikolajev niet minder dan zes objecten die aan Kamenski werden overhandigd correct benoemen. Bovendien herkende Nikolajev maar liefst twaalf van de twintig zenerkaarten (kaarten met een eenvoudig geometrisch symbool, zoals een cirkel, een ovaal, een driehoek of een vierkant, of alleen met één van vier mogelijke kleuren – kaarten zoals die voor het eerst werden gebruikt door de Amerikaanse parapsycholoog J.B. Rhine voor het verrichten van statistisch onderzoek naar paranormale verschijnselen, vert.) die Kamenski werden voorgehouden, zodat hij zich erop kon concentreren.

Voorts konden de onderzoekers objectief bewijsmateriaal produceren, en wel door Nikolajev aan te sluiten op een elektro-encefalograaf, voor het meten van zijn hersengolven. Zodra Kamenski zich in gedachten een voorstelling maakte van een object, veranderden de hersengolven van Nikolajev onmiskenbaar.

Op basis van deze EEG-uitslagen ontwikkelden de onderzoekers een methode voor het verzenden van berichten in morsecode. Toen zij Kamenski instrueerden om zich voor te stellen dat hij met Nikolajev worstelde, traden er opnieuw significante veranderingen in Nikolajevs hersengolfpatroon op. Kamenski bleek in staat tot het 'uitzenden' van strepen en punten door zich telkens een gevecht van korte of lange duur voor te stellen: een 'aanval van vijfenveertig seconden lokte een hevige EEG-uitslag uit die als een morsestreep werd geïnterpreteerd, de EEG-reactie op een aanval van slechts vijftien seconden werd een morsepunt genoemd. Op die manier konden de onderzoekers, die zich in Moskou bevonden, op 3200 kilometer afstand van Kamenski, het Russische woord *mig* (ogenblik) correct ontvangen.

De gieren van Gettysburg

De Slag bij Gettysburg (1863) was een van de bloedigste in de Amerikaanse Burgeroorlog (1861-1865). Na drie dagen vechten lag het slagveld bezaaid met circa vijftigduizend gesneuvelde mannen, duizenden gesneuvelde paarden en talloze ernstig gewonde soldaten. Het riviertje de Plum Run, dat tegenwoordig door het Militair Nationaal Park bij Gettysburg stroomt, was letterlijk rood van bloed. Het slagveld was een feestmaal voor massa's gieren, die als de opruimers van de 'Man met de zeis' kunnen worden beschouwd.

De afgelopen 130 jaar zijn deze aasetende vogels elk jaar trouw teruggekomen naar Gettysburg, volgens een specialist op het gebied van nationale parken in de Verenigde Staten, Harold J. Greenlee. Hij werkt samen met studenten van het Virginia Polytechnic Institute en de Staatsuniversiteit van Pennsylvania aan een onderzoek naar het gedrag van deze gieren en hun migratiepatronen. Bovendien pluizen zij de beschikbare literatuur over de geschiedenis van de Burgeroorlog na op verwijzingen naar de vliegende aaseters.

'De vogels nestelen op Little Round Top en Big Round Top, heuvels die het middelpunt waren van een paar van de zwaarste gevechten,' zegt Greenlee. 'Het is geen onredelijke veronderstelling dat de gieren werden aangelokt door de talloze lijken, dat ze vervolgens hier de winter hebben doorgebracht en zo de gewoonte hebben ontwikkeld om jaarlijks hierheen te komen.'

Greenlee en zijn studenten hopen dat hun onderzoekingen zullen verklaren hoe het precies komt dat zo'n 900 gieren in een nationaal park blijven nestelen.

Een telepathische morsecode

Telepathie is een ongrijpbaar fenomeen, dat zich vaak op de minst voorspelbare momenten en plaatsen voordoet. De elektrochemicus en onderzoeker van paranormale verschijnselen Douglas Dean meent echter een constante factor in dit verschijnsel te hebben ontdekt: de doorbloeding van de hersenen ondergaat een meetbare verandering als mensen een bericht ontvangen over een familielid of goede vriend of kennis. Als bijvoorbeeld de 'zender' van zo'n telepathisch bericht zich concentreert op een portret van de moeder van de 'ontvanger', was Dean – door de doorbloeding te meten – in staat precies het moment te bepalen waarop de ontvanger zich 'afstemde' op de geest van de zender.

Met behulp van een bloedvolumemeter, die bekend is als de plethysmograaf, en op basis van zijn meetresultaten, ontwikkelde Dean een bruikbare methode voor het verzenden van berichten in morsecode. Hij beschouwt een meetbare reactie in de hersenactiviteit van de proefpersoon als een morsepunt, terwijl het uitblijven van een reactie gedurende een gespecificeerde periode als een morsestreep wordt gelezen. Op die manier slaagde Dean erin zijn proefpersonen telepathische morseberichten over zowel korte als lange afstanden te laten verzenden *en* te laten ontvangen. In een geval verstuurde hij zo'n bericht vanuit New York naar Florida – een afstand van bijna 2000 kilometer.

De droom van een Engelse geestelijke

De 19de-eeuwse Engelse dominee Canon Warburton zag hoe de voet van zijn broer achter de rand van de bovenste trede van een hoge trap bleef haken, waardoor hij met het hoofd omlaag naar beneden viel. De broer brak zijn val met zijn handen en ellebogen en slaagde er maar ternauwernood in ernstig letsel te voorkomen.

Plotseling schrok Warburton wakker en ontdekte hij dat hij in een leunstoel in het huis van zijn broer zat. De scène waarvan hij getuige was geweest, had zich in zijn droom voorgedaan. Nadat hij uit Oxford in Londen was gearriveerd voor een bezoek aan zijn broer, was Canon Warburton in de zitkamer ingedommeld toen hij daar op de komst van zijn broer zat te wachten; de broer had een briefje voor hem achtergelaten waarin hij schreef dat hij naar een bal was en omstreeks een uur of een 's nachts zou thuiskomen.

'Ik ben zojuist op het nippertje aan een gebroken nek ontsnapt,' vertelde zijn broer hem toen hij een half uurtje later thuiskwam. 'Ik kwam de danszaal uit en wilde naar beneden gaan, maar mijn voet bleef haken en ik viel voorover van de trap totdat ik op de begane grond belandde.'

Afwijking in het zwaartekrachtveld in India

Sriharikota voor de zuidoostkust van India is de belangrijkste lanceerbasis voor ruimteraketten van dit land. Deze lanceerbasis is echter berucht om het grote aantal vliegrampen in dit gebied. Prof. Ram S. Srivastava, een van de meest gezaghebbende ruimtevaartexperts van India, meent de verklaring te hebben gevonden. Deze rampen doen zich voor, zo verklaart Srivastava, 'omdat het lanceerplatform zich in het hart van de grootste zwaartekrachtafwijking bevindt die de wereld kent'. Hij kan echter geen verklaring geven voor de aanzienlijke schommelingen in de sterkte van het zwaartekrachtveld die hij ter plaatse heeft gemeten, maar vermoedt dat deze sterke variaties in het zwaartekrachtveld er verantwoordelijk voor zijn dat raketten soms van koers raken en neerstorten.

Werden de piramiden van betonblokken opgetrokken?

Films als *De Tien Geboden* hebben bepaalde beelden in ons netvlies gebrand, opnamen van duizenden slaven die gedwongen werden reusachtige steenblokken uit steengroeven over een afstand van vele kilometers naar de in aanbouw zijnde grote piramiden bij Gizeh te slepen. De chemicus Joseph Davidovits van de Amerikaanse Barry-universiteit poneert echter een heel nieuwe hypothese: de oude Egyptenaren, zegt hij, maakten gebruik van een cement dat uit meer dan vierentwintig natuurlijke ingrediënten bestond, waaronder kalksteen en schelpen. Hoewel de huidige Egyptische regering hem geen toestemming wilde geven om ter plaatse monsters te nemen teneinde het materiaal te analyseren, gelooft Davidovits dat het storten van deze complexe specie tijdens de bouw van de piramiden de volmaakte verklaring vormt voor de totstandkoming van deze immense bouwwerken.

De pharos van Alexandrië

De hoogste toren in de oudheid was vermoedelijk de *pharos* van Alexandrië, een enorme vuurtoren die schepen de weg wees naar deze Grieks-Egyptische metropool in Oud-Egypte. Na het invallen van de duisternis brandde er een groot vuur op de hoge toren en overdag weerkaatste een enorme spiegel het zonlicht, iets dat over een afstand van 80 kilometer in zee te zien moet zijn geweest. De hoogte van de *pharos* moet volgens de deskundigen 150-200 meter hebben bedragen.

Om de top van dit machtige bouwwerk te bereiken of terug te gaan naar de begane grond hadden de vuurtorenwachters – en natuurlijk ook het militaire garnizoen – de beschikking over wagentjes die door ezels werden getrokken en onophoudelijk over een reeks schuine hellingen omhoog of omlaag gingen. Deze hellingen zigzagden van het ene niveau naar het andere en de passagiers konden op de verschillende niveaus in- en uitstappen, net zoals wij gebruik zouden maken van een moderne lift.

Dit primitieve liftensysteem kwam tot stilstand in de vroege middeleeuwen, toen Alexandrië werd veroverd door de Arabieren. De toenmalige kalief, Al Walid, liet de *pharos* gedeeltelijk slopen om naar een 'verborgen schat' te zoeken. Een deel van het weggebroken materiaal is gebruikt voor de bouw van een moskee, maar die werd door een zware aardbeving verwoest en het resterende bruikbare materiaal werd verwerkt in andere gebouwen.

Een jaar of veertig geleden ontdekten duikers op de zeebodem voor Alexandrië een grote marmeren zuil. Deze 'zuil' werd geïdentificeerd als een *vinger* van een van de reusachtige standbeelden die de vier hoeken van het immense bouwwerk hebben gesierd.

Opgezogen door een UFO

Begin 1988 reden de achtenveertigjarige Fay Knowles en haar drie zoons bij het dorpje Mundrabilla op de eenzame Eyre Highway in de uitgestrekte woestijn van Zuid-Australië. Plotseling veranderde hun auto van koers, en wel in een uiterst onwaarschijnlijke richting: loodrecht omhoog!

Het Australische gezin vertelde de politie later dat het was achtervolgd door een 'enorm groot, lichtgevend object' dat hun auto met de geschrokken passagiers en al in de lucht had gezogen. Gedurende deze wonderbaarlijke tocht merkten Fay Knowles en haar zoons dat hun stemmen abnormaal traag werden en dat ze heel moeilijk konden articuleren. Totdat de UFO de auto terug liet vallen op de snelweg, waarbij ze een klapband opliepen. Opmerkelijk was ook dat nog drie andere mensen in Zuid-Australië het vliegende object hadden waargenomen.

'Die waarnemers bevonden zich op honderden kilometers afstand van elkaar, en ze hadden geen enkele reden om samen te zweren,' zegt brigadier van politie James Fennell uit Ceduna, een stad op ongeveer 565 kilometer afstand van Mundrabilla. Bovendien bleek de auto van de Knowles van binnen en van buiten overdekt met een dikke laag zwarte as. En het dak was beschadigd.

'De leden van dat gezin waren behoorlijk van streek,' merkte Fennell op. 'Er moet hoe dan ook iets vreemds zijn gebeurd.'

De ruimtevaarder van 1897

Op 19 april 1897 gebeurde er in het plattelandsdorp Aurora in Texas iets uitzonderlijks waarover de inwoners nog steeds niet zijn uitgepraat. Volgens de artikelen die destijds in de dagbladen van Dallas en Fort Worth verschenen, kwam er op die noodlottige lentedag met donderend geluid een sigaarvormig ruimteschip uit de hemel vallen. Het botste tegen de woning van rechter J.S. Proctor, waarbij een venster, een watertrog en de bloemperken werden vernield.

De katoenhandelaar en dagbladcorrespondent S.E. Hayden rapporteerde dat de kleine man die het ruimteschip bestuurde bij deze vliegramp aan flarden werd gerukt. 'Er werden echter voldoende ledematen teruggevonden om te kunnen vaststellen dat hij geen bewoner van deze wereld kon zijn geweest,' schreef Hayden in een krantenartikel waarin hij de merkwaardige gebeurtenis uit de doeken deed. 'Ze werden door de mannen van het dorp verzameld en hij kreeg een christelijke begrafenis op het kerkhof van Aurora.'

De grafsteen voor de ruimtevaarder is jaren geleden spoorloos verdwenen. De inwoners van Aurora beweren dat ze niet meer precies weten waar het graf zich bevond en betwijfelen of er nog veel in te vinden zou zijn. Zo nu en dan worden er niettemin delen van het kerkhof omgespit – waarschijnlijk door mensen die hopen de resten te vinden van het enige buitenaardse wezen dat op de planeet aarde begraven zou zijn.

Opsporing UFO verzocht: £ 1.000.000 beloning!

De ervaren piloot Kenneth Arnold vloog in 1947 boven de Cascade Mountains in de staat Washington toen hij plotseling negen niet geïdentificeerde ronde objecten met een metaalachtige glans zag vliegen, met een snelheid van naar schatting 2100 km/uur. Sindsdien zijn er boven de vlakten, bergen, woestijnen, meren, oceanen en steden op aarde duizenden UFO's waargenomen. Hoewel er al eeuwen vreemde voorwerpen in de lucht waren gezien, lijkt de waarneming van Kenneth Arnold de stoot te hebben gegeven tot een ware stortvloed van soortgelijke rapporten die nog altijd aanhoudt.

Er zijn al heel wat UFO's gefotografeerd, maar er is er nog niet één gevonden die door ruimtevaartdeskundigen kon worden onderzocht. Hun landingssporen op het aardoppervlak zijn natuurlijk onderzocht op de aanwezigheid van sporen van mineralen en/of chemicaliën, die met zorg werden opgemeten om eventuele wis- of meetkundige indicaties op het spoor te komen. Hun vluchtbewegingen en land- en opstijgpatronen werden vergeleken met die van UFO-waarnemingen op andere plaatsen.

Volgens de *People's Almanac* (Bantam Books, 1981) heeft de Cutty Sark Company, gevestigd op het adres 3 St. James Street, London SW1, de niet te versmaden beloning van een miljoen pond sterling uitgeloofd voor iedereen die in staat is een 'ruimteschip' of ander voertuig te bemachtigen dat volgens de deskundigen van het Londense Science Museum *has come from outer space* ('van buiten het zonnestelsel afkomstig is'). De Cutty Sark Company, producente van Schotse whisky, houdt staande dat de beloning voor een bewijsbare UFO een serieus aanbod is en dat de onderneming een verzekering heeft afgesloten om zich tegen deze eventuele onkosten in te dekken.

Ofschoon nog niemand de beloning is komen opeisen, zou er volgens geruchten een mogelijke kandidaat bestaan, in de vorm van een neergestorte vliegende schotel die – of een ander ruimteschip dat – op 2 juli 1947 bij Socorro in New Mexico zou zijn aangetroffen (*The Roswell Incident*, Ace Books, 1988). Dit schotelvormige ruimteschip werd eerst naar de Amerikaanse luchtmachtbasis Roswell vervoerd, vanwaar het – te zamen met de bemanning van humanoïde buitenaardsen – werd overgebracht naar de luchtmachtbasis Muroc in Californië, om daar te worden geïnspecteerd door president Eisenhower en anderen.

Tegenover de Amerikaanse pers werd strikte geheimhouding door de militairen in acht genomen. Volgens de geruchten moet de neergestorte UFO vervolgens zijn overgebracht naar de luchtmachtbasis Wright-Patterson in Ohio, waar het werd ondergebracht in Building 18A, Area B. Uiteindelijk zou een deel ervan naar Langley Field in Virginia zijn overgebracht, het hoofdkwartier van het Central Intelligence Agency (CIA). Andere delen van het wrak zouden zich naar verluidt op de luchtmachtbasis McDill in Florida bevinden. Foto's ervan zouden in het archief van de Blue Room van Wright-Patterson worden bewaard, of zelfs – in een aan de activiteiten van UFO's gewijde, supergeheime expositie in de Blue Room – te bezichtigen zijn.

De kans is klein dat de firma Cutty Sark ooit vanwege het Roswell-incident over de brug zal moeten komen met haar uitgeloofde beloning, aangezien alle rapporten erover als strikt geheim zijn geclassificeerd. Dat neemt niet weg dat de pers kort na het incident opmerkelijk veel aandacht aan de neergestorte UFO heeft besteed door tal van burgers en militairen te interviewen.

Deze kranteartikelen zijn echter niet concreet genoeg om de uitbetaling van de beloning te rechtvaardigen. Cutty Sark heeft haar miljoen Engelse ponden nog steeds 'in kas' en op het whiskylabel prijkt nog altijd het wereldberoemde zeilschip van die naam, in plaats van een interplanetair ruimteschip. Als er ooit in enig land concrete bewijzen van een overmeesterde of neergestorte UFO worden gevonden, zullen die vermoedelijk strikt geheim worden gehouden. In de huidige wereldsituatie zou kennis van de bouw en voortstuwingssystemen van UFO's vanuit het heelal (of misschien van de aarde zelf) een geweldig voordeel zijn voor het land dat over die kennis beschikte.

De reuzenkrater bij de zuidpool

Stel u een ronde kuil voor die zo groot is dat hij bijna de afstand tussen Maastricht en Alkmaar beslaat. John G. Weihaupt, een wetenschapsbeoefenaar die verbonden is aan de Indiana- en de Purdueuniversiteit, zegt dat hij over duidelijke bewijzen beschikt dat er in de buurt van de zuidpool zo'n immense, nog niet ontdekte krater moet bestaan – daar veroorzaakt door de grootste meteoorinslag die de aarde ooit heeft moeten verwerken.

'Wij beschikken nu over bewijzen dat er op aarde een krater bestaat die qua grootte vergelijkbaar is met de enorme kraters op de maan,' betoogt Weihaupt. Onder het ijs van noordelijk Antarctica ligt een krater ter diepte van circa 800 meter en met een middellijn van 220 kilometer, waarmee hij vier keer zo groot is als de grootste krater die tot dusverre op aarde is ontdekt.

Wat kan dit immense gat hebben veroorzaakt? Volgens John G. Weihaupt moet de boosdoener een gigantische meteoriet zijn geweest, met een gewicht van rond de 13 miljoen ton en een diameter van 4-6 kilometer, die 600.000 tot 700.000 jaar geleden met een snelheid van 70.000 km/uur in botsing kwam met de aarde.

Hoewel er bij de inslag titanenkrachten vrij zijn gekomen, bleef onze aarde gespaard voor een grotere ramp. Weihaupt zegt dat uit zijn berekeningen blijkt dat de inslag niet krachtig genoeg is geweest om de stand van de aardas of de rotatie van de aarde om haar as te veranderen.

Elektriciteit in de oudheid

Tijdens opgravingen die hij in 1936 verrichte bij een oude Parsische stad in het huidige Iran stuitte de Oostenrijkse oudheidkundige Wilhelm König op een raadselachtig voorwerp. Hoewel het op zijn minst uit de periode omstreeks 250 v.Chr. moet stammen, lijkt het een voortbrengsel van 'moderne' technologie te zijn. König zelf vermoedde dat het om een elektrische batterij ging.

Het cilindervormige voorwerp met een doorsnee van 2,5 centimeter was verpakt in een potje van terracotta en was vervaardigd van bladkoper waarvan de naad met behulp van een lood-tinlegering was dichtgesoldeerd. Het ene uiteinde was voorzien van een nauw passend koperen plaatje, dat met pek was geïsoleerd, terwijl het andere uiteinde was afgedicht met een 'stop' van pek, waaruit een dunne ijzeren staaf omhoogstak die met koper was bekleed, vermoedelijk om het contact te verbeteren. Als dit voorwerp met een zuuroplossing werd gevuld (azijn, wijn of citroensap) of met een alkalische vloeistof als loog, zo redeneerde König, zou dat hoogstwaarschijnlijk een bruikbaar galvanisch element opleveren.

Twee experimenten – in 1957 in de Verenigde Staten, en een recente herhaling door de egyptoloog Arne Eggebrecht van het Duitse Hildesheimer Museum – met kopieën van het origineel (dat ten toon is gesteld in het Iraq Museum in Bagdad) lijken te hebben bewezen dat het voorwerp werkelijk een elektrische stroom kan opwekken. Met behulp van een kopersulfaatoplossing gaf deze kleine batterij, die door zogenaamd primitieve nomaden was uitgevonden, een elektrische stroom af met een spanning van 0,5 volt.

Er zijn enkele aanwijzingen dat ook de oude Egyptenaren hebben geweten hoe elektrische stroom kan worden opgewekt. Veel van de machtige monumenten uit de tijd van de farao's hebben tal van gangen en tunnels waarin geen enkele lichtbron aanwezig is, noch werden er sporen van fakkels, kaarsen of olielampen aangetroffen, aldus prof. Helmuth Satzinger van het Kunsthistorisches Museum in Wenen. Bestaat de mogelijkheid dat de arbeiders die deze machtige Egyptische bouwwerken hebben gebouwd bij elektrisch licht hebben gewerkt?

In de oude tempel van Dendera – op de Nijloever tegenover de stad Kena – is misschien het antwoord op die vraag te vinden. Raadselachtige bas-reliëfs in de muren tonen menselijke gedaanten naast objecten die eruitzien als reusachtige gloeilampen met slangen eraan – wellicht symbolisch weergegeven snoeren? – die naar binnen kronkelen. Wellicht is het niet toevallig dat Thoth, de Egyptische god van het schrift, die de nacht verlichtte met zijn kennis, er vlak bij is afgebeeld.

De muren van de tempel – waarop ook de beroemde Egyptische dierenriem is te zien (vert.) – zijn overdekt met allerlei andere illustraties en hiëroglyfen die de egyptologen nog niet volledig hebben kunnen ontcijferen. Dr. John Harris, een aan Oxford verbonden Britse onderzoeker die deze hiëroglyfen heeft bestudeerd, kwam tot de conclusie dat het een oudegyptisch equivalent van de technische 'schrijftalen' van onze moderne wetenschap moet betreffen. De Oostenrijkse onderzoeker Walter Garn, een man met grote ervaring als elektrotechnisch ingenieur, is het met Harris eens dat de tempel van Dendera technologische informatie bevat, met name instructies voor de manier om elektriciteit op te wekken.

Volgens Garn stellen de 'slangen' in de gloeilampachtige illustraties gloeidraden voor en hij oppert dat de menselijke gedaanten die tegenover elkaar onder de 'bol' geknield liggen symbolische weergaven zijn van de tegengestelde polen in een elektrisch circuit. Voorts wijst hij erop dat de buisvormige kolom die de bol lijkt te schragen verdacht veel op een moderne hoogspanningsisolator lijkt.

Dodelijke ster

Toen onderzoekers van de Universiteit van Californië de ouderdom van de grootste inslagkraters op aarde analyseerden, stuitten zij op een verontrustend patroon. Het heeft er alle schijn van dat deze grote kraters – veroorzaakt door kometen die insloegen in het aardoppervlak – zo ongeveer om de 28 miljoen jaar ontstaan. Deze interval valt samen met de tijdstippen in de geschiedenis waarop grote dierenpopulaties massaal uitstierven.

Wat is er de oorzaak van dat kometen met zulke nauwkeurig gelijke intervallen de omloopbaan van onze planeet kruisen? Volgens deze onderzoekers wordt de aarde periodiek door inslagen geteisterd door toedoen van een nog niet ontdekte 'dodelijke ster' die kometen in zijn zwaartekrachtveld vangt en regelmatig dit deel van het zonnestelsel passeert.

De fysicus Richard Muller heeft met de aan Princeton verbonden fysicus Piet Hut en de astronoom Marc Davis een hypothese geformuleerd die zou kunnen verklaren hoe deze 'dodelijke ster' zich gedraagt. Het gaat om een kleine en koele dwergster, waarvan de ellipsvormige baan dit hemellichaam tot maximaal 2,4 lichtjaren wegvoert van de zon – waar de ster een sector van het heelal doorkruist die 'bevolkt' wordt door een slordige honderd miljard kometen. Op zijn duizelingwekkende tocht door die kometenwolk vangt het zwaartekrachtveld van de dwergster een aantal van deze kometen in en voert ze mee. En als de komeet door ons zonnestelsel suist – wat eens in de achtentwintig miljoen jaar gebeurt – blijven enkele van deze kometen in het zwaartekrachtveld van de aarde hangen en slaan in op het aardoppervlak.

'Het formaat van de aardbol is dusdanig dat je zou mogen verwachten dat er telkens zo'n twintig van die kometen inslaan,' merkt Muller op. 'Dat zou echter in een betrekkelijk korte periode gebeuren.'

Als deze meteorieten zich in het verleden in de aardkorst boorden, zo oppert Mulder, ontstond er een immense stofwolk die zó dicht was dat het zonlicht erdoor werd geblokkeerd, met het gevolg dat het proces van fotosynthese werd gestaakt. Dat, zo betoogt hij, zou verklaren waarom de dinosauriërs ongeveer 65 miljoen jaar geleden zijn uitgestorven, nadat zij zo'n 140 miljoen jaar lang op aarde 'de dienst hadden uitgemaakt'. Stofstormen dompelden onze planeet onder in een maandenlang aanhoudende koude en duisternis, waardoor alles wat in die verduisterde gebieden leefde van koude en honger kwam te sterven.

De geleerden zeggen dat er alle reden is om te geloven dat de 'dodelijke ster' de aarde opnieuw een schrikbarend bezoek zal brengen. Alleen zullen we deze keer weten dat dit monster onder de hemellichamen naar ons onderweg is: we kunnen het over ongeveer 15 miljoen jaar terugverwachten.

Gebruik van zonne-energie in het oude Griekenland

Omstreeks het jaar 214 v.Chr., zo gaat het verhaal, bedacht de grote Griekse wis- en natuurkundige en uitvinder Archimedes een totaal nieuwe manier om de Romeinse legioenen, die de havenstad Syracuse op Sicilië belegerden, terug te slaan: hij gebruikte zonne-energie om hem levend te roosteren.

Daartoe zou Archimedes een immense holle spiegel aan de Siciliaanse kust hebben laten opstellen. Het spiegelende oppervlak concentreerde het zonlicht in een straal die hij op Romeinse schepen liet richten, waardoor ze binnen enkele minuten in brand vlogen.

Om uit te zoeken of dit verhaal méér was dan alleen maar een legende, voerde de hedendaagse Griekse ingenieur Ioannis Sakkas in 1973 een experiment uit. Hij veronderstelde dat Archimedes in werkelijkheid de glanzende bronzen schilden van honderden soldaten moest hebben gebruikt, in plaats van één reusachtige holle spiegel. Om die reden posteerde Sakkas zeventig Griekse matrozen aan de kust die ieder met een gepolijste bronzen spiegel van 150 x 75 centimeter waren uitgerust. Hij verzocht hen hun spiegelende schilden te richten op een van triplex vervaardigde boot die op ongeveer 50 meter uit de kust in zee dreef. Het resultaat? Binnen enkele minuten stond de boot in lichterlaaie.

Sakkas tekent hierbij aan dat Archimedes vermoedelijk nog meer succes zal hebben gehad met zijn 'zonnekanon' – de Romeinse schepen waren meer brandbaar en daarom heel wat gemakkelijker aan te steken dan zijn model. Bovendien hadden Archimedes' mannen vermoedelijk op een stadsmuur gestaan, terwijl Sakkas' matrozen op zeeniveau stonden. 'Archimedes heeft,' zo concludeerde Sakkas, 'onder gunstiger omstandigheden kunnen opereren.'

De ballonvaarders van Nazca

Volgens de geschiedenisboeken is de eerste heteluchtballon pas in de 18de eeuw van de grond gekomen. Er zijn echter aanwijzingen dat de mensen die in het verre verleden in de omgeving van de Nazca-hoogvlakte in Peru hebben geleefd vele eeuwen eerder boven de kale vlakten van Peru zweefden. Het feit dat deze Indianen de kunst van het ballonvaren beheersten, zou zelfs verklaren hoe zij kans hebben gezien abstracte geometrische figuren met volmaakt rechte lijnen aan te brengen op de hoogvlakte – lijntekeningen die zich soms over afstanden van kilometers voortzetten, met het gevolg dat ze al op grote hoogte vanuit de lucht zichtbaar zijn.

In 1975 begon de International Explorers Society, die haar hoofdkwartier heeft in Coral Gables, Florida, de mogelijkheid te onderzoeken dat de Nazca-Indianen inderdaad de ballonvaart hebben beoefend. De leden van deze vereniging, die zich toeleggen op het onderzoeken van alles wat met transport verband houdt, gingen ervan uit dat de Nazca-Indianen die de lijntekeningen maakten, hun instructies kregen van waarnemers die hoog boven hen in een luchtballon de werkzaamheden leidden.

Hun onderzoek leverde een keramische pot van de Nazca op waarop inderdaad een met hete lucht gevulde zak is afgebeeld. Bovendien kwamen ze te weten dat de uit Nazca-graven afkomstige textielmonsters aantoonden dat de Nazca over het geschikte materiaal beschikten dat nodig is voor het vervaardigen van een ballon.

Daar kwam bij dat zij – in een document dat in het bezit is van de bibliotheek van de Coimbra-universiteit in Portugal – een verwijzing ontdekten die weleens een zeer belangrijke indicatie zou kunnen zijn. Volgens deze bron had een in Brazilië geboren jezuïet die Barholomeu de Gusañao heette in 1709 een bezoek gebracht aan Lissabon. Daar had hij het model van een ballon gedemonstreerd: toen deze kleine ballon zich vulde met de rook en hete lucht, afkomstig uit een lemen pot met gloeiende kolen, was de ballon van zijn hand opgestegen. Dit was een opmerkelijke gebeurtenis, niet alleen omdat het voorval driekwart eeuw vóór de eerste Franse ballonvaart plaatsvond, maar ook omdat thans wordt vermoed dat Gusañao zijn ballon had afgekeken van de ballonvarende Indianen in Zuid-Amerika.

De International Explorers Society stelde haar hypothese over ballonvarende Nazca-Indianen op de proef door de *Condor I* te bouwen, een ballon van het model dat de Nazca volgens hen kunnen hebben gebruikt. Het geval bestond uit een ballon van 24 meter hoog, vervaardigd van weefsels die overeenkwamen met die welke in Nazca-graven waren aangetroffen. De touwen en lijnen waren getwijnd van vezels die in Peru worden aangetroffen, en de gondel werd gevlochten van riet dat aan de oevers van het Titicaca-meer in Peru groeit.

Op zijn eerste vlucht steeg de *Condor I* binnen dertig seconden naar een hoogte van 180 meter, waar hij werd gegrepen door een krachtige rukwind en kort werd teruggesmeten naar de grond, waarbij de twee ballonvaarders uit de gondel werden gewipt. Meteen daarna steeg hij op tot 360 meter en legde in 18 minuten een afstand af van hemelsbreed 3,5 kilometer, voordat hij een zachte landing op de vlakke woestenij maakte.

Hoewel het experiment een wat ruw begin had gekend, hield Michael DeBakey (zoon van een vermaard hartchirug en voorzitter van de International Explorers Society) staande dat de *Condor I* het bewijs had geleverd. 'Wij wilden aantonen dat de Nazca de bekwaamheden, de materialen en de behoefte om ballonvaarten te maken hebben bezeten,' verklaarde hij. 'Naar mijn mening zijn we in die opzet geslaagd.'

Apetaal

Al heel lang is bekend dat dieren door middel van geluiden en lichaamstaal met elkaar kunnen communiceren – geluiden en bewegingen die misschien instinctief worden gebruikt om soortgenoten te waarschuwen, aanwijzingen tijdens de jacht te geven en andere fundamentele boodschappen over te brengen. De afgelopen decennia hebben onderzoekers bewezen dat dieren ook kunnen leren rechtstreeks met mensen te communiceren. Zo heeft het vermaarde gorillawijfje Coco geleerd menselijke woorden te herkennen en erop te reageren; ze is zelfs in staat om eenvoudige zinnen te vormen en maakt daarbij gebruik van de doofstommentaal die in Amerika wordt gebruikt en Ameslan wordt genoemd.

Een recent voorval geeft de onderzoekers nu aanleiding zich af te vragen of een bepaalde groep apen wellicht van een eigen *spreektaal* gebruik maakt om elkaar te vertellen van een tragische gebeurtenis en er wraak voor te nemen.

Nadat een opgeschoten jongen zo wreed was geweest een jong aapje in de Penang Botanical Gardens op Maleisië dood te gooien met een steen, begon de groep van circa zestig apen mensen die door deze botanische tuinen wandelden aan te vallen. Een jogger verklaarde, toen hij werd geïnterviewd door een verslaggever van *The New Straits Times*: 'We waren met een paar mensen aan het joggen, toen we een grote groep apen naar ons toe zagen komen. Eerst dachten we dat ze om voedsel kwamen bedelen, zodat we probeerden ze te verjagen. Maar toen ze ons begonnen aan te vallen, moesten we maken dat we wegkwamen.'

Het opmerkelijkste aan deze confrontatie tussen aap en mens was dat de dieren het alleen voorzien hadden op mensen die kleding droegen van dezelfde kleur als die welke de jongen had gedragen: geel.

Krause, de wondermuilezel

Iedereen weet dat de muilezel – een kruising tussen een vrouwelijk paard en een ezelhengst – zich niet kan voortplanten. Dat is een onomstotelijk feit. Kennelijk heeft echter niemand dat ooit eens goed duidelijk gemaakt aan een muilezelin die Krause heette.

De beide eigenaars van Krause, Bill en Oneta Silvester uit Champion, Nebraska, zagen op een gegeven moment dat hun muilezelin dik begon te worden. 'Haar moeder was een Welsh-pony en die hebben allemaal een dikke buik,' merkte Oneta erover op. 'We dachten dus dat ze gewoon bezig was dik te worden.' Pas toen Krause een veulen ter wereld bracht, begrepen de Silvesters dat ze een zeer uitzonderlijke muilezelin bezaten.

Volgens de geneticus Oliver Ryder van het Centrum voor de Instandhouding van Bedreigde Diersoorten van de Zoölogische Vereniging van San Diego hebben er zich wel vaker gevallen voorgedaan waarin werd beweerd dat een muilezelin een veulen had geworpen. Bij onderzoek bleek echter altijd dat de bewering niet klopte. 'De muilezelin die geacht werd vruchtbaar te zijn, bleek dan gewoon een merrie met een wat muilezelachtig uiterlijk,' vertelt Ryder. 'Of het was werkelijk een muilezelin, maar het veulen was niet van haar afkomstig; ze had gewoon een veulen van een ezel of een merrie "geadopteerd".'

Toen Ryder echter een kijkje ging nemen bij Krause en haar veulen, Blue Moon, stelde hij aan de hand van chromosomenonderzoek en een bloedgroepanalyse vast dat de muilezelin werkelijk een veulen had geworpen.

'Aan de hand van het beschikbare bewijsmateriaal kon je altijd met een gerust hart tot de conclusie komen dat muilezels van beiderlei kunne absoluut steriel waren,' legt Ryder uit. 'Paarden hebben vierenzestig chromosomen; ezels hebben er tweeënzestig. Muilezels erven drieënzestig chromosomen waaruit heel goed een muilezel kan worden "opgebouwd", maar als de muilezel zich probeert voort te planten, blijken de zaad- of eicellen ongeschikt voor dat doel.'

Het was raadselachtig maar waar: Krause was tot iets in staat gebleken dat de wetenschap voor muilezels onmogelijk acht: zich voortplanten. 'Voor zover ik weet, is dit het eerste bewezen geval van een muilezelin die vruchtbaar blijkt te zijn,' concludeerde Ryder.

Moderne Neanderthalers

De zwaarbehaarde Neanderthaler met zijn vooruitspringende wenkbrauwbogen is duizenden jaren geleden uitgestorven. Of toch niet? Volgens de archeologe Myra Shackley van de Universiteit van Leicester in het Verenigd Koninkrijk wettigen talloze ooggetuigeverklaringen het vermoeden dat er ergens hoog in de bergen van Mongolië nog een groep Neanderthalers in grotten en spelonken leeft. Deze 'wilde mensen' worden door de overige bewoners van dit schaars bevolkte gebied tussen het zuidelijke deel van de voormalige USSR en China 'Alma's' genoemd.

Myra Shackley – die de resultaten van haar onderzoekingen publiceerde in het gezaghebbende oudheidkundige tijdschrift *Antiquity* – wijst erop dat sommige van die verklaringen afkomstig zijn van gerespecteerde wetenschapsbeoefenaren en burgers, en ze merkt op: 'De gedachte dat de moderne mens per se de enige nog levende mensachtige soort zou moeten zijn, getuigt van een achterhaald soort biologische arrogantie. Het lijkt onmogelijk het bestaan van de Alma's te ontkennen.'

Toen zij veldwerk deed in Mongolië, stuitte ze zelf op mogelijke sporen van de Alma's, in de vorm van stenen werktuigen die nauwelijks verschilden van die welke de Neanderthalers in Europa hebben vervaardigd en gebruikt. In de hoop de herkomst van deze artefacten te achterhalen, reisde ze langs de rand van de Gobi-woestijn en het Altai-gebergte en vroeg aan de plaatselijke herders wie deze artefacten hadden gemaakt. Onveranderlijk kreeg ik hetzelfde antwoord, zegt ze: ze zijn gemaakt door 'mensen die in dit gebied hebben gewoond'. Maar tegenwoordig, zo werd de archeologe verzekerd, 'huizen deze mensen in grotten in de bergen en leven ze alleen nog van de jacht'.

De Mongolen lieten blijken dat ze zich erover verbaasden dat Myra Shackley zo benieuwd was naar de Alma's. 'In Mongolië wist iedereen van hun bestaan,' zei ze.

Zij trekt de bliksem aan

Jaagt de gedachte door de bliksem te worden getroffen u angst aan? Dan doet u er verstandig aan met een grote boog heen te lopen om Betty Jo Hudson uit Winburn Chapel in Mississippi, een vrouw die deze grillig gevorkte stralen van elektriciteit lijkt aan te trekken.

Het begon allemaal in haar jeugd, toen ze in haar gezicht en op haar hoofd werd geraakt door een bliksemstraal. Daarna werd het huis van haar ouders herhaaldelijk door de bliksem getroffen, totdat het in 1957 definitief door blikseminslag werd verwoest.

De afgelopen jaren hebben Betty Jo en haar echtgenoot Ernest herhaaldelijk in de onmiddellijke nabijheid van hun huis in het landelijke Winburn Chapel de bliksem zien inslaan. Niet alleen werd hun eigen huis in drie opeenvolgende jaren getroffen, maar ook de woning van hun buren. Andere bliksemschichten doodden de hond van de Hudsons, spleten een boom in hun tuin, vernielden een waterpomp en veroorzaakten diepe groeven in hun tuin.

Tot nu toe is Betty gespaard gebleven voor ernstig letsel, maar al verscheidene keren heeft het weinig gescheeld. Zo zaten de Hudsons eens 's zomers bonen te doppen op hun achterveranda toen er zich donkere wolken samenbalden en er een zomers onweer losbarstte. Het echtpaar trok zich haastig terug in een slaapkamer aan de voorzijde van het huis, maar slechts enkele minuten later sloeg de bliksem via een slaapkamerraam aan de andere kant van het huis in. 'Als we toevallig in die kamer waren geweest,' zei Betty Jo, 'zouden we zelf door de bliksem zijn getroffen.'

UFO-kiekje

Dave en Hannah McRoberts reden over een weg op het eiland Vancouver voor de westkust van de Canadese provincie British Columbia toen zij omstreeks het middaguur besloten een poosje uit te rusten op een parkeerplaats bij de Eve-rivier, die de 'Eve River Rest Area' wordt genoemd. In de verte zag het echtpaar een hoge bergtop, die prachtig contrasteerde met een witte wolk erachter – juist het soort landschapsschoon waarvan Hannah graag een kiekje placht te maken.

Ze stelde haar fototoestel in en drukte af. Een paar weken later, in oktober 1981, werd het rolletje ontwikkeld. De foto van de bergtop was mooi geworden, maar er was iets eigenaardigs mee, iets waarvan de

McRobertsen zich niet konden herinneren dat ze het hadden gezien op het moment dat de foto werd genomen: een zilverkleurige schijf aan de hemel.

Snel nam het echtpaar contact op met het Canadian National Defense Office in de stad Comox om melding te maken van de UFO, die ze zonder het zelf te weten hadden gefotografeerd. Het leger had er geen belangstelling voor. Hun vrienden en buren werden echter hevig door de foto geïntrigeerd, zodat de McRobertsen nieuwe afdrukken lieten maken om die weg te geven aan degenen die erom vroegen.

Een van die afdrukken belandde later op het bureau van de psycholoog Richard Haines in Pasadena, Californië. Als voorzitter van de North American UFO Federation vond Haines dat hij meer aan de weet moest zien te komen over de foto. Hij bezocht het echtpaar in hun huis in Campbell River, onderzocht en beproefde hun fototoestel en nam een kijkje bij de parkeerplaats waar de foto was genomen.

In juli 1984 verzekerde Richard Haines zijn gehoor op het 'Rocky Mountain' UFO-congres van de Universiteit van Wyoming dat hij, op grond van zijn onderzoek en een computeranalyse van de bewuste foto, tot de overtuiging was gekomen dat het schotelvormige vliegende object authentiek was.

Sterke vergroting van de foto toonde dat de UFO een koepelvormige bovenkant had, maar er is nog steeds geen antwoord gevonden op de vraag *wat* mevrouw McRoberts nu eigenlijk per ongeluk had gefotografeerd. 'Het is en blijft een niet-geïdentificeerd vliegend object,' besloot Haines.

Opinie-onderzoek over uittredingen

Met het oog op de aandacht die de laatste jaren aan uittredingservaringen wordt besteed, hebben de psychiater Fowler Jones en twee van zijn collega's van de Universiteit van Kansas een onderzoek op touw gezet met het doel te ontdekken of het een reëel verschijnsel betreft. Zij stelden daartoe aan 420 op goed geluk gekozen mannen en vrouwen uit 38 Amerikaanse staten en 43 landen een aantal vragen en controlevragen. Het resultaat? Een grote meerderheid van de mensen die aan het onderzoek meewerkten, verklaarde dat hij of zij op zijn minst één uittredingservaring had gehad, en sommigen verzekerden de onderzoekers dat zij *honderden* reisjes buiten hun lichaam hadden gemaakt.

'Degenen die van deze ervaringen verslag deden,' merkt dr. Jones op, 'waren gezonde, intelligente mensen.' Hij wijst erop dat uittreding géén veranderde bewustzijnstoestand is, en al evenmin een droomtoestand.

Wat ook de aard van deze ervaringen precies moge zijn, zo voegt Jones eraan toe, het is een feit dat 85 procent van de ondervraagden ze als 'aangenaam' omschrijven. 'De beschrijvingen verschillen, maar de gemeenschappelijke noemer is dat de geest – het *ik*-bestanddeel van de persoonlijkheid, het denkende en voelende deel – zichzelf niet langer als aanwezig in het lichaam ervaart, maar zich ervan bewust is ergens anders te zijn,' betoogt dr. Jones. 'Het lijkt alsof deze mensen een verplaatsbaar bewustzijnscentrum hebben dat zich op enkele meters of zelfs kilometers van hun stoffelijke lichaam kan bevinden.'

Wanneer de geest het lichaam verlaat, kan hij kennelijk een glimp opvangen van gebeurtenissen die blijkbaar later werkelijk hebben plaatsgevonden. Zo vertelde een van de ondervraagden, een man, aan dr. Jones dat een uittredingservaring hem het leven had gered. Toen zijn geest zijn lichaam verliet, verplaatste hij zich naar een kamer waarin collega's van hem bezig waren een plan te beramen om hem te vermoorden. Na terugkeer in zijn lichaam, zo vertelt dr. Jones, riep deze man een van de samenzweerders ter verantwoording. De vrouw in kwestie schrok zó hevig van het feit dat hij op de hoogte was van het moordplan dat ze op staande voet een bekentenis aflegde.

Een UFO veroorzaakte een aanrijding

In de zomer van 1979 zagen twee Amerikaanse jongens van een jaar of achttien mysterieuze lichten over hun geparkeerde auto schieten. Meteen werden ze door een onbekende energie vastgepind op hun stoelen. Toen de jongens eindelijk konden wegrijden, ontdekten ze dat hun auto onbestuurbaar was geworden en er op eigen houtje vandoor ging, alsof het voertuig een eigen wil had gekregen.

Een paar weken later, 's nachts om tien over halftwee, zag een politieman in Minnesota een vreemd licht aan de hemel en voelde hij hoe zijn patrouillewagen als door een onzichtbare kracht voortgestuwd over de weg raasde. Daarna verloor hij het bewustzijn. Toen hij weer tot zijn positieven kwam, ontdekte hij dat zijn voorruit was verbrijzeld, dat zijn antenne was verbogen en dat het klokje in het dashboard opeens veertien minuten achterliep.

Volgens het Centrum voor UFO-onderzoek in Evanston, Illinois, zijn dit zeker geen unieke voorvallen. Uit alle delen van de wereld zijn er zo'n

440 rapporten binnengekomen over UFO's die een verkeersongeluk of bijna ongeluk hadden veroorzaakt. Het lijkt alsof er een 'elektrochemische' kracht uitgaat van deze UFO's waardoor explosiemotoren afslaan en autoradio's worden uitgeschakeld of alleen nog maar statische ruis laten horen.

Voor het merendeel van deze gevallen is geen wetenschappelijke verklaring gevonden, aldus de astrofysicus Mark Rodenghier, die deze rapporten heeft bestudeerd. Hij wijst erop dat de Ford-personenwagen van het model LTD die door de politieman uit Minnesota werd bestuurd door ingenieurs van Ford zelf is onderzocht; zij verklaarden dat geen enkel bekend verschijnsel ertoe had kunnen leiden dat deze auto zich zo vreemd was gaan gedragen.

Elvis' comeback

Eind 1980 zag een vrachtwagenchauffeur op circa 160 kilometer afstand van de stad Memphis in Tennessee een geheimzinnige gloed, die afkomstig was uit een bos op korte afstand. Even later zag hij een lifter voor dat vreemde lichtschijnsel langs lopen, die koers zette naar de autoweg. Toen hij stopte om de lifter mee te nemen, zag de vrachtwagenchauffeur dat deze beleefde jongeman hem bekend voorkwam. Pas toen ze de heldere lichten van de buitenwijken van Memphis hadden bereikt, herkende de chauffeur zijn passagier als iemand die ruim drie jaar geleden was gestorven: Elvis Presley.

Psychiater Raymond Moody – auteur van *Leven na dit leven* (?) – zegt dat de ervaring van deze vrachtwagenchauffeur niet uniek is. Zoals hij in zijn boek *Elvis' After Life* (Peachtree, 1987) uiteenzet, zijn er sinds de dood van de *King of Rock 'n Roll* overal in de Verenigde Staten mensen geweest die beweerden zijn geest te hebben gezien. 'Een psychotherapeute die Elvis in haar jonge jaren heeft ontmoet, beweert dat hij op een dag plotseling haar kantoor binnenstapte – na zijn dood – en haar goede raad gaf met betrekking tot het lege leven dat ze leidde,' aldus dr. Moody. 'Een andere vrouw verzekerde mij dat Elvis opeens in de verloskamer was opgedoken om haar te helpen bij een moeilijke bevalling.'

Raymond Moody vertelt dat deze spookachtige bezoekjes van Elvis niet de enige paranormale verschijnselen zijn waarmee hij in verband wordt gebracht. Zo had een van zijn fans een voorspellende droom in de nacht vóór zijn dood, waarin de zanger aankondigde: 'Dit is mijn laatste concert.' Een andere fan beweert dat zij herhaaldelijk de mouw van een colbert uit zichzelf had zien bewegen – het bewuste colbert was vroeger eigendom van Elvis.

Spinnewebstormen

Wie de *Wizard of Oz* heeft gezien, is vertrouwd met het beeld van de hevige wervelwind die alles opzuigt dat in zijn route ligt om het over grote afstanden mee te nemen. Hoewel tornado's en wervelwinden dikwijls grote vernielingen aanrichten, staan de mensen vaak versteld van wat zij na het voorbijtrekken van zo'n storm aantreffen.

Zo bleken zelfs kleine wervelwinden bij machte telefoon- en elektriciteitsdraden vol te hangen met hooi. Zelfs gewone winden kunnen complete spinnewebben meevoeren en elders deponeren. Zo zag bijvoorbeeld Charles Darwin, 'de vader van de evolutietheorie', met eigen ogen hoe het spinnewebben regende aan boord van zijn onderzoeksschip de *Beagle*, dat zich ruim negentig kilometer uit de kust bevond. Na hun landing, zo rapporteerde Darwin, weefden veel van die spinnen een nieuw web en lieten ze zich opnieuw meevoeren door de wind.

Tegenwoordig is het biologen bekend dat sommige soorten spinnen zich over grote afstanden verplaatsen door zich aan een lange spindraad of een compleet web vast te klampen en zich door de wind te laten meenemen. Een enkele keer wordt een heel gebied overdekt met uit de lucht vallende spinnewebben. Zo kwam in oktober 1881 in Milwaukee, Wisconsin, een groot aantal spinnewebben ter lengte van ruim een halve meter 'aanzeilen' over een meer, terwijl ze van grote hoogte afdaalden naar het aardoppervlak. In een soortgelijk geval, dat zich afspeelde in Green Bay, Wisconsin, zweefden enorme spinnewebben vanuit de baai naar het land. De draden waren deze keer echter tot 18 meter lang en de webben konden al hoog in de lucht worden gezien. In beide gevallen heeft geen van de ooggetuigen ook maar één enkele spin waargenomen.

Bij andere waarnemingen van massa's vermeende 'spinnewebben' werd melding gemaakt van de aanwezigheid van hele kussens en kluwens van een draderig en wit materiaal dat in de volksmond 'engelenhaar' wordt genoemd. Als dergelijke dradenmassa's langs de hemel zweven en het zonlicht reflecteren, zouden ze gemakkelijk voor een 'vloot UFO's' kunnen worden aangezien.

Hemels manna

In het bijbelepos over de uittocht uit Egypte van de Israëlieten komt het verhaal voor over 'hemels manna', dat in grote hoeveelheden uit de lucht kwam vallen en voorkwam dat het volk gedurende zijn lange tocht door de woestijn zou verhongeren. De geleerden zijn het nooit met elkaar eens geworden over de aard en de herkomst van dit voedingsmiddel.

Er hebben zich echter ook in recenter tijden gevallen voorgedaan van manna uit de hemel. Dat was bijvoorbeeld zo in het jaar 1890 in Turkije, waar dit 'manna' een gebied met een omtrek van circa tien kilometer overdekte. Het spul werd onderzocht door botanici en bleek te bestaan uit kleine bollen die aan de buitenkant geel en van binnen wit waren. Ze werden herkend als behorend tot het geslacht der *lichenen* (korstmossen). Korstmossen zijn sporeplanten waarbij een wier en een schimmel zich telkens tot een nieuwe eenheid verbinden. Van alle plantaardige levensvormen kunnen korstmossen zich het noordelijkst en in de bergen op de grootste hoogten handhaven. Ze groeien bij voorkeur op harde oppervlakken, zoals rotsen en kiezels. Sommige botanici hebben geopperd dat korstmossen wellicht de bron waren van het hemelse manna van de Israëlieten.

Er zijn echter meerdere potentiële bronnen van manna aan te wijzen. Tijdens een expeditie die in 1927 werd georganiseerd door de Hebreeuwse Universiteit van Jeruzalem, ontdekten de onderzoekers dat het verschijnsel manna overal ter wereld bekend is. In veel gevallen bleek het te gaan om de heldere, zoetige uitscheiding van een plant die bekend is als de *Tamarix nilotica.* Deze vloeibare uitscheiding wordt verorberd door bladluizen en andere insekten die op deze woestijnstruik leven. In het droge woestijnklimaat kristalliseert de resterende stroperige vloeistof tot witte korrels, die de bladeren overdekken of op de grond vallen. Ze zijn licht genoeg om door een krachtige storm te worden meegevoerd.

De verdwenen vloot van Alexander de Grote

De aanwezigheid van Griekse woorden in de talen van Amerikaanse Indianen of van de bewoners van de eilanden van Polynesië is een intrigerend raadsel. De eerste blanken die in het huidige Delaware en Maryland doordrongen, ontdekten daar een rivier die door de Indianen *Potomac* werd genoemd, een Indiaans woord met een opmerkelijke klankverwantschap met het Griekse woord *potomos*, dat 'rivier' betekent.

Toen Spaanse *conquistadores* het Aztekenrijk in Mexico binnendrongen, hoorden zij dat de piramidetempels *teocalli* werden genoemd. (Aztekenpriesters hadden de gewoonte mensen op de top van zo'n piramide aan hun goden te offeren, waarbij zij hun levende slachtoffer het hart uit de borst sneden en het lijk vervolgens van de piramidetrap gooiden.) Het woord *teocalli* is een herkenbare samenvoeging van twee Griekse woorden, *theos* (god) en *kalias* (woning), zodat *theos-kalias* 'godenwoning' betekent. De betekenis van *teocalli* in het Nahuatl, de taal van de Azteken, is identiek.

Hoewel het zeker mogelijk is dat zeevaarders van allerlei volken in de oudheid dank zij de zuidelijke Golfstroom Zuid- en Noord-Amerika hebben bereikt, zijn er in de taal die op de Hawaï-eilanden wordt gesproken enkele woorden gevonden die een nog opmerkelijker verwantschap met het Oudgrieks vertonen. Hier volgt een kleine greep:

Oudgrieks	Hawaïaans	Nederlands
aeto	*aeto*	*arend*
hikano	*hiki*	*(aan)komen*
manthano	*manao*	*denken/leren (mentaal?)*
melodia	*mele*	*melodie*
nous	*noe-noe*	*gedachte/intelligentie*

Maar hoe zijn de Hawaïanen aan deze Oudgriekse woorden gekomen? En is het mogelijk dat hun hoofdtooi van hout en veren, waarvan de vorm zo sterk aan die van Griekse helmen doet denken, er inderdaad nabootsingen van zijn? En zo ja, waar kunnen zij deze helmen hebben gezien? Is het mogelijk dat de oude Grieken al ruim achttien eeuwen vóór Columbus de Atlantische Oceaan zijn overgestoken en daarna ook nog de Grote Oceaan hebben doorkruist?

Er is wellicht een eenvoudiger – zij het even intrigerende – verklaring denkbaar. Die houdt verband met Alexander de Grote, de briljante Griekse veldheer die het grootste deel van de toenmalige bekende wereld wist te veroveren. Nadat hij het Perzische rijk had onderworpen, rukte Alexander verder op naar het oosten, tot ver op het Indiase schiereiland, waarna hij naar het noorden trok en tot diep in het gebied van de voormalige Sovjetunie doordrong, altijd op zoek naar nieuwe landen om te veroveren. Intussen verkende zijn vloot van 800 galeien en andere schepen onder bevel van zijn admiraal Nearchus de kust van India. In 324 v.Chr. liet Alexander het grootste deel van zijn vloot terugkeren naar de toegang tot de Arabische Golf, teneinde een deel van zijn inmiddels uitgeputte en oorlogsmoe geworden soldaten terug te brengen naar Griekenland.

Een deel van Alexanders vloot is echter nooit in Griekenland teruggekeerd. Is het mogelijk dat dit resterende deel langs het schiereiland Maleisië verder is gevaren, de Grote Oceaan op? Wellicht bereikten sommige van die schepen eilanden als Tahiti en Hawaï, waar het leven aangenaam en de vrouwen aantrekkelijk waren en waar deze vreemdelingen uit zee, met hun superieure wapens en kurassen en helmen, vermoedelijk als bezoekende goden werden behandeld.

Haargroei op het aardoppervlak

De aardbeving plantte zich brullend en grommend voort door het oostelijke deel van Thailand en liet een spoor van vernielingen achter. De rivier ziedde en kolkte en het oppervlak veranderde in wit schuim. De aarde spleet open en liet overal lange, zwarte 'draden' opschieten uit de grond, die een oppervlakkige gelijkenis met mensenhaar vertoonden. Als die vreemde draden in brand werden gestoken, stonken ze zelfs precies zo. In zijn bericht over de aardbeving van 1848 in het toenmalige Siam opperde een verslaggever van *The Singapore Free Press* dat deze 'haren' door elektrische stromen waren geproduceerd. In een latere poging om ze te verklaren, werd geopperd dat het een of ander natuurlijk materiaal moest betreffen – bijvoorbeeld teer dat in gesmolten toestand via minuscule openingen in de aardkorst omhoog werd geperst en door het contact met de koudere lucht stolde, waarbij het de vorm aannam van draden die aan mensenhaar deden denken.

Het in Siam verschijnen van 'aardhaar' was geen op zichzelf staand voorval. In China is dit vreemde materiaal al duizenden jaren kort na aardbevingen gezien en verzameld. De oude Chinezen geloofden dat het haar afkomstig was van een immens onderaards monster dat met zijn plotselinge bewegingen de aarde liet schudden, golven en splijten.

De ademende aarde

Gedurende een periode van drie weken waren de Molukken overdekt door een gelige, zwavelhoudende mist. Totdat deze eilanden in de Indonesische Archipel op 1 november 1835 door een zware, verwoestende aardbeving werden getroffen.

De uitstoot van zwavel – samen met water, zand en ander materiaal – in de atmosfeer is geen zeldzaam verschijnsel, zoals uit de vroegere rapporten over aardbevingen kan worden opgemaakt. De moderne geofysica heeft ontdekt dat er vóór een aardbeving vaak gassen uit de aardkorst ontsnappen. Zo is er bijvoorbeeld verband gelegd tussen enerzijds het ontsnappen van radon (een edelgas) via geisers en mijngangen en anderzijds latere aardbevingen. Langs de breuklijn die is ontstaan ten gevolge van de zogeheten 'Matsuhiro-beving' die zich in 1966 in Japan heeft voorgedaan, werd er bijvoorbeeld een aanzienlijke hoeveelheid helium (eveneens een edelgas) ontdekt. In dit geval opperden de geleerden dat dit helium vrijkwam uit gesmolten gesteente in het gloeiende inwendige van de aarde, waarna het onder immense druk door poreuze lagen in de aardkorst omhoog werd geperst.

In een verhandeling die in 1978 werd gepubliceerd door het gezaghebbende tijdschrift *Nature* opperde de Duitse bioloog Helmut Tributsch dat gassen die kort vóór een aardbeving door de aardkorst worden geperst een elektrische lading hebben, waardoor er ionenwolken kunnen ontstaan. De ionenstromen zijn onzichtbaar voor mensen, maar ze zouden de agitatie van allerlei dieren vóór een aardbeving kunnen verklaren, alsmede allerlei psychologische verschijnselen bij mensen en verschijnselen in de atmosfeer waarvan het optreden dikwijls kort vóór grote aardbevingen wordt gerapporteerd.

In de overleveringen over grote aardbevingen uit de geschiedenis wemelt het van verhalen over de merkwaardige gedragingen van dieren, gedragingen die de mens hadden kunnen waarschuwen dat er grote verwoestingen op til waren. Zo zagen de inwoners van de Oudgriekse stad Helize vijf dagen vóór de grote aardbeving die de stad in 373 v.Chr. volledig verwoestte, dat allerlei in holen levende dieren – muizen, wezels, slangen en andere diersoorten – massaal hun ondergrondse behuizing verlieten en ervandoor gingen.

Lang voordat mensen iets bespeuren, schijnen vogels, vissen en zoogdieren te voorvoelen dat er een catastrofe op til is. Zo werd kort voor een aardbeving waargenomen dat koeien zich letterlijk schrap zetten door hun voorpoten ver uiteen te plaatsen, schapen aanhoudend blaatten, honden hartverscheurend blaften en wolven huilden. Katten renden dan meestal paniekerig rond.

In de jaren dertig bestudeerden Japanse onderzoekers het gedrag van grondels en stelden vast dat deze vissen zes uur voordat de gevoeligste seismograaf uit die tijd uitsloeg een aardbeving voorvoelden. Deze altijd rustige, over de bodem scharrelende vissen werden in aquaria gehouden en ze trokken zich er niets van aan als de onderzoekers tegen het glas tikten of zelfs hun vuist met een daverende klap op de tafel met het aquarium lieten neerkomen. Maar als er een aardbeving op til was, maakten diezelfde handelingen dat de vissen van schrik boven het water uit sprongen of geagiteerd in het rond begonnen te zwemmen.

Geleerden hebben vaak geprobeerd verband te leggen tussen dit raadselachtige gedrag van dieren en onhoorbare geluidstrillingen of veranderingen in het elektromagnetisch veld van de aarde. Dank zij Tributsch prijken geïoniseerde gassen nu ook op de lijst van mogelijke verklaringen.

Eenzame monstervloedgolven

Het Italiaanse schip de *Michelangelo* voer op 12 april 1966 door stormweer in westelijke richting. De gezagvoerder liet een voorzichtige maar gestage vaarsnelheid aanhouden toen het schip, op weg naar New York City, een positie op 600 zeemijlen (1100 km) ten zuidoosten van Newfoundland had bereikt en met de voorsteven door golven van zeven tot tien meter hoog moest ploegen. Plotseling rees er een ware muur van water op uit zee die hoog boven alle overige golven uittorende en met beukend geweld op het schip neerkwam. De stalen bovenbouw werd geplet, de hoge verschansing van dikke staalplaat boven de voorsteven werd weggerukt en het waterdichte schot onder de brug werd op zijn minst een meter teruggebogen. De ramp kostte drie bemanningsleden het leven en twaalf anderen raakten gewond.

Vrijwel iedere zeeman kan uit eigen ervaring verhalen van een monsterlijke vloedgolf die plotseling uit het niets opdook. De afmetingen lopen sterk uiteen: in 1921 werd de hoogte van een gigantische vloedgolf in het noordelijke deel van de Grote Oceaan op ten minste 21 meter geschat; een later optredende vloedgolf op een afstand van 100 zeemijl (185 km) van Cape Hatteras in Virginia moet zelfs 30 meter hoog zijn geweest. Uit 1826 stamt een rapport van de Franse marine-officier en wetenschapsbeoefenaar kapitein Dumont d'Urville, waarin hij melding maakt van plotseling optredende vloedgolven van 25-30 meter hoog, een schatting die door drie van zijn collega's werd bevestigd. Admiraal FitzRoy, de eerste directeur van het Amerikaanse Meteorological Office, vertelde dat hij persoonlijk vloedgolven van 18 meter hoogte had gezien, eraan toevoegend dat nog hogere golven 'niet onbekend' waren.

Hoe deze immense vloedgolven ontstaan, is niet duidelijk. Sommige geleerden zeggen dat ze teweeg worden gebracht door hevige stormen die een zeer hoge deining veroorzaken waarvan de golven elkaar blijven versterken, zodat er nog veel grotere golven ontstaan. Toch worden veel van deze immense vloedgolven waargenomen in een volmaakt kalme zee, zodat ze niet aan stormen kunnen worden toegeschreven. Kunnen ze ontstaan als gevolg van sterke zeebevingen of vulkaanuitbarstingen onder water? De oceanografen blijven het verschijnsel bestuderen, maar het is nog altijd niet afdoende verklaard.

Kanonschoten in de mist

Een zekere W.S. Cooper voer in de Golf van Mexico, ongeveer 20 zeemijl (37 km) ten zuidoosten van Cedar Keys in Florida. Het water was kalm, de hemel onbewolkt. Er hing een lichte mist en het was vrijwel windstil. Kort na zonsopgang hoorde hij echter een geluid dat klonk alsof er in de verte een kanon of een geweer van zwaar kaliber werd afgeschoten, met tussenpozen van ongeveer vijf minuten. Een aan deze kust wonende vriend verzekerde Cooper dat die doffe knallen op stille ochtenden dikwijls worden gehoord.

In een soortgelijk bericht vertelde de heer A. Cancani dat soortgelijke geluiden in Italië langer duren dan een kanonschot, enige overeenkomst hebben met het geluid van verre donderslagen, maar dan van langere duur, en gewoonlijk met uiteenlopende tussenpozen te horen zijn. Een rapport uit de Indonesische Archipel meldt dat daar soms verschillende geluiden met intervallen van enkele seconden te horen zijn. Ze doen denken aan misthoorns en duren telkens circa twee seconden.

Moderne onderzoekers van deze geheimzinnige explosie-achtige geluiden langs de kusten van Noord-Amerika en Europa hebben ze in de regel 'wegverklaard' als de knallen die ontstaan als vliegtuigen door de geluidsbarrière breken. De moeilijkheid met die moderne 'verklaring' is echter dat er – bijvoorbeeld van de misthoornachtige geluiden die in sommige kuststreken worden gehoord – al op zijn minst een eeuw geleden melding is gemaakt.

Een andere hypothese oppert dat de knallen worden veroorzaakt door erupties van aardgas vanuit de zeebodem. De ontdekking van pokkenachtige littekens in het continentale plat langs de kusten lijkt aannemelijk te maken dat de knallen inderdaad worden veroorzaakt door enorme, uiteenspattende bellen van uit de zeeboden ontsnapt aardgas.

Holistische genezing

Er zijn religies die leren dat wij, mensen, een genezende kracht kunnen uitzenden over grote afstanden. Deze overtuiging, waarvan tal van culturen in de wereld doortrokken zijn, werd kort geleden wetenschappelijk op de proef gesteld.

Het dubbelblinde experiment werd uitgedacht door dr. Robert Miller, een bekende ingenieur, uitvinder en wetenschapsbeoefenaar. Hij werkte samem met het 'Holmes' Centrum voor Onderzoek naar Holistische Geneeswijzen in Los Angeles en probeerde vast te stellen of mensen van hun kwalen konden worden genezen, zelfs als zij niet wisten dat er een poging werd gedaan om hen langs telepathische weg te genezen.

Dr. Miller werkte van 1976 tot 1979 aan dit project en rekruteerde acht genezers als proefpersonen: vier van hen waren genezers uit de zogeheten Science of Mind-school, twee waren paranormale genezers en de resterende twee genezers waren protestantse predikanten. Zij kregen het verzoek patiënten met hoge bloeddruk te behandelen, maar deze patiënten werden daar niet over ingelicht.

De patiënten waren in het geheim geselecteerd door verscheidene dokters die dr. Miller kende. De genezers ontmoetten geen van de patiënten persoonlijk en zij kregen alleen de woonplaats, de voorletters en een paar andere persoonlijke feiten van een te behandelen patiënt te horen. Iedere genezer behandelde zes patiënten, die allemaal op verschillende plaatsen in de Verenigde Staten woonden. In totaal werden er dus achtenveertig patiënten door de genezers behandeld; een controlegroep van achtenveertig andere patiënten werd alleen op de gebruikelijke medische manier behandeld. Zelfs de behandelend artsen wisten niet welke van hun patiënten voor paranormale genezing waren geselecteerd en welke niet. Zij kregen alleen het verzoek om de diastolische en systolische bloeddruk van hun patiënten zorgvuldig te controleren, samen met de werking van hun hart en hun lichaamsgewicht.

De genezers kregen instructie om de patiënt op de door henzelf geprefereerde manier te behandelen; de meesten deden dat door zich – in een toestand van ontspannen concentratie – in gedachten een levendige voorstelling te maken van een van gezondheid blakende patiënt(e).

Volgens de onderzoekers mocht het experiment een 'bescheiden succes' worden genoemd. Bij ruim 92 procent van de paranormaal behandelde patiënten daalde de bloeddruk, maar dat was ook het geval bij 75 procent van de controlegroep.

Kinderen en de bijna-doodervaring

Toen ze, na bijna te zijn verdronken in een gemeentelijk zwembad, in vliegende haast naar de afdeling Spoedgevallen van het dichtstbijzijnde ziekenhuis werd overgebracht, zakte een zevenjarig meisje weg in een diep coma. 'Ik ben dood geweest,' vertelde ze zelf, toen ze drie dagen later weer tot bewustzijn was gekomen. 'Ik ging door een donkere tunnel. Het was er donker en ik was bang. Ik kon niet lopen.'

In de tunnel was plotseling een vrouw verschenen die zichzelf Elizabeth noemde en gekomen was om haar naar de hemel te brengen, vertelde de kleine meid. Eenmaal daar, had ze haar overleden grootouders ontmoet, en ook een overleden tante, 'en de Hemelse Vader en Jezus'. Toen haar werd gevraagd of ze haar moeder wilde zien, had ze ja gezegd en was ze in het ziekenhuis bijgekomen.

Dit voorval – waarvan door de kinderarts Melvin Morse verslag werd gedaan in het vakblad *American Journal of Diseases of Children* – was de eerste bijna-doodervaring van een kind waarvan in de medische vakliteratuur melding werd gemaakt. Dr. Morse interviewde later nog meer kinderen die een traumatisch ongeval hadden overleefd en soortgelijke verhalen te vertellen hadden. Een van die kinderen herinnerde zich in de hemel een uitbrander te hebben gekregen, een ander kind zei dat het 'op een lichtstraal' door een lange, donkere tunnel was gedragen.

Hoewel deze kinderen naar alle waarschijnlijkheid in religieuze gezinnen werden grootgebracht, is dr. Morse van mening dat hun ervaringen wellicht méér zijn dan het produkt van een levendige kinderfantasie. Deze kinderen kunnen, zo oppert hij, werkelijk een glimp van het hiernamaals hebben gezien, of misschien hebben zij, wat waarschijnlijker is, zich archetypische beelden 'herinnerd' die diep in het onderbewustzijn van iedere aardse sterveling worden bewaard.

Einstein en de horlogemaker

De theorieën van Albert Einstein hebben onze kijk op tijd, ruimte, energie, materie en het universum zelf grondig gewijzigd, maar de grote fysicus liet zich zelden of nooit uit over godsdienstige aangelegenheden – met uitzondering van één geval. Toen iemand hem vroeg hoe hij dacht over het al dan niet bestaan van God, antwoordde Einstein dat hij altijd diep onder de indruk was gekomen van de mechanica van het universum. Alles functioneerde als een uitzonderlijk nauwkeurig uurwerk, vanaf atomen tot spiraalnevels. Het is net een immens, kosmisch horloge, merkte hij op.

'Er komt een dag,' voegde hij er peinzend aan toe, 'waarop ik de horlogemaker zelf hoop te ontmoeten.'

Piramiden op Mars

Al generaties lang koesteren geleerden het vermoeden dat er leven op Mars zou kunnen bestaan of hebben bestaan. De gissingen naar de aard van deze levensvormen varieerden van eenvoudige eencellige organismen tot mensachtige wezens die in staat waren kanalen te graven en steden te bouwen. De Italiaanse astronoom Schiaparelli was de eerste astronoom die de 'Marskanalen' beschreef en in kaart bracht, en wel in 1877. Dank zij de ontwikkeling van sterkere en betere telescopen konden de waarnemers deze vermeende 'uitgedroogde kanalen' later omschrijven als droge, natuurlijke stroombeddingen waarvan de breedte varieerde van twee tot zes meter. Veel onderzoekers geloven dat er op de Rode Planeet nog water te vinden zal zijn, zij het in de vorm van ijs.

Ofschoon de foto's van de ruimteverkenners tot nu toe nog geen levensvormen op Mars aan het licht hebben gebracht, geloven sommige Mars-waarnemers dat er aanwijzingen zijn dat er ooit leven op Mars is geweest. In een bepaald gebied op Mars – dat door hoopvolle astronomen 'Pyramid City' werd gedoopt – zijn structuren waargenomen die enige gelijkenis zouden vertonen met de Egyptische piramiden. De martiaanse versie zou aan de basis zijden hebben ter lengte van 900 meter (vergeleken met 'slechts' 186,7 meter van de piramide van Cheops). Met enige fantasie zou het oppervlak van een immense rotsformatie (of stenen beeld) in de nabijheid van deze 'piramide' een gedeeltelijk in de schaduw gelegen gezicht kunnen uitbeelden, en het zichtbare oog, de neus, de mond en het voorhoofd zouden naar verluidt meer gelijkenis met een menselijk gezicht vertonen dat dat van de grote sfinx in Egypte. Aan de rand van de Cofrates-slenk op Mars, mogelijk een vroegere zee, is een reeks structuren te zien die de ruïnes van een oude havenstad zouden kunnen zijn, met rechthoekige vormen die kaden, straten en gebouwen kunnen zijn geweest.

Nader onderzoek zal moeten uitwijzen of het illusies betreft of authentieke ruïnes die – net als de machtige torens en verdedigingsmuren van Babylon en Troje – pas herkenbaar worden als ze eenmaal op het oppervlak van Mars zelf zijn uitgegraven.

Nostradamus' voorspellingen

Tussen het jaar 1547 en zijn dood in 1566 voorspelde de beroemde Franse ziener Nostradamus in de vorm van raadselachtige kwatrijnen belangrijke toekomstige historische gebeurtenissen als epidemieën, oorlogen, revoluties, aardbevingen, volkenmoorden en de ontwikkeling van modern wapentuig. Natuurlijk kan iedereen die enigszins vertrouwd is met de menselijke aard en de historische gebeurtenissen uit het verleden met een gerust hart voorspellingen doen van oorlogen en natuurrampen, aangezien die zich met een zekere regelmaat plegen voor te doen. Soms echter gaf Nostradamus opmerkelijk veel specifieke details, bijvoorbeeld door de namen te noemen van mensen die pas honderden jaren later zouden worden geboren.

Zo voorspelde de 16de-eeuwse ziener bijvoorbeeld de opkomst van Adolf Hitler, compleet met diens nationaliteit, aan de macht komen en geslaagde invasie van Frankrijk. Met griezelige trefzekerheid noemde hij de toekomstige *Führer* van het Derde Rijk 'Hister', eraan toevoegend dat 'het grootste deel van het slagveld tegen Hister zal zijn'.

Nostradamus voorspelde het al dan niet tragische lot van talrijke figuren uit de historie, zoals Napoleon, koning Edward VIII van Engeland, Winston Churchill en Franklin Delano Roosevelt. Vaak gebruikte hij in zijn kwatrijnen bijnamen in plaats van hun werkelijke naam, maar een enkele keer gaf hij de juiste naam op, zoals in het geval van Louis Pasteur, die, zo zei hij, 'als een god zou worden vereerd'. Over de Spaanse 'generalissimo' Franco, en over Primo de Rivero en diens volgelingen, schreef Nostradamus: 'Uit Castilië zal Franco de vergadering wegvoeren' en 'Rivera's mensen bevinden zich in de menigte'.

Hoewel Nostradamus zijn voorspellingen 223 jaar vóór de Franse Revolutie op papier zette, lijkt hij met zijn voorspellingen van het lot van Lodewijk XVI van Frankrijk opmerkelijk expliciet te zijn geweest. Zo noemde de ziener de koning 'de gekozen Capet' (de familienaam van de koning) en omschreef hem met het Franse woordje *lui* door dat met een hoofdletter te schrijven (*Lui*); als het wordt uitgesproken, klinkt het net zo als de Franse vorm van Lodewijk, *Louis*.

In een ander kwatrijn stuiten we op opmerkelijke overeenkomsten tussen de voorspellingen van Nostradamus en de feitelijke gebeurtenissen gedurende het begin van de Franse Revolutie. Zo lezen we in kwatrijn 34 uit Centurie IX:

Le part solus mari sera mitré
Retour, conflit passera sur le thuille:
Par cinq cens un trahir sera tiltré
Narbon & Saulce par couteaux avons d'huile.

Dit kwatrijn laat zich ongeveer als volgt vertalen:

De eenzame echtgenoot zal een mijter dragen;
terugkeer, conflict bij de Tuilerieën:
Vijfhonderd zullen een verrader toejuichen:
Narbonne & Saulce, wij hebben olie voor messen.

In *L'histoire de France* van de historicus Thiers wordt de vlucht van Lodewijk XVI en Marie-Antoinette uit de Tuilerieën (*le thuille?*) beschreven. Het koninklijk paar raakte de weg kwijt en had een zeer ongelukkige route gekozen. Hoewel de koning grijze burgerkleren droeg, werd hij toch herkend en het paar werd gedwongen te overnachten in de woning van een zekere *Saulce* in Varennes. De familie Sauce (huidige spelling) had al sinds de 16de eeuw in kaarsen gehandeld (en vermoedelijk ook in olie [*huile*]: ze werden *marchandépiciers* genoemd). Op 20 juli 1792 kwam Lodewijk XVI zonder MarieAntoinette terug in het paleis de Tuilerieën, dat door een menigte werd bestormd, waarna de koning gedwongen werd de jacobijnenmuts – het symbool van de revolutie dat wel enige gelijkenis vertoont met een *mijter* – op te zetten. Thiers vermeldt uitdrukkelijk dat de menigte, toen deze naar de Tuilerieën oprukte, precies *vijfhonderd man sterk was*. De minister van Oorlog, *Narbonne*, was door Lodewijk XVI ontslagen en werd door de menigte toegejuicht. Volgens sommige Nostradamus-experts zou het woordje *couteaux* (messen) moeten worden gelezen als *quartants*, hetgeen zoveel betekent als 'olieman' en dus een tamelijk juiste omschrijving is van het beroep dat Saulce uitoefende.

Kortom, dit kwatrijn verwijst naar een groot aantal historische feiten: de mijter, het feit dat de koning alléén naar de Tuilerieën terugkeerde, het getal van de menigte (500 man), de naam van de afgezette minister van Oorlog, Narbonne (de toegejuichte verrader), en de naam en wellicht ook het beroep van de man die het koninklijk paar onderdak verschafte ('olieman' Saulce). Het woord *couteaux* zou overigens ook kunnen verwijzen naar het 'mes' (de guillotine) waaronder Lodewijk XVI in 1793 het leven liet.

Per kano van Amerika naar Europa

Tweeduizend jaar geleden, gedurende de regeringsperiode van Augustus Caesar, toen de Romeinen het grootste deel van West-Europa bestuurden, spoelde een langwerpig en smal vaartuig aan op de Noordzeekust. De zeevaarders die met dit bootje waren gearriveerd, hadden een koperkleurige huid en ze wezen herhaaldelijk eerst naar hun boot en vervolgens naar het westen. De Romeinse soldaten die deze barbaren niet konden verstaan, escorteerden hen naar de Romeinse proconsul Publius Metellus Cellar, die hen tot slaaf liet brandmerken.

Deze koene zeevaarders zouden in de duisternis van het verleden zijn opgegaan, ware het niet dat er van een van deze mannen een houten buste bewaard is gebleven waarvan de trekken grote gelijkenis vertonen met die van de Indianen in Noord-Amerika. Blijkbaar waren deze Indianen voor de oostkust van Noord-Amerika door een storm uit koers geraakt, waarna hun kano was meegevoerd door de noordoostelijke Golfstroom, totdat ze helemaal in Europa belandden.

Christoffel Columbus, die op zijn reizen naar de Nieuwe Wereld eveneens van de Golfstroom gebruik maakte – maar dan de zuidwestelijke – is wellicht op de hoogte geweest van de aankomst van deze slaven van Publius. Hij had zoveel mogelijk informatie verzameld over eventuele eerdere oversteken van de Atlantische Oceaan en verwees zelfs eens naar het verhaal over twee overleden mannen met een donkere huidkleur, 'wellicht Chinezen', die in een langwerpige, smalle boot waren aangespoeld op de westkust van Ierland, niet ver van het huidige Galway.

Gevaarlijk spel

Vóór de aankomst van de eerste Europeanen in de Nieuwe Wereld waren de volken in Midden-Amerika, Mexico en delen van het zuidwestelijke deel van wat nu de Verenigde Staten van Amerika zijn, verslingerd aan een spel dat *tlachtli* heette. Bij dit spel moest de speler een kleine, harde bal van rubber door een gat in een steen zien te werpen die boven de hoofden van de spelers was opgehangen of -gesteld, zo ongeveer als het bord met de basket bij basketbal. De bal mocht uitsluitend met de ellebogen, heupen, benen en het hoofd worden gespeeld, maar onder geen voorwaarde met de handen.

Kennelijk was *tlachtli* méér dan alleen een sport; het schijnt ook een religieus ritueel te zijn geweest. De verliezer verspeelde vaak niet alleen zijn kleding en uitrusting, maar ook zijn leven. (Azteekse priesters rukten bijvoorbeeld hun levende mensenoffers het hart uit als zij op het offeraltaar op de piramidetempel waren vastgebonden en het schijnt dat zij ook graag *tlachtli*-verliezers aan hun goden offerden.)

De belangrijkste *tlachtli*-wedstrijd ooit gespeeld, was vermoedelijk die tussen de Azteekse heerser Montezuma en de koning van Tezcoco, Nezahualpilli. Het ging erom te bepalen hoe betrouwbaar Nezahualpilli's astrologen waren, nadat deze hadden voorspeld dat Mexico in de toekomst door vreemdelingen zou worden overheerst. De inzet: drie hanen van Montezuma, tegenover het hele koninkrijk Tezcoco van Nezahualpilli. Montezuma verloor – met een score van 2-3 zodat Nezahualpilli zijn koninkrijk behield en de drie hanen won.

Dit hartstochtelijk gespeelde *tlachtli*-spel heeft in feite de Spanjaarden geholpen Mexico te veroveren. Montezuma raakte zó ontmoedigd door de voorspelling dat hij zijn keizerrijk zou verliezen dat hij niet in staat was de vreemdelingen tegenstand te bieden toen ze werkelijk verschenen.

Een koninklijke heilige verbood het vloeken

Lodewijk IX van Frankrijk leidde de Zevende Kruistocht (1248-1254) die vanuit het Avondland werd ondernomen teneinde het Heilige Land te bevrijden van de ongelovigen, maar hij werd door de islamieten gevangen genomen. Nadat er een losgeld voor hem was betaald en hij was vrijgelaten, spande hij zich in de rest van zijn regeringsperiode geweldig in om zijn onderdanen zijn eigen religieuze opvattingen op te leggen.

Lodewijk IX – de enige Franse koning die na zijn dood heilig werd verklaard – vond bijvoorbeeld dat het tot zijn verantwoordelijkheden behoorde om het vloeken uit te bannen. Om mensen het bezigen van uitroepen als *Pardieu!* (Bij God!) en *Cor(ps)dieu* (Bij het lichaam van God!) af te leren, gaf hij bevel dat overtreders moesten worden gestraft door hun tong met een gloeiend ijzer te bewerken.

Al spoedig werd het een rage om vervangende uitdrukkingen te bezigen, zoals *Parbleu!* (Bij blauw!) en *Sacrebleu!* (letterlijk 'Heilig blauw!' maar in feite 'Verdomme!') die klankverwantschap hadden met de verboden krachttermen. *Bleu* klonk niet alleen bijna net als *dieu*, maar was bovendien de naam van de lievelingshond van de koning. De krachttermen die geen vloeken waren, hebben de middeleeuwen overleefd en maken nog steeds deel uit van het idioom van het Franse volk.

De duivel aangeklaagd

Op 30 oktober, de dag die voorafging aan Halloween* werd een uitzonderlijk proces aanhangig gemaakt in Little Rock, Kansas. De man die deze zaak aanhangig maakte, was Ralph Forbes, een voormalig kandidaat-lid van het Huis van Afgevaardigden. Hij wilde openbare scholen in Kansas verbieden Halloween te vieren, omdat deze feestavond volgens hem een 'viering was die tot de riten ter verheerlijking van satan' behoorde.

Of die klacht wel of niet op gerechtvaardigde gronden werd ingediend, moet hier in het midden worden gelaten (een verbod op Halloween zou vermoedelijk de neiging van kinderen om mensen met eieren te bekogelen, verf tegen hun huis te plenzen, hun huizen 'in te pakken' met krantepapier, buitentoiletten om te gooien, enzovoort, hebben ingedamd), maar een van de aangeklaagden was een buitengewoon beruchte en griezelige figuur. De naam die in de aanklacht werd genoemd, was aan iedereen bekend: 'Satan, alias de duivel'. Een tweede aangeklaagde, vermoedelijk bogend op een heel wat betere reputatie, was het onderwijsdistrict Russelville. De aanklacht was ingediend namens Ralph Forbes, Jezus Christus en 'minderjarige kinderen'.

Oude Semieten in Brazilië

Toen de Portugezen in 1500 Brazilië in bezit namen, hoefden ze niet naar een geschikte naam voor hun nieuwe territorium te zoeken. Per slot van rekening hadden ze er gevonden wat ze zochten: het aan ijzererts rijke land dat Brazil werd genoemd en volgens de oude legenden aan de overzijde van het zuidelijke deel van de Atlantische Oceaan moest liggen. In verscheidene Semitische talen – en ook in het hedendaagse Hebreeuws – heeft *brazil* (*Brzl*) de betekenis van 'ijzer' of 'IJzerland'.

Interessant is dat er in het stroomgebied van de rivier de Amazone talloze stenen 'tafelen' zijn aangetroffen met teksten in het Fenicisch of andere Semitische talen. Sommige ervan – vooral die waarop verslag werd gedaan van het lot van expedities in dit gebied – werden aanvankelijk als vervalsingen beschouwd. Grappenmakers zouden echter wel erg veel

* Halloween valt altijd op 31 oktober, de vooravond van Allerheiligen, en in Angelsaksische landen gaan verklede kinderen dan van deur tot deur om liedjes te zingen, mensen een poets te bakken en snoep of koek op te halen. (Vert.)

moeite moeten hebben gedaan om eerst teksten in vreemde oude talen in deze 'gedenkstenen' uit te beitelen en ze vervolgens diep in de Amazonejungle achter te laten. En als ze werkelijk authentiek zijn, is het een reële veronderstelling dat de Semitische zeevaarders uit de oudheid niet alleen lang vóór de komst van de Portugezen de oversteek naar Brazilië vele keren hebben volbracht en dus Amerika lang vóór Columbus hadden ontdekt, maar dat zij bovendien het grootste land van Zuid-Amerika de naam hebben gegeven waaronder het tegenwoordig bekend is, en wel ruim drieëntwintig eeuwen voordat het land officieel werd 'ontdekt'.

De man die niet was op te hangen

Joseph Samuels was in Sydney, Australië, schuldig bevonden aan diefstal en moord op een politieman en de rechter veroordeelde hem tot 'ophanging aan de nek tot de dood erop volgt', een vonnis dat in september 1803 moest worden uitgevoerd. Samuel betuigde nog altijd luidkeels zijn onschuld toen hij plaats moest nemen in de schavotwagen en de beul hem de strop om de nek legde. Toen echter de paarden met knallende zweep in beweging werden gezet en de wagen onder Samuels wegschoot, hing hij heel even aan de strop, maar viel vrijwel meteen op de grond. Bij de tweede poging hem te executeren, deze keer met zijn handen gebonden op zijn rug, rafelde de strop plotseling en lag Samuels opnieuw op de grond, half gewurgd, maar nog steeds in leven.

Na drie mislukte pogingen om de veroordeelde op te hangen, werd de menigte toeschouwers opstandig. Om geen oproer uit te lokken, besloot de beul Samuels terug te brengen naar zijn cel.

Later werd een zekere Isaac Simmonds, die de aandacht op zich had gevestigd door Samuels luidkeels uit te jouwen toen de arme man op de schavotwagen stond, stevig aan de tand gevoeld: nu bleek dat *hij* deze misdaden had begaan. Hij werd schuldig bevonden en tot de strop veroordeeld. Deze keer verliep de executie meteen goed.

Ratten en katten in de geschiedenis

Tussen 1346 en 1350 overleden er in Europa circa 75 miljoen mensen aan de 'Zwarte Dood', zoals de pestepidemie werd genoemd die op het continent woedde en overal de bevolking decimeerde. Vermoed wordt dat deze grote epidemie van builenpest oorspronkelijk afkomstig is geweest uit

Kaffa. Volgens de gangbare theorieën hierover brachten schepen uit het Midden-Oosten ratten mee die onder de luizen zaten. Het waren deze luizen die de gevreesde ziekte overbrachten door hun dierlijke gastheer te verwisselen voor een mens.

Naarmate de pestepidemie verder om zich heen greep, namen de mensen steeds vaker hun toevlucht tot penitenties, artsenijen en kwakzalvermiddeltjes tegen de ziekte. Hiertoe behoorde ook zo nu en dan een massale jacht op katten om die dieren te doden, met het gevolg dat de situatie alleen maar erger werd omdat er dan minder rattenvangers waren.

Pas toen de epidemie wegebde en de grotendeels ontvolkte steden en dorpen zich begonnen te herstellen, heroverden de katten hun gedomesticeerde positie bij de haard en hervatten ze hun oude werkzaamheden – de jacht op ratten en muizen.

Filmdebuut van een UFO

Tijdens de filmopnamen ten behoeve van een reclamespot op het dak van het Sheraton Hotel van San Juan op het eiland Portorico zag de filmploeg plotseling een grote UFO naderen. Ze zagen de UFO ook op hun monitors en konden zien dat dit helder glanzende vliegende object geen vliegtuig, zeppelin of helikopter was. De UFO verdween even plotseling als hij was verschenen, maar alle opnamen voor de reclamespot waren bedorven en moesten worden overgedaan.

Dat jaar zouden er uit Portorico meer meldingen van UFO's – *unidentified flying objects* die niet per se van buitenaardse herkomst hoeven te zijn – komen dan uit iedere andere plaats ter wereld. Het Sheraton-incident verschilde nauwelijks van andere UFO-waarnemingen, op één ding na: de filmbeelden van 'de grote, gloeiende UFO' werden verkocht aan Creative Films, een filmmaatschappij die toevallig behoefte had aan wat opnamen van een UFO ten behoeve van een film die zij op dat moment maakte.

Sectiestudente: 'Dat is mijn tante!'

De meeste nieuwe studenten in de medicijnen van de Universiteit van Alabama waren nerveus toen ze voor het eerst de snijzaal binnenstapten, waar een aantal lijken gereedlag voor hun eerste anatomieles. Volgens een ingezonden brief aan het *Journal of the American Medical Associa-*

tion schrok een van de vrouwelijke studentes hevig toen ze de lijken bekeek. Onder de lichamen die op sectie wachtten, bevond zich het stoffelijke overschot van haar kort tevoren overleden oudtante.

Later bleek dat de Anatomiecommissie van de staat Florida, waar de vrouw was overleden, haar lijk had laten versturen naar Alabama. Zodra de docenten van de Medische Faculteit van de Universiteit van Alabama begrepen dat een van hun studenten gevaar liep er getuige van te moeten zijn hoe het lichaam van iemand die zij had gekend, werd ontleed, lieten zij het lijk van de oudtante naar een ander laboratorium overbrengen en voerden een nieuwe regel in: voortaan moesten de namen van de lijken vooraf aan de studenten worden voorgelegd.

'De studente (die haar oudtante had herkend) was deze traumatische situatie algauw te boven,' merkte psychiater Clarence McDanal – een medeondertekenaar van de brief – op.

De ironie van het geval wil dat nota bene de medisch studente die met het lijk van haar oudtante werd geconfronteerd, naar alle waarschijnlijkheid zelf degene was geweest die haar oudtante – ruim vóór haar dood – had weten over te halen om haar lichaam ter beschikking van de medische wetenschap te stellen.

Krantekoppen in een droom

Op 29 januari 1963, 's nachts omstreeks drie uur, schrok mevrouw Walik, een inwoonster van Long Beach in Californië, plotseling wakker en kwam met een ruk overeind in bed, nog helemaal in de ban van een afschuwelijke nachtmerrie die uitzonderlijk helder en levendig was geweest.

Ze had gedroomd van een vliegtuig dat laag over een wateroppervlak scheerde en door de piloot werd rechtgetrokken voor de nadering van een landingsbaan op slechts honderd meter afstand. Plotseling raakte het vliegtuig in een 'stall' en viel omlaag, raakte het water als een opspringende platte kiezelsteen en stortte neer naast de landingsbaan, waarna het onmiddellijk in brand vloog.

Mevrouw Malik werd hevig gekweld door deze zeer gedetailleerde nachtmerrie, waarin ze duidelijk had gezien dat het bewuste toestel een grote, viermotorige Constellation was – het vliegtuigtype waarmee haar echtgenoot John – die als navigator in dienst was van Slick Airways – placht te vliegen.

Was deze droom wellicht een waarschuwing dat John Walik gevaar liep? Zodra het kantoor van Slick Airways die ochtend openging, belde mevrouw Walik op om te vragen of haar echtgenoot ongedeerd was. Ze kreeg de verzekering dat er geen toestel was neergestort en dat John, die in een vrachttoestel een vlucht maakte naar de westkust, over een paar dagen thuis zou komen.

Mevrouw Walik was er echter allesbehalve gerust op. De volgende paar dagen verzekerde ze haar vrienden, buren en familieleden – iedereen die maar wilde luisteren – dat er met deze droom iets bijzonders aan de hand moest zijn. Deze droom was zó angstaanjagend geweest dat het de *werkelijkheid* had geleken.

Op 3 februari besloot mevrouw Walik zich nogmaals te vergewissen van de veiligheid van haar man. Opnieuw kreeg ze te horen dat er geen problemen waren met zijn toestel en dat John later die ochtend op San Francisco International Airport zou landen.

Zodra mevrouw Walik de hoorn had neergelegd, werd ze opnieuw bestormd door de details van haar droom. Het toestel in haar nachtmerrie was boven een watervlakte in een 'stall' geraakt, herinnerde ze zich. En voor de nadering van San Francisco International Airport zou het toestel van haar man over de Baai van San Francisco moeten vliegen...

Haastig draaide ze opnieuw het nummer van Slick Airways. Maar nog voordat ze klaar was met het omschrijven van de redenen voor haar bezorgdheid kwam haar angstaanjagende droom uit. Het toestel van haar man stortte neer naast de landingsbaan en vloog dadelijk in brand. Vijf bemanningsleden kwamen om. Vier andere bemanningsleden, met inbegrip van John Walik, brachten het er levend af.

De volgende dag bracht *The Long Beach Independent Press* een artikel over de vliegramp, onder de vette kop: MATE'S PLANE CRASH SEEN IN WIFE'S DREAM ('Vliegramp man in droom door echtgenote voorzien'). Het neerstorten van de Constellation had zich, zo vermeldde de krant, precies zo voltrokken als mevrouw Walik in haar droom had zien gebeuren – vijf dagen vóór de ramp!

Het zoemende huis

In de jaren zestig werd het gezin van vrachtwagenchauffeur Binkowski in het plaatsje Rotterdam in de staat New York geplaagd door allerlei onverklaarbare aandoeningen. De gezinsleden hadden last van hevige hoofdpijnen, kiespijn, oorpijn en pijn in hun gewrichten. Maar waarom?

Het gezin begon zich af te vragen of de zwakke zoemtoon die ze dag en nacht in hun huis hoorden misschien iets te maken kon hebben met hun lichamelijke klachten. De plaatselijke politie en technici van de nabij Rotterdam gelegen elektriciteitscentrale van General Electric werden erbij gehaald, maar deze mensen begrepen niets van de bewering van de Binkowski's dat zij voortdurend een lage zoemtoon hoorden.

Ten einde raad schreef Eugene Binkowski een brief naar president Kennedy, met het verzoek alles in het werk te stellen om de oorzaak van het mysterie te laten opsporen. Enkele dagen nadat zijn brief in het Witte Huis was gelezen, belden er zes geluidstechnici van de luchtmacht bij de Binkowski's aan. Ze hadden allerlei meetinstrumenten bij zich die gebruikt konden worden om geluiden met lage en hoge trillingsfrequenties op te sporen.

Hoewel ook deze experts geen geluiden konden vinden die de oorzaak van de klachten van het gezin zouden kunnen zijn, deden zij wel een opzienbarende ontdekking: het hele gezin Binkowski was 'gezegend' met een uitzonderlijk scherp gehoor, en de gezinsleden werden zonder twijfel in staat geacht te horen wat zij beweerden te horen. Zo bleek de zesjarige Teddy Binkowski geluiden te kunnen horen die ver boven de normale gehoorgrens van mensen (16.000-18.000 hertz) uit gingen. De enige verklaring die de experts van de luchtmacht voor de aanhoudende hinderlijke zoemtoon konden bedenken, was dat datgene wat het gezin hoorde wellicht verband hield met de aanwezigheid van drie radiozenders in de omgeving van Rotterdam, New York.

Toen de verhalen over het zoemende huis in Rotterdam de ronde begonnen te doen, belden honderden mensen bij de Binkowski's aan om persoonlijk naar het mysterieuze geluid te luisteren. De meesten zeiden dat zij de zoemtoon ook hoorden; anderen zeiden dat ze een 'dof gevoel' in hun hoofd kregen. Wat ook de ware oorzaak van deze vreemde gewaarwordingen geweest moge zijn, de familie Binkowski besloot haar biezen te pakken en verhuisde naar een garage om voorgoed van het gezoem verlost te zijn.

Oude mummies in Rusland

Volgens de Russische krant *Troed* zag een groep grotonderzoekers zich in de jaren tachtig plotseling geconfronteerd met een griezelige aanblik: grotten waarin zoveel oude mummies aanwezig bleken te zijn dat deze grotten al spoedig de bijnaam 'Dodenstad' verwierven.

Maar waarom tientallen mannen, paarden en wilde dieren deze grotten waren binnengegaan, daar gelijktijdig (?) de dood hadden gevonden en vervolgens waren gemummificeerd, is een onopgelost raadsel gebleven.

Sommige deskundigen opperden in *Troed* dat deze mensen wellicht nomaden uit de 4de eeuw v.Chr. waren geweest, die de grotten waren binnengevlucht om zich daar schuil te houden voor de naderende troepen van Alexander de Grote. De historicus Thomas Burns van de Amerikaanse Emory universiteit erkent dat het mogelijk is dat 'vluchtelingen die probeerden te ontsnappen aan het oprukkende Griekse leger hun toevlucht hadden gezocht in de grotten – gelegen in het hart van de voormalige Sovjetunie – waarin deze mummies zijn aangetroffen'. Hij voegt er echter aan toe dat het ook mogelijk was dat ze zich in de grotten hadden verborgen vanwege een bloedvete tussen twee families.

Prof. Brad Shore, hoogleraar antropologie aan de Emory-universiteit, zegt dat de door de dood achterhaalde nomaden misschien als gevolg van een gril van de natuur gemummificeerd zijn. 'Het komt zelden voor, maar het is zeker niets ongehoords,' zei hij, 'dat mensen op deze manier werden geconverseerd nadat zij door een aardverschuiving of modderlawine waren overvallen.'

Hoe deze mummies in de Russische 'Dodenstad' aan hun eind zijn gekomen, zal vermoedelijk wel nooit worden achterhaald, maar de plaatselijke bergbewoners beschouwen de desbetreffende grotten al sinds mensenheugenis als 'grotten die ongeluk brengen'. Volgens het artikel in *Troed* geloven zij dat de Zwarte Dood oorspronkelijk uit deze van insekten vergeven grotten afkomstig was. In elk geval ontdekten de Russische speleologen bij het verlaten van de grotten dat ze onder de pijnlijke beten zaten, veroorzaakt door stekende insekten die samen met de mummies in de grotten huizen.

Slaaptaal

Altijd als Gene Sutherland uit Mesa in Arizona naar bed ging, wist zijn vrouw Wilma dat ze er terdege rekening mee moest houden dat haar geen behoorlijke nachtrust zou zijn vergund, omdat haar echtgenoot vaak zó luid in zijn droom praatte dat zij er wakker van schrok. In de regel verstond Wilma er een paar woorden van, maar dan dommelde ze weer in, om zich over te geven aan haar eigen dromen. Op een nacht klonk het gepraat van Gene echter heel anders dan 'normaal'.

Hij maakte een opgewonden, geagiteerde indruk, herinnert Wilma zich, en hij sprak met een zwaar, buitenlands accent, waarbij hij vaak woorden gebruikte die eindigden op *ski* en *vitsj*.

Mevrouw Sutherland begreep dat dit niet Genes gebruikelijke 'slaaptaal' was en ze bezat de tegenwoordigheid van geest een bandrecordertje in te schakelen om het vreemde gebrabbel vast te leggen. Toen ze het bandje afspeelde voor haar man, was Gene zelf stomverbaasd over wat hij er allemaal uitgooide. Wilma kon de indruk dat haar echtgenoot in zijn slaap een taal had gesproken die veel op Russisch leek niet van zich afzetten, zodat ze het Bureau Vreemde Talen van de overheid van Arizona belde, professor Lee Croft aan de lijn kreeg en hem vroeg naar het bandje te luisteren.

Croft was het niet alleen met mevrouw Sutherland volledig eens dat ze haar man Russisch had horen spreken, maar bovendien herkende hij acht of negen Russische zinsneden, zoals 'een dronkelap' en 'neem me niet kwalijk, maar het is volstrekt duidelijk'.

Zelf hield Gene Sutherland bij hoog en bij laag vol dat hij geen Russisch kende. Hij had die taal alleen af en toe gehoord in de Tweede Wereldoorlog, toen hij met de rest van zijn Amerikaanse legereenheid het Rode Leger bij de rivier de Elbe had bereikt.

Prof. Croft opperde dat de ervaring van Russisch horen spreken wellicht een herinnering heeft achtergelaten in Sutherlands onderbewustzijn, waardoor hij in zijn slaap Russisch zou kunnen spreken. Maar zodra het nieuws over Genes vreemde talent uitlekte, werden de Sutherlands bestookt met verklaringen van tal van andere mensen, zoals 'reïncarnatie' en 'demonische bezetenheid'.

Het Tasmaanse monster

Het komt niet zelden voor dat er na een hevige storm dode dieren aanspoelen op een strand. Het karkas dat in juli 1960 na een uitzonderlijk hevige storm was aangespoeld op een strand van het eiland Tasmanië was echter anders dan alles wat wie dan ook ooit had gezien.

De veeboer Ben Fenton was – niet ver van de plaats waar de rivier de Interview in de oceaan uitmondt – met een paar medewerkers bezig met het bijeendrijven van afgedwaalde runderen toen twee van Fentons mannen het 'monster' vonden: een grote, ronde, met kort borstelhaar overdekte vleesberg met een doorsnee van circa 6 meter en een dikte in het midden van circa 1,80 meter.

Fenton belde de plaatselijke autoriteiten om de merkwaardige vondst te melden, en binnen de kortste keren verschenen er een bioloog van de overheid en enkele andere geleerden om een kijkje te nemen bij dit raadselachtige dier.

De duimdikke huid van het rare beest was zo onvoorstelbaar taai dat het bijna onmogelijk bleek weefselmonsters te nemen. Maar toen twee onderzoekers meer dan een uur lang met vlijmscherpe bijlen op de vleesberg hadden ingehakt, slaagden ze er eindelijk in een stuk van de witte spiervezelmassa onder de taaie huid los te snijden.

Het laboratoriumonderzoek riep aanzienlijk meer vragen op dan erdoor werden beantwoord. De experts konden onmogelijk zeggen wat voor soort dier het was: ze konden alleen zeggen wat het *niet* was. Volgens de deskundigen die het beschikbare bewijsmateriaal onderzochten, behoorde het monster niet tot een bekende, op aarde levende soort.

Er gingen twee jaren voorbij, maar het Tasmaanse monster werd niet vergeten. Het Australische parlement gaf te kennen dat het wilde dat dit mysterie tot op de bodem werd onderzocht, en wéér trok een groep door de overheid betaalde geleerden naar het afgelegen strand van Tasmanië, waar het karkas nog altijd in de zon lag te bakken.

Na vierentwintig uur van beraadslagingen, onderzoeken en consultaties gaf de groep een officiële verklaring uit. De conclusie? Het monster was en bleef een onoplosbaar raadsel, want zelfs de moderne wetenschap kon het op geen enkele manier thuisbrengen of zelfs maar classificeren.

Engelenvleugels

Toen de grote schilder El Greco ('De Griek') in 1541 voor de Spaanse Inquisitie moest verschijnen, werd hij niet aan de tand gevoeld vanwege de verdenking dat hij zich schuldig had gemaakt aan ketterij, hekserij of een geloofsdwaling. De kerkelijke autoriteiten namen aanstoot aan de manier waarop hij de vleugels van engelen placht te schilderen.

Volgens de inquisiteurs waren El Creco's engelen in strijd met de kerkelijke canon en de Heilige Schrift. Ze waren namelijk steeds zodanig weergegeven dat hun vleugels geen 'echte engelenvleugels' waren. Gelukkig kon El Greco – anders dan de meeste andere slachtoffers van de Inquisitie – een plausibele verklaring geven voor zijn handelwijze. Hij zette zijn persoonlijke theorieën over vorm, zuiverheid en gratie op zó'n overtuigende manier uiteen dat de inquisiteurs hem vrijspraken. Wellicht hadden de vertegenwoordigers van de Roomse Kerk onder hun zwarte monnikskappen enige waardering voor ware kunst – zolang die niet al te openlijk heidens was.

Loodvergiftiging in het oude Rome

De twee Romeinse steden die tijdens de enorme uitbarsting van de Vesuvius in het jaar 55 n.Chr. werden bedolven onder gloeiende as en lava, Pompeï en Herculaneum, kunnen als echte archeologische tijdcapsules worden beschouwd, want ze verschaften ons een helder beeld van de dagelijkse bezigheden van de mensen uit die tijd op het moment van de ramp. Over het welvarende Pompeï is meer bekend dan over Herculaneum, dank zij het feit dat er meer mensen aan de ramp konden ontsnappen. Gedurende de middeleeuwen lieten Italiaanse aristocraten zelfs 'mijngangen' in deze bedolven stad uitgraven, teneinde op die manier een aantal meesterwerken van de beeldhouwkunst uit de oudheid op te graven. Enkele eeuwen na de vulkaanuitbarsting werd er echter een nieuwe stad bovenop het verwoeste Herculaneum gebouwd – een situatie die archeologisch onderzoek sterk bemoeilijkt, maar niet geheel onmogelijk maakt.

Zo werden er in 1988 opgravingen bij Herculaneum verricht waarbij delen van de stad en een aantal stoffelijke overschotten zijn blootgelegd. Onderzoek van deze menselijke resten toonde aan door welke ziekten de burgers van het oude Rome dikwijls werden geplaagd, waarbij vooral loodvergiftiging veel moet zijn voorgekomen.

De oorzaak hiervan, zo geloven de experts, moet worden gezocht in het feit dat de Romeinen veel gebruik maakten van met een lood-tinverbinding gesoldeerde koperen wijnkannen en kookpannen. Medici wijzen erop dat het geconsumeerde lood zowel de hersenen als de voortplantingsorganen van de Romeinen moet hebben geschaad. Omdat zij niet langer in staat waren gezonde nakomelingen te verwekken, werd het volk weerloos tegen de invallen van barbaren (die geen lood in hun kookgerei en wijnkannen gebruikten). Geestelijke aftakeling en onevenwichtigheid – niet alleen onder de bevolking in het algemeen, maar in het bijzonder ook bij keizers als Nero en Caligula – zullen de verdere achteruitgang en latere ineenstorting van het Romeinse imperium in de hand hebben gewerkt.

Frasiers vroegtijdige veroudering

In 1971 probeerde het Lion Country Safari Park in Zuid-Californië twaalf jonge leeuwinnen tot voortplanting te bewegen. Ze lieten vijf jonge mannetjes los in het omheinde gedeelte van het park, in de hoop dat ze daar nageslacht zouden verwekken, maar de leeuwinnen wezen alle mannetjes af. Een van de mannetjes werd zelfs lelijk verminkt.

Later kreeg het safaripark een oudere leeuw cadeau; hij heette Frasier en was afkomstig van een Mexicaans circus dat failliet was gegaan en het dier niet langer te eten kon geven. Frasier had het grootste deel van zijn leven in een kooi doorgebracht, had slechte ogen, zat onder de littekens, had geen tanden meer en was half verlamd. Desondanks vonden de twaalf jonge leeuwinnen hem kennelijk onweerstaanbaar: ze dongen om het hardst naar zijn gunsten en kauwden zelfs zijn voedsel voor hem! Bij zijn nieuwe harem verwekte Frasier binnen zestien maanden niet minder dan vijfendertig welpen, waarna hij stierf – vermoedelijk heel tevreden en voldaan over zijn actieve oude dag.

Het raadsel van de dode geleerden

In augustus 1986 werd het lijk van Vimal Sajibhai – een torpedo-expert die tot taak had afvuurgeleidingssystemen van torpedo's te onderhouden – onder een brug in de nabijheid van de Engelse havenstad Bristol aangetroffen. Het bleek slechts het begin van een geheimzinnige reeks sterfgevallen. Nog negen andere wetenschappers die meewerkten aan geheime Britse defensieprojecten stierven een merkwaardige dood – ook al schenen die sterfgevallen zo op het oog niets met elkaar uitstaande te hebben. In al deze gevallen werd de doodsoorzaak omschreven als 'zelfmoord' of 'onverklaarbaar'.

Enkele maanden na Sajibhai's dood legde iemand (hijzelf?) een strop om de nek van Asjhad Sjarif toen hij in zijn auto zat. Aangezien het andere eind van het touw om een boom in een park van Bristol was gebonden, brak Sjarif zijn nek toen de auto met het gaspedaal op de plank gedrukt wegreed.

Hierop volgde in januari 1987 de dood van computerontwerper Richard Pugh, van wie het lijk in zijn woning in Londen-Oost werd aangetroffen. Nog diezelfde maand werd de computerexpert John Brittem, werkzaam bij het Britse Royal Armaments Research and Development Establishment (Militair Instituut voor Onderzoek en Ontwikkeling van Nieuwe Wapens) dood aangetroffen in zijn garage; hij zat achter het stuur van zijn auto en de motor draaide nog. Ook de metallurg Peter Peapul en computeringenieur Trevor Knight werden kort daarna het slachtoffer van koolmonoxydevergiftiging via uitlaatgassen.

De lijst is nog langer: de kofferbak van de auto van computerexpert

David Sands was gevuld met benzine toen hij frontaal tegen een verlaten restaurant knalde en levend verbrandde. Computerspecialist Mark Wisner stikte doordat iemand (hijzelf?) hem een plastic zak over het hoofd trok. Victor Moore zou bezweken zijn aan een overdosis drugs; Russel Smith – werkzaam bij de streng geheime overheidsinstantie die bekend is als de United Kingdom Atomic Energie Authority (Commissie voor Kernenergie van het Verenigd Koninkrijk) werd dood in zijn auto aangetroffen nadat dit voertuig van een steile klip was gevallen.

De Britse pers heeft gesuggereerd dat al deze sterfgevallen deel uitmaken van een reeks doelbewust geplande moorden. Het doel: het Britse programma voor de ontwikkeling van anti-onderzeebootwapens en andere defensieprogramma's te dwarsbomen. Leden van het Britse Lagerhuis vonden de sterfgevallen verdacht genoeg om een officieel onderzoek te eisen.

Raspoetins wonderlijke genezingen

De laatste Russische tsaar, Nicolaas II, en zijn gemalin stonden sterk onder invloed van de geheimzinnige Siberische monnik Raspoetin, die door de tsarina steevast werd aangeduid als 'onze vriend'. De reden waarom Raspoetin zoveel macht verwierf over de keizerlijke familie was zijn vermogen om door middel van hypnose een eind te maken aan de inwendige bloedingen van hun zoon Alexis, de aan hemofilie lijdende troonopvolger. Dank zij zijn invloed op de tsaar en tsarina kon Raspoetin zich enorm verrijken via de toekenning van contracten voor de levering van munitie, de benoeming van 'vrienden' van hem op hoge regeringsposten en allerlei andere lucratieve bemoeienissen. Bovendien bemoeide Raspoetin zich met de te volgen tactiek in de Eerste Wereldoorlog en leidde hij een bandeloos leven door talloze adellijke dames aan het hof te verleiden. Zijn toenemende invloed was fnuikend voor het vertrouwen van het Russische volk in zijn regering en heeft de militaire inspanningen van het land in de Eerste Wereldoorlog ernstig ondermijnd.

Hoewel sommige geschiedschrijvers Raspoetin van spionage verdenken, is nooit aangetoond dat Raspoetin inderdaad een Duitse spion was, ook al heeft zijn doen en laten de vijand sterk in de kaart gespeeld. De Duitsers begrepen heel goed dat de Russische oorlogsinspanningen tot mislukken gedoemd zouden zijn zolang Raspoetin het in het paleis van de tsaar voor het zeggen had. Dus deden ze wat ze konden om de monnik stevig in het zadel te houden.

Duitse agenten betaalden geregeld Russische soldaten om zich bewusteloos te houden totdat Raspoetin binnenstapte (hij bracht vaak bezoeken aan gewonde militairen in Russische veldhospitalen). Als de monnik bleef staan om zo'n betaalde simulant te zegenen, ging de man plotseling overeind zitten, riep uit dat hij was genezen en bedankte luidkeels God, de heiligen en Raspoetin voor het schijnbare wonder. Dergelijke 'genezingen' verbreidden Raspoetins faam onder het Russische volk en versterkten zijn invloed aan het hof.

In december 1916 besloot een groepje aristocraten, tot wie ook vorst Felix Joesoepov behoorde, om Rusland van Raspoetin te verlossen. Vorst Joesoepov maakte gebruik van Raspoetins belangstelling voor mooie vrouwen van adellijke afkomst en nodigde hem uit voor een trio, voerde hem dronken, gaf hem – met niet al te veel succes – zwaar vergiftigde taartjes te eten, vuurde enkele schoten op hem af en verdronk hem uiteindelijk in de met ijs overdekte rivier de Neva.

Het was echter al te laat. Raspoetins invloed en handelwijze hadden het prestige van de tsaar al zo ernstig ondermijnd dat de februari-revolutie (1917), toen al geruime tijd in de maak, een eind kon maken aan de Romanov-dynastie en het Russische keizerrijk.

Tijdgat in Versailles

Annie Moberly en Eleanor Jourdain, twee Engelse onderwijzeressen, brachten in 1901 een bezoek aan het Franse koninklijke paleis te Versailles. Nadat zij het hoofdgebouw van het paleis hadden bezichtigd, maakten ze een wandeling door de wereldberoemde siertuinen, op weg naar het Petit Trianon, de lusthof van Marie-Antoinette. Aangezien ze de plattegrond van dit kleine paleis niet kenden, vroegen ze de weg aan twee in 18de-eeuwse kledij gestoken mannen, die zij voor hoveniers aanzagen. De mannen gebaarden dadelijk dat zij rechtdoor moesten lopen, en toen de beide dames dat deden, zagen ze even later een vrouw en een jong meisje die eveneens 18de-eeuwse kledij droegen in de deuropening van een personeelswoning staan.

De beide onderwijzeressen wandelden verder, totdat ze een bebost deel van het park hadden bereikt. Daar stuitten ze op een zwarte man met een heel norse uitdrukking op zijn gezicht die gezeten was voor een *temple d'amour*, een paviljoen met een rond, door slanke pilaren geschraagd koepeldak. Toen ze een paar grote rotsblokken langs een met onkruid begroeid voetpad passeerden, kwam er een jongeman achter vandaan.

Hij sprak een Frans dialect dat geen van beide vrouwen kende, maar met gebarentaal wees hij hun de weg naar het Petit Trianon, over een houten bruggetje dat een smalle beek overspande. Aan de overkant van de brug strekte zich het voorgazon van het paleisje uit.

'Tijdens die wandeling,' zo vertelde Annie Moberly later, 'werden we ons ervan bewust dat alles zo onnatuurlijk leek... Zelfs de bomen schenen kleurloos en doods te zijn geworden. Er was geen spel van licht en schaduw... geen zuchtje wind bracht de bladeren in beweging... er heerste... een intense stilte.'

Toen ze voor zich uit keken, naar de voorgevel van het Petit Trianon, zag Moberly een mooie vrouw, die zo te zien duidelijk een aristocrate was en de bosrand zat te tekenen. Ze droeg een grote hoed, een lang, groen lijfje en een korte witte rok. Toen deze dame de beide onderwijzeressen opmerkte, staarde ze hen aan alsof ze van hen was geschrokken.

Plotseling kwam er een eind aan de griezelige stilte en werd de omgeving van de beide vrouwen weer normaal. Er verscheen een moderne gids, die de dames rondleidde door het Petit Trianon. De aristocratische tekenares was nergens meer te bekennen.

Verscheidene dagen lang spraken de twee onderwijzeressen niet met elkaar over deze vreemde ervaringen, en pas in 1911 publiceerden zij – anoniem – hun verhaal in een gezamenlijk geschreven boekje dat gretig aftrek vond. Tegen die tijd hadden ze de dingen die ze in 1901 in Versailles hadden gezien grondig geverifieerd. En ze waren tot de conclusie gekomen dat ze in 1901 samen een wandeling hadden gemaakt op een zomerse dag van het jaar 1789.

De twee 'hoveniers', zo verklaarden zij, 'moeten leden van de Zwitserse Garde zijn geweest. De man met het donkere uiterlijk en norse gezicht was zeer waarschijnlijk graaf de Vaudreuil geweest, die destijds in het Petit Trianon logeerde. En volgens de oude paleisarchieven konden de vrouw en het jonge meisje in de deuropening van een huisje op het terrein van het paleis boerinnen zijn geweest. In de memoires van Marie-Antoinettes couturière werd melding gemaakt van een bestelling voor enkele groene lijfjes en witte rokken voor wat de laatste zomer van de koningin zou blijken te zijn geweest.

Er werd in de beschikbare documenten echter nergens melding gemaakt van de aanwezigheid van een houten bruggetje over een smalle beek. Dit ontbrekende stukje van de legpuzzel was er oorzaak van dat de spot werd gedreven met het verhaal van de beide onderwijzeressen – totdat later de oorspronkelijke bouwtekeningen van de koninklijke architect – waarop wel degelijk een beek en een bruggetje waren aangegeven –

in de schoorsteen van een oud gebouw in een naburige stad werden ontdekt. De bouwtekeningen waren daar lang geleden in verborgen, misschien om ze te behoeden voor diefstal.

Toch is er geen nuchtere verklaring gevonden voor de ervaringen van deze beide dames op het grondgebied van Versailles. Hadden de dames Moberly en Jourdain werkelijk geesten op een zomerdag uit 1789 gezien en zelfs met hen gesproken? Of waren de dames zelf op de een of andere manier teruggereisd in de tijd, zodat zij in het jaar 1789 door anderen als zichtbare en sprekende verschijningen waren ervaren?

De droom van de weduwe

Toen Ruth Ammer op een warme augustusmiddag in 1962 indommelde, was zij de echtgenote van de schoenmaker Joseph Ammer, een Amerikaan van Syrische herkomst. En tegen de tijd dat ze wakker werd, had ze het stellige gevoel weduwe te zijn.

Ruth had een voorspellende nachtmerrie gehad. Ze had, zoals ze later aan de politie vertelde, gedroomd dat haar man in zijn winkel aan het werk was, toen hij plotseling door een man met een hamer werd aangevallen, en dat deze man hem herhaaldelijk met die hamer had geslagen.

Toen de heer Ammer niet thuis kwam lunchen, zoals hij anders steevast deed, begon Ruth zich nog méér zorgen te maken over haar droom. Ze besloot Joes lunch in te pakken en die naar zijn winkel te brengen, enkele straten van hun huis.

Zodra Ruth de winkel naderde, zag ze hoe haar nachtmerrie werkelijkheid was geworden. Ze trof haar man dood op de vloer aan – en hij was doodgeslagen met een schoenmakershamer. Het moordwapen lag bij het lijk.

Hoewel ze de politie het signalement gaf van de man die zij in haar droom had gezien, legden de dienaren van de heilige Hermandad er weinig belangstelling voor aan de dag – totdat zij te weten kwamen dat een man die volledig voldeed aan het signalement dat mevrouw Ammer hun had gegeven, met inbegrip van de kleren die hij droeg, kort na de moord op Joseph Ammer in een herentoilet was gezien toen hij zijn bebloede handen stond te wassen.

Hoewel haar gruwelijke droom op het proces tegen de van moord op Joseph Ammer verdachte William Edmonds door de rechtbank niet werd toegelaten als een geldig bewijs, had Ruth Ammer toch de grimmige voldoening te weten dat de moordenaar van haar man – dezelfde man die zij in haar droom had gezien – schuldig was bevonden en tot levenslang was veroordeeld.

De deftige dame die droomde van moord

Sir Henry Wilson, in de Eerste Wereldoorlog chef-staf van de Britse Generale Staf en lid van het Hogerhuis, bracht in juni 1922, samen met diverse andere gasten, een plezierige avond door bij zijn oude vriendin, de bekende society-gastvrouw lady Londonderry. Het gezelschap voerde geanimeerd gesprekken tot omstreeks een uur of twee 's nachts. Lady Londonderry trok zich terug voor de nacht, maar ze sliep die nacht heel onrustig. Toen haar man haar wakker maakte, lag ze in haar bed te schreeuwen en was ze kletsnat van het zweet.

Ze was, zo vertelde ze haar echtgenoot, in een afschuwelijke droom getuige geweest van de dood van sir Henry. Ze beschreef hoe ze hun oude vriend per taxi door de straten van Londen had zien rijden totdat hij voor de deur van zijn huis stond. Ze had sir Henry de taxichauffeur zien betalen en daarna naar zijn voordeur zien lopen. Juist toen hij de sleutel in het slot wilde steken, was hij aangesproken door twee moordenaars, die plotseling pistolen onder hun jassen vandaan hadden gehaald en hem van dichtbij hadden neergeschoten. Meteen daarna waren de schutters de straat uit gerend.

Met één detail van de droom wist lady Londonderry niet goed raad. Ze had sir Henry namelijk in zijn militaire gala-uniform gezien, hoewel hij normaal altijd burgerkleding droeg, zoals hij ook de vorige avond had gedaan.

Ruim een week na de voorspellende droom van de aristocrate moest sir Henry een oorlogsmonument bij Paddington Station onthullen. Bij die gelegenheid droeg hij zijn gala-uniform. Na de onthulling nam hij een taxi naar huis, waar hij – enkele minuten nadat hij de taxichauffeur had betaald – werd neergeschoten door twee sluipschutters: de tragische gebeurtenis waarvan lady Londonderry in haar afschuwelijke droom getuige was geweest.

Onbestaanbare regen

Ieder schoolkind weet dat wolken en regen bij elkaar horen. Toch hebben er zich enkele gevallen voorgedaan van regen die uit de hemel viel zonder dat er een wolkje aan de lucht was te zien.

Op de heldere, zonnige middag van 11 november 1958 kwam de in Alexandrië, Virginia, wonende mevrouw R. Babington thuis. Ze zag dadelijk dat er water neerkwam op haar gazon en het dak van haar huis. Aangezien het echter niet regende, veronderstelde ze dat de tuinsproeier van haar buren per ongeluk op haar huis en haar gazon was gericht.

Toen ze echter op onderzoek uitging, zag ze dat niemand in de buurt bezig was zijn tuin te besproeien. Er waren ook geen waterleidingen gesprongen en er stonden nergens buitenkranen open. Het water moest toch echter *ergens* vandaan komen. Maar waarvandaan?

Algauw waren er tientallen mensen – met inbegrip van de redacteur van de *Alexandria Daily Town Talk*, Adras LaBorde – die zagen hoe het regende op een oppervlak van niet meer dan circa tien vierkante meter boven het huis van mevrouw Babington – maar nergens anders in de omgeving.

Deze 'plaatselijke stortbui' hield urenlang aan en de meteorologen van het Weerkundig Instituut en die van de luchtmachtbasis England konden geen logische verklaring voor het verschijnsel geven.

Bijna een eeuw eerder was er in Dawson, Georgia, melding gemaakt van een soortgelijk fenomeen. Hoewel er op die septemberdag van 1886 geen wolkje aan de lucht was, had het daar meer dan een uur geregend op een plek met een doorsnee van circa zes meter.

Een maand later in dat jaar werden twee plaatsen in South Carolina verrast met stortbuien die niet uit wolken afkomstig waren. Volgens een artikel in de *Charleston News and Courier* waren een huis en een gazon in die havenplaats urenlang met water overgoten door een raadselachtige, geheel op zichzelf staande stortbui. En volgens een berichtje van 24 oktober 1887 in *The New York Sun* werd een klein deel van de bodem van het district Chesterfield in South Carolina verzadigd van water door een gestage plaatselijke regenbui die uit een heldere, zonnige hemel viel.

De reddende inval

Mevrouw Hazel Lambert uit Pennsbury Heights, Pennsylvania, bood op de dag voor eerste kerstdag 1958 's morgens om tien uur een collega bij de Cartex Corporation een lift aan. Toen ze haar thuis had afgezet, besloot ze om nog wat boodschappen te doen bij een supermarkt. Onderweg naar die supermarkt zei iets in haar binnenste dat ze zo snel mogelijk naar Franklin Street moest rijden – een straat waar ze nog nooit was geweest. Ze besloot die ingeving te volgen en drukte het gaspedaal dieper in.

Wat was de motiverende kracht achter deze inval? Mevrouw Lambert heeft dàt nooit kunnen ontdekken. Ze weet alleen, zo vertelde ze later aan journalisten, dat ze deze krachtige ingeving *moest* volgen. Terwijl ze door Hillside Street reed, keek ze opzij naar een kanaal en ontdekte daar twee in rode wanten gestoken kinderhandjes, die zich vastklampten aan de rand van een wak in het ijs waarmee het water was bedekt. Mevrouw Lambert reed plompverloren over de kruising heen het ijs op en voelde haar auto door het ijs zakken. Toen de auto op een diepte van ruim een meter de bodem had bereikt, bleken de portieren klem te zitten, zodat ze haar claxon indrukte en om hulp begon te roepen.

Het kabaal trok de aandacht van George Taylor en zijn zoon, een opgeschoten tiener, die zonder aarzelen de klem zittende automobiliste en het bijna verdronken kind te hulp snelden. Taylor junior gebruikte een paal om over het ijs te kruipen en Carol Scheese te redden – een tweejarig meisje dat vrijwel zeker zou zijn verdronken als mevrouw Lambert haar merkwaardige ingeving had genegeerd.

Bizarre blackouts

Op 14 februari viel de stroom viel plotseling en onverwachts uit toen er een storing optrad in de twee hoofdtransformatorstations die de stad Denver in de staat Colorado van elektriciteit voorzien. De storing ging gepaard met een overbelasting van de hulptransformatorstations naar de steden Cheyenne en Boulder, die prompt ook uitvielen. Om ernstige schade aan de turbines van de elektriciteitsentrale in Cherokee te voorkomen, moest de centrale worden stilgelegd.

Wat had de storing veroorzaakt? De monteurs gingen op zoek naar kortsluiting, beschadigde relais en andere mogelijke oorzaken, maar ze stelden tot hun grote verbazing vast dat alles uitstekend in orde was en dus behoorde te functioneren. Toen – even raadselachtig als de stroomvoorziening in de streek was uitgevallen – was de storing voorbij. 'We zullen wel nooit weten wat er precies is gebeurd,' verklaarde een woordvoerder van de staat Colorado tegenover een verslaggever.

Er zijn echter mensen die vermoeden dat er verband zou kunnen bestaan tussen UFO-meldingen en soortgelijke (onverklaarbare) stroomstoringen. Een van die gevallen is onderzocht door de Braziliaan ir. Olavo Fontes, en er wordt verslag van gedaan in *The Great Flying Saucer Hoax*, geschreven door Carol Lorenzen, de voorzitter van de Aerial Phenomena Research Organization (Vereniging voor Onderzoek van Verschijnselen aan de Hemel).

In een augustusnacht van het jaar 1959 schakelden vier automatische stoppen in de immense elektriciteitscentrale van Uberlândia in de deelstaat Minas Gerais van Brazilië zichzelf uit, waardoor de stroomtoevoer naar alle hoofdkabels uitviel. De technici snelden toe om uit te zoeken wat er mis was. Er scheen niets kapot te zijn en ze konden alleen maar constateren dat de automatische zekeringen zichzelf hadden uitgeschakeld.

Vrijwel onmiddellijk kwam er een telefoontje binnen van een medewerker van een transformatorstation: hij vertelde aan de hoofdingenieur van Uberlândia een ongelooflijk verhaal: er was een UFO laag over de installatie gescheerd, zei hij, en meteen hadden de automatische zekeringen van het transformatorstation hun circuits verbroken.

De hoofdingenieur geloofde dat de man dronken was en ging weer aan de slag. Toen hij twee van de vier hoofdzekeringen inschakelde, moest hij vaststellen dat de beide stroomcircuits desondanks niet werden gesloten. Hij schakelde de derde hoofdzekering in en op dat moment kwamen – vreemd genoeg – ook de andere drie in werking. De monteurs van de grote centrale in Uberlândia begonnen op hetzelfde moment te schreeuwen en naar de hemel te wijzen. De hoofdingenieur keek op en zag een lichtgevend, schotelvormig object overkomen, waarvan de vliegroute kennelijk zojuist de hoogspanningsdraden had gekruist. Zodra de 'vliegende schotel' uit het zicht was, kwam de elektriciteitscentrale weer normaal in werking.

Een roerend monument

Het is niets bijzonders als een monument (ont)roerend is, maar het wordt geacht een 'onroerend' goed te zijn. In de oostelijke hoek van de begraafplaats van Marion in de staat Ohio staat echter een monument dat zich *letterlijk* roert, en wel door zich op geheimzinnige manier te bewegen. Niemand weet echter hoe of waardoor.

Een taps toelopende brede zuil van wit graniet, fraai contrasterend met een bijbehorende bol van zwart graniet met een diameter van ruim 90 centimeter, markeert het familiegraf van Charles Merchant, waar hij en nog zes andere familieleden begraven liggen. Het grafmonument is in 1897 opgericht, maar baarde pas opzien in juli 1905. In die maand merkte een medewerker van de begraafplaats dat de zware, zwarte bol op de top van de zuil zich een tiental centimeters had verplaatst, waardoor de ruwe plek op de bodem van de holte waarin hij had gelegen zichtbaar was geworden.

Als dit een practical joke was, moesten de grappenmakers ongelooflijk sterk zijn geweest of op zijn minst zwaar gereedschap hebben gebruikt. De bol van zwart graniet weegt honderden kilo's en was met een hijsdriepoot op zijn plaats gebracht.

De directie van de begraafplaats wilde voorkomen dat het grafmonument van de Merchants opnieuw zou worden verstoord. Daarom liet ze loodcement op de granieten zuil storten, in de overtuiging dat de bol dan niet meer van zijn plaats zou kunnen komen. Twee maanden later had de zwarte bol zich echter opnieuw verplaatst. Deze keer lag hij op 25 centimeter afstand van de plaats waar hij behoorde te rusten.

Sensatiezoekers en wetenschappers, zoals een geoloog, opperden mogelijke verklaringen, maar niet een van die 'verklaringen' bleek hout te snijden. De grote, zwarte bol is naar verluidt nog altijd rusteloos en rolt van tijd tot tijd naar een andere plek, alsof hij er een eigen wil op na houdt.

Spookschepen en de onderzeebootjager

De onderzeebootjager *US Kennison* had twee spookachtige ontmoetingen op zee die plichtsgetrouw in het scheepsjournaal werden aangetekend.

De eerste deed zich in 1942 voor, niet ver van de Golden Gate Bridge, waar de *Kennison* naar Japanse duikboten speurde. Er hing die dag een dichte mist, die de bemanning dwong op haar radar te vertrouwen als ze niet bij de Farallon-eilanden aan de grond wilden lopen. Maar twee opvarenden – een uitkijk die in het scheepsjournaal Tripod wordt genoemd en de torpedoman eersteklas Jack Cornelius – zagen in de dichte mist iets dat hun radarantenne niet had opgepikt: een kennelijk onbemande, oude tweemaster die op slechts enkele meters achter de achtersteven van de *Kennison* langs voer.

De mannen sloegen vlug via de intercom alarm om de rest van de bemanning het schip te laten zien. Het spookachtige schip was echter binnen enkele seconden uit het zicht. Tripod en Cornelius gaven echter nagenoeg identieke beschrijvingen van het merkwaardige schip dat ze door de golven hadden zien ploegen.

In de lente van het volgende jaar patrouilleerde de *US Kennison* langs de westkust, op ongeveer 150 zeemijlen (275 km) uit de kust ter hoogte van San Diego. In het logboek staat dat de zee kalm was en de nachtelijke hemel helder, zodat er veel sterren zichtbaar waren. De matrozen Carlton Herschell en Howard Brisbane stonden op de brug op de uitkijk. Door hun verrekijker zagen ze een vrachtschip naderen dat recht op de onderzeebootjager aan koerste. Vlug alarmeerden ze de radaroperator, die niets op zijn scherm kon ontdekken.

Kort daarna konden Herschell en Brisbane hun verrekijkers laten zakken, want ze konden het vrachtschip nu met het blote oog onderscheiden. Het bevond zich op circa 7 zeemijlen (13 km) afstand van de *Kennison* en kwam nog altijd dichterbij. Totdat het plotseling spoorloos was verdwenen.

Tijdgaten in de Bermuda-driehoek

Al jaren en jaren is de zogeheten Bermuda-driehoek – een zeegebied tussen Bermuda, de oostkust van Florida en Portorico – het toneel van honderden mysterieuze verdwijningen van schepen en vliegtuigen, en soms zelfs van bemanningen die 'zomaar' van hun schepen zijn verdwenen. Gewoonlijk zijn er kort daarvoor alleen nog wat onvoltooide berichten van zo'n schip of vliegtuig opgevangen. Er zijn nauwelijks wrakstukken van deze verdwenen vliegtuigen of schepen teruggevonden. Over deze verdwijningen zijn tal van hypothesen van uiteenlopende aard bedacht, en ze zijn allemaal even speculatief:

- plotseling optredende, door hevige tectonische bewegingen van de zeebodem veroorzaakte vloedgolven of erupties van onderwatervulkanen; eventuele wrakstukken zouden door de Golfstroom zijn meegevoerd naar de oceaan;
- menselijke fouten, verergerd door een bekend verschijnsel in dit gebied, namelijk storingen in de elektromagnetische navigatie-instrumenten, de communicatie-apparatuur of de voortstuwing;

- wervelstormen en 'gaten in de oceaan' die schepen en vliegtuigen zouden verzwelgen;
- kapingen door lucht- of zeepiraten die drugs willen smokkelen;
- uiteenvallen van materie ten gevolge van resonerende geluidstrillingen (een suggestie uit Rusland);
- kleine, compacte mistvelden boven het zeeoppervlak of in de lucht, waarin een schip of vliegtuig wel kan binnendringen maar waaruit het geen uitweg meer kan vinden;
- ontvoering van mensen en hun artefacten door buitenaardse 'verzamelaars' die via de Bermuda-driehoek in de aardse dampkring doordringen, aangezien dit gebied wellicht als een soort 'poort' in het elektromagnetisch veld van de aard fungeert;
- plotselinge uitstoot van reusachtige onderzeese gasbellen door seismische activiteit in de zeebodem, waardoor een schip plotseling zijn drijfvermogen verliest en zinkt, waarna de zee zich boven zo'n rampschip sluit; bij vliegtuigen zouden zulke gasbellen ertoe kunnen leiden dat de instrumenten opeens geen horizon meer aangeven, waardoor het toestel in zee kan duiken;
- immense onderzeese piramiden, die nog door de bewoners van Atlantis zijn gebouwd als krachtcentrales, maar die zelfs nu nog af en toe in werking treden en dan de navigatie- en besturingssystemen van vliegtuigen en schepen verlammen.

Behalve verdwijningen heeft er zich in de Bermuda-driehoek echter ook een aantal zeer uitzonderlijke *verschijningen* voorgedaan, waarvoor al evenmin een logische en plausibele verklaring te vinden is, zodat ze twijfel zaaien aan onze kijk op de aard van tijd, ruimte en materie:

- een groep oceanografen aan boord van het jacht de *New Freedom* voer in juli 1975 door een hevig onweer, dat echter niet gepaard ging met neerslag. Juist op het moment dat er zich een immense energie-ontlading voordeed, maakte dr. Jim Thorpe een foto van de bliksemende hemel. Op de ontwikkelde foto is de indrukwekkende bliksemschicht duidelijk te zien, maar ook prijkt er een vierkant getuigd schip op de foto, dat zich naar schatting op slechts 30 meter afstand van de *New Freedom* moest hebben bevonden, hoewel de zee volgens de opvarenden van het jacht ter plekke volstrekt verlaten was geweest.
- John Sander, steward aan boord van de *Queen Elizabeth I*, zag eens een klein vliegtuig op brughoogte naast het zeekasteel meevliegen. Hij waarschuwde een andere steward en de officier van de wacht, juist toen

het vliegtuigje geluidloos in de oceaan plonsde, op slechts 75 meter afstand van het grote passagiersschip. De gezagvoerder van de *Queen Elizabeth I* liet rechtsomkeert maken en zette een boot uit om de oceaan ter plaatse te onderzoeken, maar er werd helemaal niets gevonden, zelfs geen olievlek.

- een ander 'spookvliegtuig' stortte op 17 februari 1935 eveneens geluidloos in zee, vlak voor de ogen van honderden getuigen in Daytona Beach; een direct uitgevaren reddingsboot kon in het ondiepe kustwater geen spoor van een neergestort vliegtuigje ontdekken.
- een door de pilote Helen Cascio bestuurde Cessna 172 vertrok met maar één enkele passagier naar Turks Island, dat deel uitmaakt van de Bahama's. Ongeveer op het tijdstip waarop het toestel had moeten landen, werd het door de verkeerstoren van dat eiland waargenomen toen het erboven rondcirkelde, maar zonder te landen. De verkeersleiders konden wel radioberichten uit het vliegtuigje horen, maar het was duidelijk dat de piloot de door hen gegeven landingsinstructies niet hoorde. Ze hoorden een vrouwenstem zeggen: 'Ik heb zeker een verkeerde bocht of zo gemaakt. Dat (daar beneden) zou Turks moeten zijn, maar er valt niets te zien – geen huizen, geen vliegveld.' Al die tijd probeerden de verkeersleiders verwoed landingsinstructies te geven, maar ze werden niet gehoord. Uiteindelijk zei de vrouwenstem: 'Is er dan geen uitweg hieruit?', waarna de Cessna, gadegeslagen door honderden mensen, zich van Turks verwijderde en in een wolkenbank verdween. Kennelijk is het toestel er nooit meer uitgekomen, want noch van de Cessna, noch van de piloot of de passagier is ooit iets teruggevonden. Het toestel was voor de bewoners van Turks zichtbaar geweest, maar toen de pilote omlaagkeek, kon ze blijkbaar alleen een onbewoond eiland ontdekken. Had ze het eiland gezien op een moment in de tijd toen er nog geen huizen waren gebouwd en er ook nog geen landingsbaan was aangelegd? En waar is ze uiteindelijk terechtgekomen?

Hij had al eerder geleefd

De Indiase winkelier Parmanand Mohan overleed op 9 mei 1943 in Moradabad. Een maand of tien daarna werd de zoon van prof. Bankey Lal Sharma en zijn vrouw geboren in de Indiase stad Bisaoeli. Toen de jongen, die Pramodh heette, drie jaar was, begon hij te beweren dat hij in werkelijkheid Parmanand heette. Hij beschreef zelfs de manier waarop er een eind was gekomen aan zijn vorige leven. 'Mijn buikje werd nat en ik ging dood,' verzekerde hij zijn vader. 'En nu ben ik naar Bisaoeli gekomen.'

Toen zijn zoon vijf jaar oud was, nam de professor hem mee naar Moradabad, een stad waar het kind nog nooit was geweest, dit om te zien of zijn verhalen over Parmanand Mohan een grond van waarheid konden hebben. De jongen ging zijn vader en enkele andere familieleden zonder aarzeling voor naar een winkel waar hij in zijn vroegere leven had gewerkt en legde haarfijn uit hoe de kopieermachine, die Parmanand vaak had bediend, precies werkte. De ontmoeting met wijlen Parmanands echtgenote en zijn zonen was nog overtuigender. Hij kende al hun namen, sprak met hen over dingen die een vreemde onmogelijk had kunnen weten en kon zelfs precies zeggen welke veranderingen ze na zijn dood in het huis hadden aangebracht. Het bezoek eindigde ermee dat zowel Parmanands familie als de kleine Pramodh zelf tranen met tuiten huilde.

Het bezoek leverde ook een verklaring op voor de eerste beweringen van het kind over zijn vorige leven. 'Mijn buikje werd nat en ik ging dood' bleek een accurate, zij het wat kinderlijke omschrijving van Parmanands overlijden te zijn. De man had aan een niet gediagnostiseerde aandoening in de buikholte geleden en kort voor zijn dood een warm bad gekregen.

Reddende dromen voor Josiah Wilbarger

Onderwijzer Josiah Wilbarger uit La Grange in Texas ging op een ochtend in 1838 samen met vier andere mannen van huis voor een bezoek aan zijn vriend Reuben Hornsby, die een boerderij had in de omgeving van het huidige Austin. Kort na hun vertrek werden de vijf mannen aangevallen door een kleine groep Indianen. Twee van de vijf mannen werden dodelijk verwond. Josiah, die door een kogel in de keel was geraakt, van al zijn kleding werd beroofd en daarna werd gescalpeerd, werd door zijn twee overlevende vrienden achtergelaten. Ze wisten het vege lijf te redden en waren ervan overtuigd dat hun vriend de onderwijzer dood was. En als een vrouw niet over hem had gedroomd, zou hij het inderdaad niet hebben overleefd.

Nadat hij verscheidene uren bewusteloos op de grond had gelegen, werd Josiah Wilbarger bibberend van de kou naakt wakker. Hij bloedde hevig uit zijn kruin en zijn keel, maar hij leefde nog en was vastbesloten dat hij het huis van Hornsby zou bereiken, een afstand van ruim tien kilometer. Toen hij circa 500 meter in die richting had afgelegd, begaven zijn krachten het en zakte hij bewusteloos ineen. Toen verscheen zijn zuster voor zijn geestesoog.

'Broeder Josiah, je bent te zwak om zelf nog te kunnen lopen,' zei de gestalte in zijn droom. 'Blijf hier, dan zullen er nog vóór zonsondergang vrienden komen om voor je te zorgen.' Daarna toonde zijn zuster hem een trieste glimlach en verdween, in de richting van Hornsby's boerderij. Pas later hoorde hij dat zijn zuster in Missouri was overleden, 24 uur voordat ze aan haar gewonde broer verscheen om hem te troosten en moed in te spreken.

Die avond had mevrouw Hornsby, die van de vrienden van Wilbarger te horen had gekregen dat de onderwijzer dood was, een angstaanjagende droom. Ze zag Josiah naakt onder een paar jonge ceders liggen – gescalpeerd en onder het bloed, maar nog in leven.

Zodra ze uit haar nachtmerrie wakker was geschrokken, verzekerde ze zichzelf dat het maar een droom was geweest. Ze viel weer in slaap, maar de droom kwam terug – even helder en levendig als de eerste keer. De volgende ochtend zwichtten haar echtgenoot en Wilbargers vrienden voor haar aandrang en gingen ze alsnog op zoek naar Josiah.

Vanaf de plaats van de overval volgden ze een bloedspoor tot ze hem zittend tegen een dwergceder aantroffen, meer dood dan levend. Ze reinigden zijn wonden, wikkelden hem in warme dekens en droegen hem naar de boerderij van zijn vriend, waar hij uiteindelijk herstelde.

Het verhaal van de dromen van mevrouw Hornsby werd niet vergeten. De staat Texas richtte later zelfs een monument op voor de vrouw van wie de nachtmerries tot de redding van schoolmeester Josiah hadden geleid.

Het kale graf

In het begin van de 19de eeuw kwam de jonge Engelsman John Davies naar de stad Montgomery in Wales, waar hij op de boerderij van een jonge weduwe zou komen te werken. Het was de grootste blunder van zijn korte leven.

Toen hij op zekere dag over een landweg wandelde, werd hij door twee ongure types staande gehouden – ze eisten geld van hem. Davies weigerde en het kwam tot een handgemeen. Davies werd niet alleen in elkaar geslagen, maar de twee struikrovers sleepten hem mee naar Welshpool, waar ze naar de politie stapten met de bewering dat *hij* hèn had willen beroven.

Het duurde niet lang voordat de justitie van Wales, waar de bevolking nooit bepaald verzot is geweest op Engelsen, hem schuldig bevond aan struikroverij en ter dood veroordeelde. Het vonnis zou op 6 september 1821 worden voltrokken. Enkele seconden voordat de strop om zijn nek werd gelegd, stak hij zijn rechterhand op en verklaarde luid dat er een onschuldige naar zijn graf werd gestuurd: 'Ik sterf met de bede aan God dat Hij geen gras op mijn graf zal laten groeien, om op die manier mijn onschuld aan te tonen.'

John werd begraven op het kerkhof van Montgomery, naast een rijtje andere graven, die allemaal begroeid waren met gras. Davies' graf bleef echter kaal. De autoriteiten probeerde het graf te overdekken met graszoden, maar het gras verdorde meteen en stierf af. Daarna werd het geprobeerd met graszaad. Niets wilde echter op Davies' graf groeien.

Dertig jaar na de executie van Davies werd het hele kerkhof opnieuw ingericht. Alle graven werden overdekt met een halve meter verse aarde, waarna de nieuwe grond werd ingezaaid met graszaad. Al spoedig was het hele kerkhof overdekt met welig tierend gras – behalve één kleine, bruine rechthoek, die op geen enkele manier groen kon worden getoverd. Het was het graf van John Davies. Uiteindelijk werd er een hek rondom het graf geplaatst, dat nog altijd kaal is gebleven, maar een welsprekend getuigenis aflegt van de onschuld van John Davies.

Wie heeft werkelijk Amerika ontdekt?

In 1921 vond Elwood Hummel een merkwaardige steen. Hij zat in de omgeving van Winfield, Pennsylvania, op de oever van de rivier de Susquehanna te hengelen toen hij, dank zij het heldere water, op de bodem een klein, plat voorwerp zag liggen, overdekt met merkwaardige schrifttekens. Toen Hummel het voorwerp boven water had gehaald, ontdekte hij dat het geen steen was, maar een soort kleitablet. De hengelaar zag er eigenlijk niet veel bijzonders in en liet het achteloos in de zak van zijn jekker glijden. Pas zevenendertig jaar later, toen zijn kleinkinderen hem vragen stelden over het merkwaardige ding dat ze bij zijn hengelspullen hadden ontdekt, besloot Hummel het kleitablet op te sturen naar de curator van het Field Museum in Chicago.

De geleerden daar bogen zich nieuwsgierig over de schrifttekens, die eruitzagen als putjes die met behulp van een spijker in de klei waren gedrukt, en slaagden er uiteindelijk in de tekst te ontcijferen. Het tablet, verklaarden zij, was een gedetailleerd contract voor een lening, omstreeks het jaar 1800 v.Chr. afgesloten door een Assyrische koopman in

Cappadocië. Ze konden alleen niet verklaren hoe het mogelijk was dat een bijna vierduizend jaar oud kleitablet in een rivier in Pennsylvania was gevonden.

Dat raadsel is nooit opgelost, maar toch is dit ver van huis geraakte object slechts één van veel soortgelijke vondsten die in de Verenigde Staten werden gedaan, en die erop lijken te wijzen dat de Nieuwe Wereld lang vóór de komst van Columbus – of zelfs van Amerikaanse Indianen! – is bezocht door talloze vreemdelingen uit andere werelddelen.

Zo vond bijvoorbeeld J.H. Hooper in het district Bradley in de staat Tennessee een steen waarin merkwaardige symbolen waren uitgebeiteld. De boer vroeg zich af of er misschien nog meer vreemde stenen op zijn grond te vinden zouden zijn, en het duurde niet lang voordat hij er nog meer ontdekte. Hij stuitte zelfs op een lange stenen muur waarop tal van onbegrijpelijke tekens, cijfers en tekeningen van dieren waren aangebracht. Volgens een rapport van de Newyorkse Academie van Wetenschappen bevonden er zich tussen de tekens op deze muur tal van oosterse karakters, maar de verbijsterde onderzoekers waren niet verder gekomen dan de conclusie dat dit 'op goed geluk tot stand gekomen imitaties' moesten zijn...

Australische sterrenkundigen en een UFO

Wanneer een 'vliegende schotel' door bijvoorbeeld een stel tieners of een vermoeide vrachtwagenchauffeur wordt waargenomen, kost het de deskundigen weinig moeite zo'n waarneming af te doen als het produkt van een overspannen verbeelding. Maar als drie nuchtere, universitair geschoolde mannen tegelijkertijd een UFO opmerken, is dat een ander verhaal, vooral als het astronomen betreft.

Op 30 mei 1963 schreeuwde de vette kop in *The Melbourne Herald* het nieuws van de daken: 'Drie astronomen zien vliegende schotel'. In het artikel werd opgemerkt dat deze waarneming 'de betrouwbaarste was die tot dusverre was gerapporteerd'. Prof. Bart Bok, een over de hele wereld erkende autoriteit inzake de melkweg, dr. H. Gollnow, chef-astronoom aan het Mount Stromi Observatory en assistent-astronome M. Mowat, zo meldde de krant, hadden een object dat een oranjerode gloed uitstraalde om exact 06.58 uur bijna recht boven hun observatorium waargenomen.

De drie astronomen hadden het object een minuut lang kunnen volgen, terwijl het zich onder het wolkendek vanuit het westen naar het oosten verplaatste, met snelheden die veel en veel te hoog lagen voor een (weer-)

ballon. Volgens de drie geoefende waarnemers kon het evenmin een meteoor zijn geweest, aangezien de UFO zich trager verplaatste dan zo'n hemellichaam, geen zichtbaar spoor had achtergelaten en bovendien *onder* de wolken had gevlogen.

Om diezelfde reden kon het evenmin een satelliet zijn geweest, betoogden de astronomen. Bovendien had een blik op de satellietkaart aangetoond dat er zich op het bewuste moment geen enkele satelliet boven Mount Stromi had bevonden.

De drie geleerden kwamen dan ook tot de conclusie dat de UFO – die zelf licht uitstraalde en geen zonlicht had weerkaatst – zonder enige twijfel 'mensenwerk' moest zijn geweest. Wat voor soort 'mensen' dit vliegende object dan moesten hebben gemaakt, een object dat geen satelliet en ook geen vliegtuig kon zijn geweest, is nooit verklaard.

Waarschuwingen voor de dood

Worden mensen soms gewaarschuwd voor een sterfgeval dat zich binnenkort zal voordoen? In talloze gevallen schijnt het antwoord ja te moeten luiden.

Zo kon de drieëntwintigjarige Eugene Bouvee in februari 1958 maar niet de gedachte aan zijn zeventigjarige oom Eugene van zich af zetten. Er was geen enkele reden waarom hij zich zorgen zou moeten maken over de oude heer – voor zover bekend, was hij zo gezond als een vis. Toen de jonge Eugene de volgende dag een van de oudere buren van oom Eugene belde, kreeg hij de verzekering dat zijn oom zich uitstekend voelde en welgemutst was. Toch kon de neef niet het gevoel van zich afschudden dat er iets mis moest zijn.

Hij reed naar het huis van zijn oom in Flint, Michigan, maar kon niet naar binnen. De deur was afgesloten en er kwam rook uit de kieren rondom de deur. Haastig trapte hij de deur in en probeerde naar binnen te gaan, maar de dikke zwarte rook en de hoog oplaaiende vlammen dreven hem terug. De brandweer was spoedig ter plaatse, maar het was al te laat: het stoffelijke overschot van oom Eugene werd op de badkamervloer gevonden.

Bij een soortgelijk voorval kregen de heer en mevrouw Ryan uit Sheboygan in Wisconsin een waarschuwing dat de dood van hun zoon, de piloot Lawrence Monk, nabij was. De jongeman vertelde zijn moeder dat hij er zeker van was dat hij spoedig zou komen te sterven en gaf haar zijn zakbijbel, met het verzoek die te behouden. 'Ik zal hem niet meer nodig hebben, mam,' zei hij. 'Jullie zullen me nooit terugzien, maar nog wel van me horen.'

Twee dagen na het bezoek van hun zoon kregen de Ryans het tragische nieuws: Lawrence had – samen met zesenzestig andere passagiers – de dood gevonden bij een vliegramp met een toestel van United Airlines in Wyoming.

Niet alle waarschuwingen voor naderend onheil worden gevolgd door de dood van de desbetreffende persoon, naar het schijnt. Soms zorgen ze ervoor dat hem of haar het leven wordt gered. Neem bijvoorbeeld het geval van de dertigjarige Fred Trusty uit Painesville in Ohio, die in 1958 een 'merkwaardig gevoel' kreeg, zoals hij later vertelde. Dat gevoel maakte dat hij het gereedschap dat hij gebruikte om een paar traptreden in een helling bij zijn huis te maken liet vallen en omkeek naar een vijver in de nabijheid. Hij zag niets ongewoons – alleen een paar rimpelingen in het water, die vermoedelijk waren veroorzaakt door de muskusratten die in deze vijver leefden. Hij nam zijn gereedschappen weer ter hand, maar het vreemde gevoel kwam terug. Opnieuw keek hij naar de vijver. Deze keer zag hij het petje van een kleine jongen op het water drijven.

Trusty stormde de helling af en dook de vijver in, precies op tijd om zijn tweejarige zoontje Paul van de verdrinkingsdood te redden.

De verdwenen armen van de Venus van Milo

Het beroemde beeld dat bekendstaat als de 'Venus van Milo' werd volgens de officiële lezing in 1820 gevonden op het eiland Milo (Oudgrieks: *Melos*). Het maakt deel uit van de collectie van het Louvre in Parijs en is een van de fraaiste staaltjes beeldhouwkunst die de wereld kent. Omdat de armen van het beeld ontbreken, vragen kunstminnaars en bewonderende toeristen zich vaak af welke houding de armen oorspronkelijk zullen hebben gehad en wat de godin Venus (de Griekse godin Aphrodite) in haar armen kan hebben gehouden.

Toen de Venus werd gevonden, zaten de armen er nog aan. Een Griekse boer op Milo vond het beeld geheel intact in een onderaardse ruimte onder zijn akker, wellicht een crypte die deel had uitgemaakt van een huis of een tempel. Hij bracht het standbeeld over naar zijn schuur en hield het daar verborgen. Als hij zijn dagelijkse werk erop had zitten, ging hij 's avonds vaak in zijn eentje naar zijn schuur om haar schoonheid te bewonderen. Op het laatst besteedde hij zóveel tijd aan die bezigheid dat zijn vrouw begon te vermoeden dat hij een andere vrouw in het dorp ontmoette. Ze rekruteerde een priester om haar man te bespioneren. Toen de pope ontdekte dat de schone rivale van steen was, was zijn echtgenote gerustgesteld, maar het geheim lekte nu uit en het nieuws over het oude beeld verspreidde zich snel en ver.

Turkse bezettingstroepen die erop uit waren om de vondst naar Constantinopel (het huidige Istanboel) over te brengen, landden op dezelfde dag op Milo als het door koning Lodewijk XVIII van Frankrijk gestuurde fregat – de koning wilde het beeld naar Frankrijk halen om het Franse prestige te verhogen. Er brak een gevecht uit tussen de Fransen en de Turken. Intussen probeerden de Grieken zelf het beeld te redden door ermee de wijk te nemen naar de zee, en tijdens hun vlucht in een klein bootje, achtervolgd door zowel de Fransen als de Turken, verloor het beeld de aan de romp bevestigde armen, die in zee vielen. De Fransen bereikten het bootje het eerst, maakten zich meester van het beeld en brachten het over naar Parijs, waar het nu als een wonder uit de oudheid in het Louvre prijkt.

Het mysterie van de armen en hun houding was natuurlijk nog geen mysterie toen het beeld op Milo werd gevonden. De armen zaten nog op hun plaats en er was een schets van het beeld gemaakt voordat het gevecht tussen de Turken en de Fransen uitbrak. De rechterhand van de godin hield gracieus haar gewaad op; de uitgestrekte linkerhand hield een appel op – de 'gouden appel' van disharmonie, die in de mythologie wordt geassocieerd met de schone Helena van Troje, de Griekse held Paris en de Trojaanse Oorlogen.

Wanneer iemand ooit de armen weet te vinden en ze dan zou herenigen met de romp van de schone Venus, zou dat een archeologische triomf van de eerste orde zijn. Jim Thorne, een diepzeeduiker en archeoloog, leidde in de jaren vijftig een expeditie naar dat deel van de Milo-kust waar de armen worden geacht te liggen. Al bij zijn eerste duik vond hij iets dat eruitzag als de lange, fraaie witte armen van het beeld, die uit de bodem omhoogstaken. Bij zijn tweede duik moest hij vaststellen dat het de weliswaar sierlijke, maar ordinair gebleekte takken van een boom betrof. De armen heeft hij niet kunnen vinden.

De verdwenen armen van 's werelds beroemdste beeld liggen ongetwijfeld nog altijd op de zeebodem, niet al te ver van de enige haven die het eilandje Milo rijk is.

De geheimzinnige dood van Jimmy Sutton

Op 12 oktober 1907 omstreeks halfnegen 's morgens zei mevrouw James Sutton tegen haar echtgenoot dat zij zojuist een afschuwelijk voorgevoel had ervaren. 'Ik hoorde een ontzaglijk gedruis en voelde een geweldige slag op mijn hoofd!' riep ze uit. 'Daarna voelde ik stekende pijnen in mijn lichaam en raakte helemaal gedesoriënteerd. Ik weet niet waarom, maar ik wéét gewoon dat er iets is gebeurd met Jimmy. Iets vreselijks!'

De volgende nacht, omstreeks halfdrie, bevestigde een telefoontje de juistheid van de onheilspellende voorgevoelens van mevrouw Sutton. Haar zoon, de bij de Amerikaanse marine dienende luitenant-ter-zee tweede klasse James Sutton, was dood. De afgevaardigden van de marine die de beide ouders op de hoogte kwamen brengen, zeiden dat de jongeman in Annapolis zelfmoord had gepleegd nadat hij het aan de stok had gekregen met twee andere marine-officieren, op een dansavond van de marine-academie.

Mevrouw Sutton vertelde echter dat direct na het horen van dit nieuws haar zoon aan haar was verschenen en had verzekerd dat hij geen zelfmoord had gepleegd. 'Mama, ze hebben me bijna doodgeslagen,' hoorde de rouwende moeder hem zeggen. 'Ik had niet eens door dat ik was neergeschoten, totdat mijn ziel de eeuwigheid inging.'

Vier dagen later herhaalde dit bezoek van James' geest zich, deze keer om de door de marine gepubliceerde rapporten over de manier waarop de jongeman was gestorven tegen te spreken. Mevrouw Sutton verklaarde dat haar zoon haar een aantal bijzonderheden van zijn dood had verteld die bewezen dat het géén zelfmoord kon zijn geweest. Zo had 'Jimmy' haar verteld dat hij een kneuzing op zijn voorhoofd had en een bult op zijn linkerkaak – feiten die regelrecht in strijd waren met het bewijsmateriaal dat door het 'onderzoek' van de marine boven water was gekomen.

Het echtpaar Sutton eiste daarop opgraving van het lichaam van hun zoon; toen een niet in dienst van de overheid zijnde patholoog-anatoom het lijk onderzocht, bevestigde hij dat Jimmy inderdaad met een grote kneuzing op zijn voorhoofd en kaakletsel was overleden. Deze dokter concludeerde bovendien dat de jonge luitenant onmogelijk de hand aan zichzelf kon hebben geslagen, aangezien de kogel die hem noodlottig was geworden bijna loodrecht vanaf zijn kruin zijn schedel was binnengedrongen. Nader onderzoek wees voorts uit dat de kogel in Jimmy's lichaam niet met zijn eigen pistool was afgevuurd, zoals de marine had beweerd.

Kortom, de tweede lijkschouwing bewees onomstotelijk dat Jimmy

Sutton géén zelfmoord had gepleegd. Een of meer 'onbekende personen' hadden hem eerst in elkaar geslagen en daarna doodgeschoten – exact zoals zijn geestverschijning aan zijn moeder had verteld.

Een moordseance

De herfst hing in de lucht toen het spiritistische medium dr. O.A. Ostby met een aantal vrienden in 1921 bijeenkwam voor het houden van een seance. Kort na het begin van die seance vertelde Ostby de aanwezigen dat ze gezelschap hadden gekregen van een meisje. Deze geest, zo zei hij, huilde erg en smeekte hen om een gunst. Ze noemde zichzelf Edna Ellis. Het schijnt, zo vervolgde het medium, dat Edna wil dat iemand een brief schrijft aan de gemeentepolitie van St. Louis om uit te leggen dat ze is vermoord. Ze wil niet dat haar ouders blijven denken dat zij hun huis is ontvlucht om een bandeloos leven te gaan leiden.

De volgende dag schreef Ostby inderdaad een brief aan de commissaris van politie van St. Louis, Martin O'Brien. De commissaris antwoordde per kerende post dat Edna Ellis inderdaad was vermoord en dat haar vriend Albert wegens die moord inmiddels tot levenslang was veroordeeld en in de strafgevangenis van de staat Missouri zijn straf uitzat.

Toen Ostby en zijn groep bijeenkwamen voor een volgende seance, verscheen het meisje opnieuw, deze keer om het medium te bedanken. Daarna vroeg ze O'Brien of hij namens haar een brief aan haar ouders in South Dakota wilde schrijven. Ostby bleef zich echter het hoofd breken over één detail in het verhaal van de verschijning. Het meisje had de minnaar die haar had gedood 'George' genoemd, maar de politie noemde hem Albert Ellis. Edna's geest legde hem uit dat de volledige naam van haar vriend George Albert was, maar dat zij hem altijd alleen George had genoemd.

In november 1922 diende de zaak tegen Albert Ellis in hoger beroep voor het Hooggerechtshof van Missouri, en de jury en de rechters kwamen tot de conclusie dat hij ten onrechte was veroordeeld. De man werd uit de gevangenis ontslagen, maar vier jaar later overleed hij ten gevolge van een ongeval. Edna Ellis scheen geen wrok te koesteren tegen haar echte moordenaar. Op 16 juli 1928 wipte haar geest aan bij een volgende seance van dr. Ostby, deze keer om hem te zeggen dat zij en haar George met elkaar herenigd waren en zich heel gelukkig voelden.

McDonald 1 en McDonald 2

Een mens kan wel degelijk op twee plaatsen tegelijk zijn, zo luidde althans de conclusie die een jury in New York City op 8 juli 1896 had getrokken.

Deze merkwaardige jury-uitspraak kwam aan het slot van een proces tegen een inbreker. William McDonald stond terecht op de beschuldiging dat hij had ingebroken in een huis aan Second Avenue. Hoewel de beklaagde volhield dat hij onschuldig was, getuigden zes mensen dat hij zonder enige twijfel de man was die zij hadden verrast toen hij bezig was de gestolen spullen in het desbetreffende pand in te pakken. Na een gevecht had de inbreker kans gezien te vluchten. McDonald was spoedig gearresteerd, zodra de eerste ooggetuigen hun verklaringen hadden afgelegd.

Op het proces legde een andere getuige echter een zeer verrassend getuigenis à decharge af. Volgens prof. Wein, een medicus die zo nu en dan experimenteerde met hypnose, had hij de heer McDonald ten aanschouwe van enkele honderden mensen in een theater in Brooklyn gehypnotiseerd, op een moment waarop de inbraak nog in volle gang was.

Wein verklaarde er absoluut zeker van te zijn dat de heer Wein de man was die hij in trance had gebracht. Hij herinnerde zich hem duidelijk, omdat zijn proefpersoon opmerkelijk suggestibel was gebleken.

'Hij reageerde opmerkelijk goed op mijn hypnotische suggesties,' verklaarde de professor in de getuigenbank. 'Ik constateerde dat hij in een cataleptische toestand verkeerde, hetgeen betekent dat hij gedurende een bepaalde periode geen andere gewaarwordingen kende dan die ik hem toestond.'

'Is het mogelijk,' zo vroeg de verdediger, 'dat de geest van deze man aan het dwalen is geslagen terwijl zijn stoffelijke lichaam in hyponotische trance verkeerde, waarbij het publiek in de zaal hem duidelijk bleef zien?'

De professor antwoordde: 'Ja. Dat is heel goed mogelijk.'

Na deze getuigenis en dat van zes ooggetuigen sprak de jury William McDonald vrij. De juryleden waren ervan overtuigd geraakt dat iederéén de waarheid had gesproken, en dat McDonald zich inderdaad op het toneel van dat theater had bevonden, maar *tegelijkertijd* in een pand op een afstand van acht kilometer van Brooklyn.

Landingsbanen voor UFO's

UFO-enthousiasten hebben speciale landingsplaatsen ingericht voor buitenaardse bezoekers, in de hoop dat deze ruimtevaarders van een andere wereld – *als* zij ooit mochten besluiten hun aanwezigheid op dit ondermaanse kenbaar te maken aan ons, aardbewoners – voor deze landingsplaatsen zullen kiezen.

In 1973 maakte een gepensioneerde officier van de Amerikaanse marine een bouwplan voor een paar namaakvliegende schotels die als 'lokeenden' konden worden gebruikt om buitenaardse piloten tot een landing te verleiden. Zijn financiële middelen waren niet toereikend om zijn plan te volvoeren, maar in de jaren tachtig was een groep die zichzelf de New Age Foundation noemt, in staat een soortgelijke landingsplaats voor het aanlokken van UFO's te creëren. De groep noemt deze locatie nabij Mount Rainier in de staat Washington 'Spaceport Earth'.

Zuidelijker in de Verenigde Staten, in de omgeving van de Californische plaats San Diego, hebben UFO-enthousiasten een tweede 'ruimtehaven' gebouwd. Deze is eigendom van Ruth Norman, directeur van de Unarius Education Foundation, die gelooft dat binnen niet al te lange tijd buitenaardse piloten hun toestel hier aan de grond zullen zetten.

Wandelende doden

De meeste mensen veronderstellen dat zombies 'fictieve' wezens zijn die alleen in horrorfilms voorkomen. Op Haïti worden deze levende doden echter serieus genomen. Het Wetboek van Strafrecht daar verklaart zelfs onomwonden dat iemand veranderen in een zombie gelijk is gesteld aan moord. De Haïtiaanse psychiater Lamarque Douyon zegt dat hij persoonlijk drie van deze wezens heeft onderzocht. 'Ik ben er absoluut van overtuigd dat zombies werkelijk bestaan,' verzekert hij ons.

Douyon heeft twintig jaar lang geprobeerd aan te tonen dat voodoopraktijken en aanverwante verschijnselen boerenbedrog waren, tot hij met enkele zombies werd geconfronteerd. Hij ontdekte dat het mensen betrof die met behulp van een drogerend middel – vermoedelijk een gif dat wordt gewonnen uit bloemen van het geslacht *Datura*, dat herkenbaar is aan de trompetvormige bloemen – in een toestand van schijndood waren gebracht. 'Zij werden dood verklaard en in het openbaar begraven,' legt Douyon uit. 'De voodoo-tovenaars die hun het gif hebben toegediend, graven hun slachtoffer vervolgens op en gaan dan over tot reanimatie.'

Deze tovenaars maken deze zombies gewoonlijk tot hun levenslange slaven door hun slachtoffers dagelijks een kleine hoeveelheid van het gif toe te dienen. Een enkele 'wandelende dode' slaagde er echter in te ontsnappen. Twee van deze mensen worden momenteel geobserveerd in Douyons kliniek in Port-au-Prince, waar de psychiater probeert de geheimen van de authentieke zombies van Haïti te ontraadselen.

Omgekeerde evolutie

Als we uitsluitend afgaan op bewijsmateriaal als fossielen, zijn mensen en apen al ten minste 20 miljoen jaar geen naaste verwanten meer. Aan de andere kant hebben onderzoekers ontdekt dat het nog maar 4,5 miljoen jaar geleden is dat het DNA van mensen en apen nagenoeg identiek was. Twee Britse auteurs van wetenschappelijke artikelen, Jeremy Cherfas en John Gribbin, hebben inmiddels een verklaring geponeerd: niet de mens stamt van de apen af, maar de aap stamt af van de mensen!

Volgens de hypothese van Cherfas en Gribbin moet een ras van rechtop lopende apen zich circa 4,5 miljoen jaar in tweeën hebben gesplitst. De groep die in de vlakten en dalen leefde, ontwikkelde zich na verloop van tijd tot de primitieve mens; de andere antropoïden 'degenereerden' tot de in de bomen levende apen van vandaag.

Zijn Cherfas en Gribbin werkelijk van mening dat het de hoogste tijd wordt de evolutietheorie op dit punt op haar kop te zetten? Misschien wel, maar misschien ook niet. 'Wij willen eenvoudig aantonen hoeveel "grijze" gebieden er op het gebied van de fossiele bewijsvoering nog zijn,' betoogt Cherfas. 'Vergelijk ons maar met paleontologen die de moleculaire klok raadplegen en zich vervolgens op hun bevindingen bezinnen.'

De monsterfilm uit Chesapeake Bay

Loch Ness is zeker niet het enige water waarin een dinosaurusachtig dier door mensen is waargenomen. Zo zou er in de Amerikaanse Chesapeake Bay ook een monsterachtig zeedier huizen, dat de bijnaam Chessie heeft gekregen en zelfs op video-opnamen te bewonderen is.

Op 31 mei 1982 was de zon al bijna ondergegaan toen Bob en Karen Frew en hun visite een donker iets door het water van de baai zagen glijden. Haastig greep Bob naar zijn videocamera en begon een dier te filmen dat eruitzag als een slangachtig, kronkelend monster ter lengte van een meter of tien en dat grote bulten op de rug had.

Kort daarna waren enkele wetenschappers van de Smithsonian Institution bereid de opnamen (met een duur van drie minuten) te komen bekijken. George Zug, het hoofd van de afdeling Gewervelde Dieren van het Nationaal Museum voor Natuurlijke Historie van de Smithsonian Institution in Washington, kwam tot de slotsom dat datgene wat op de videoband zichtbaar was niet eenvoudig als een 'drijvende boomstam' of een optische illusie kon worden afgedaan. 'Bijzonder interessant,' verklaarde de geleerde, hoewel hij weigerde vermoedens te uiten over wat het kon zijn geweest.

Mike Frizelle en Bob Lazzara, leden van een vereniging in Maryland die zichzelf 'Enigma' (Raadsel) noemt en zich toelegt op het onderzoeken van onverklaarbare verschijnselen, hebben besloten om zoveel mogelijk vroegere waarnemingen van Chessie te vergelijken met nieuwe ooggetuigeverklaringen en de op videoband vastgelegde waarneming van de Frews. Als we kunnen vaststellen waar we de grootste kans hebben dit dier te zien, aldus Lazzara, kunnen we ons op dat gebied gaan concentreren.

'Eigenlijk namen we Chessie vroeger nauwelijks serieus,' voegt Frizelle eraan toe. 'Maar dank zij die videoband van de Frews is het een serieus te nemen verschijnsel geworden.'

Is er intelligent leven in het heelal?

Zelfs als er op dit moment geen intelligente buitenaardsen door het universum reizen, kunnen ze 'binnen een kosmische oogwenk' ontstaan, zo betoogt de paleobioloog Dale Russell, verbonden aan het Canadese Nationaal Museum voor Natuurwetenschappen in Ottawa.

Nadat hij een uitvoerige studie had gemaakt van de fossielen die tot op heden op aarde zijn gevonden, teneinde vast te stellen hoe snel de hersenomvang en intelligentie van zoogdieren en mensen in de loop van de evolutie op aarde zijn toegenomen, kwam Russell tot de slotsom dat dier en mens in een verbluffend hoog tempo grotere en betere hersenen hebben ontwikkeld. Op andere planeten kan hetzelfde proces gaande zijn. 'Intelligentie in het universum is te vergelijken met een door gist rijzend deeg,' legt hij op plastische manier uit. 'Ze komt razendsnel op.'

Hij is het niet eens met andere onderzoekers, die van mening zijn dat er slechts enkele andere intelligente wezens in de melkweg kunnen leven.

‘Hun inschatting stoelt op de abusievelijke veronderstelling dat dergelijke beschavingen een poosje blijven bestaan en daarna eenvoudig uitsterven. Zo gaat het er eenvoudig niet aan toe in de biologische evolutie.’

Russell wijst erop dat er, zelfs als de mensheid op aarde zou uitsterven, best een nog intelligentere soort op onze planeet kan ontstaan. ‘Het is mogelijk dat de plaats van de mens door een totaal ander wezen wordt ingenomen,’ legt hij uit. ‘Nu al is bekend dat de papegaai, de olifant en de dolfijn even grote en complexe hersenen hebben als een paar van de voorouders en naaste verwanten van de mens.’

Hij voegt eraan toe dat er geen reden is om te denken dat aardbewoners de enige intelligente bewoners van de melkweg zouden zijn. ‘We hebben weliswaar nog geen buitenaardsen kunnen ontdekken, maar het universum evolueert nog altijd en het wemelt er vermoedelijk van beschavingen.’

De grondwettelijke rechten van buitenaardsen

In de Verenigde Staten spannen mensen om de meest onwaarschijnlijke redenen processen aan, maar vermoedelijk was de eis die Larry Bryant uit Alexandria in Virginia indiende bij het Districtsgerechtshof van Washington, D.C., wel de meest uitzonderlijke uit de Amerikaanse jurisprudentie. Hij verlangde van het Pentagon dat het ‘binnen zestig dagen de stoffelijke overschotten van een of meer inzittenden van neergestorte UFO’s van kennelijk buitenaardse herkomst zou vrijgeven’ teneinde aan hun grondwettelijke rechten te voldoen.

De buitenaardsen in kwestie zouden zijn gevonden in drie ‘vliegende schotels’ die waren neergestort in New Mexico, waar het energieveld van een immens radarstation het besturingsmechanisme van deze buitenaardse ruimteschepen zou hebben verstoord. Iedere vliegende schotel, zo werd in de eis omschreven, was bemand door drie mensachtige wezens in ‘metaalachtig glanzende kleding’. De eis steunde op het rechtsbeginsel dat bekend is als *habeas corpus* en in de Amerikaanse grondwet is verankerd, namelijk dat niemand tegen zijn wil mag worden vastgehouden zonder dat er een steekhoudende aanklacht tegen hem is ingediend. Volgens de eiser werden de buitenaardse ruimtevaarders door de luchtmacht onrechtmatig ‘vastgehouden’ op de luchtmachtbasis Wright-Patterson in Ohio. Bryant voerde aan dat deze buitenaardsen hun grondwettelijke rechten werd onthouden, indien zij nog in leven waren.

Sindsdien is er niets openbaar gemaakt over de voortgang van dit proces, dat door Henry Catto, een woordvoerder van het Pentagon, werd omschreven als 'een dagvaarding (op basis van) *habeas corpus extraterrestrials*.

Het trieste lot van de dinosauriërs

De ruimtevaartingenieur John Ferguson uit het Engelse graafschap Surrey meent dat het zwaartekrachtveld van de aarde veranderingen heeft ondergaan doordat het zonnestelsel op zijn baan door de melkweg allerlei hemellichamen heeft gepasseerd. Deze veranderingen in het zwaartekrachtveld, die lange tijd over het hoofd zijn gezien, betoogt hij, zijn waarschijnlijk rampzalig geweest voor de dinosauriërs die ooit deze planeet hebben beheerst.

'Gedurende perioden met een verhoogde zwaartekracht zou alles zwaarder zijn dan normaal, en omgekeerd zou alles minder wegen gedurende perioden waarin het zwaartekrachtveld minder dan 1 g ontwikkelt,' aldus de redenering van John Ferguson. Hij voegt eraan toe: 'Dieren die gedurende een periode van verhoogde zwaartekracht in zee tot ontwikkeling kwamen, konden alleen op het land leven in een periode van verminderde zwaartekracht.' Omdat de kolossale dinosauriërs zo'n hoog lichaamsgewicht hadden, konden ze niet meer in leven blijven toen de zwaartekracht weer groter werd. Voorts moet een verhoogde zwaartekracht gepaard zijn gegaan met een sterkere energie-emanatie van de zon. En doordat de zon meer hoogfrequente energie uitstraalde, dus meer ultraviolet licht en minder infrarood licht (dat een lagere trillingsfrequentie heeft en warmte opwekt), koelde het klimaat op aarde af.

Dat was vermoedelijk, zegt Ferguson, de genadeklap voor de reuzenreptielen: hun tropische voedselbronnen stierven af, en doordat ze blootstonden aan meer ultraviolet licht van de zon ontstond er een kankerepidemie onder de dieren.

Zelfmoord met zonnekracht

Als de zon wordt gebruikt als een symbool, wordt dat meestal geassocieerd met optimisme, levensmoed, blijheid en hoop. Maar halverwege de jaren tachtig besloot een werkloos geworden inwoner van de Amerikaanse stad Seattle, een zekere Robert Saylor, die via een schriftelijke cursus elektronica had gestudeerd, om de energie van de zon voor een dodelijk doel te gebruiken. Hij knutselde een door zonlicht geactiveerde zelfmoordmachine in elkaar waarin het warme licht van de lentezon tot een dodelijke straal werd gebundeld.

Daarna belde hij zijn vrouw – de echtelieden leefden gescheiden – om haar te waarschuwen voor zijn naderende dood. Hij zei dat hij zichzelf had ingesloten in een hotelkamer, maar hij wilde graag haar en hun jonge dochtertje nog één keer zien. Tijdens deze ontmoeting vertelde hij de vrouw dat hij een 'feilloos werkende' zelfmoordmachine had gebouwd, met behulp van een zonnecel, een paar batterijen en explosieven.

De volgende dag belde Saylor haar opnieuw. Toen hij opnieuw zei dat hij op het punt stond zelfmoord te plegen, belde zijn vrouw de politie. Kort na middernacht stormde de politie het hotel binnen en probeerde hem het plan uit het hoofd te praten.

Volgens Dick Larson, de politiewoordvoerder van het district King, dachten de agenten dat zij erin waren geslaagd de man over te halen zijn gebarricadeerde hotelkamer te verlaten, maar toen de zon opkwam, hoorden ze achter de deur een gedempte explosie. Ze braken de deur open en troffen Saylor dood aan.

Hij zat in een stoel en zijn gestrekte benen rustten op het bed. Saylor had een zonnecel op de vensterbank gelegd en die via een relaisschakelaartje aangesloten op enkele batterijen die een zelfgemaakte bom tot ontploffing hadden gebracht.

'We zullen nooit weten of hij werkelijk van plan was naar buiten te komen,' zei Larson, 'of dat hij alleen tijd wilde winnen tot het opkomen van de zon.'

Satelliet van een andere wereld

In juli 1960 werd in een artikel in het Amerikaanse blad *Newsweek* berekend dat het aantal door mensen vervaardigde objecten waarvan bekend was dat ze in een baan rondom de aarde cirkelden niet overeenkwam met het feitelijke aantal satellieten dat tot op dat moment zou zijn gelanceerd. Volgens het Amerikaanse Nationaal Ruimtebewakingscentrum hadden de Verenigde Staten elf satellieten in een baan om de aarde gebracht en de Sovjetunie twee. Volgens het artikel in *Newsweek* beweerden verscheidene ruimtevaartdeskundigen echter dat er op zijn minst nog een ander ruimtevoertuig om de planeet cirkelde. Alleen: waar was het vandaan gekomen?

'Deze onbekende satelliet,' zo opperde een van de deskundigen, 'is wellicht een bezoeker die ons is gestuurd door wezens uit een ander zonnestelsel in onze melkweg – wellicht vertegenwoordigers van een United Stellair Organization – die om archeologische en antropologische redenen benieuwd zijn hoe de zaken er in dit deel van de melkweg ervoor staan,' schreef *Newsweek*.

Was het mogelijk dat deze onbekende satelliet de UFO was die op 18 december 1957 was waargenomen? Op de avond van die bewuste 18de december omstreeks 18.00 uur maakte dr. Luis Corrales van het ministerie voor Communicatie in Caracas, Venezuela, een foto van de overkomende Spoetnik II. Toen dr. Corrales de film ontwikkelde, ontdekte hij echter tot zijn verbazing dat er nog een ander object op de foto was te zien.

Naast de Russische satelliet bevond zich een UFO die op de foto te zien was als een gebogen lichtspoor, omdat dr. Corrales zijn sluiter iets langer had laten openstaan dan normaal. De experts die de foto bestudeerden, concludeerden dat het onbekende object geen meteoor of ster kon zijn. Integendeel, ze kwamen tot de slotsom dat het een niet te identificeren, door intelligente wezens bestuurd ruimtevaartuig moest zijn geweest, dat kennelijk in staat was geweest met de Spoetnik II mee te vliegen, van die baan af te wijken en terug te keren tot een positie naast de satelliet. Een andere verklaring is wellicht te vinden op pagina 152 van dit boek, onder de kop: IJzig graf.

Zij sliep decennia lang op een bom

Het is heel moeilijk te begrijpen hoe Zanaida Bragantsova tot voor kort ooit behoorlijk 's nachts heeft kunnen slapen. Sinds 1941 stond het bed van deze Russische boven een zware bom die in haar appartement in de stad Berdjansk was ingeslagen maar niet was geëxplodeerd. Het was niet zo dat Zanaida geen oog had voor het grote gevaar dat de blindganger opleverde – ze kon eenvoudig niemand vinden die haar van dit explosieve probleem kon verlossen.

Omdat ze niemand ervan kon overtuigen dat er werkelijk een zware Duitse bom in haar appartement lag, versleepte Zanaida ten einde raad haar bed maar tot boven het gat in de vloer waarin de bom rustte. Volgens de *Literatoernaja Gazeta* dreven andere mensen in de stad de spot met haar beweringen en noemden ze haar plagend 'de *baboesjka* met de bom' (het grootmoedertje met de bom). De plaatselijke sovjetoverheid beschuldigde haar ervan het verhaal te hebben verzonnen met het doel een ander appartement toegewezen te krijgen.

De laatste jaren werd er eindelijk wat serieuze aandacht aan de benarde omstandigheden van de oude vrouw geschonken. Toen er in haar buurt nieuwe telefoonkabels werden gelegd, zochten bomexperts de omgeving af, op zoek naar blindgangers en andere onontplofte munitie uit de Tweede Wereldoorlog. Toen Zanaida opnieuw om aandacht vroeg voor 'haar' bom, kwamen er eindelijk een paar mensen schoorvoetend kijken.

'En waar is de bom, grootmoedertje? Onder je bed?' vroeg een luitenant van het Rode Leger sarcastisch aan de vierenzeventigjarige vrouw.

'Precies,' antwoordde ze.

De experts van de explosievenopruimingsdienst schrokken zich wezenloos toen ze zagen dat Bragantsova altijd de waarheid had gesproken. Ze vonden onder haar bed een heuse vijfhonderdponder die, nadat er tweeduizend mensen waren geëvacueerd, tot ontploffing werd gebracht. Bragantsova's huis werd door de explosie verwoest, maar de *baboesjka* kreeg eindelijk, zo besloot het artikel in de *Literatoernaja Gazeta*, een bomvrij appartement.

Voortstuwingssystemen in de ruimtevaart

De mensen die sceptisch staan tegenover het 'UFO-verschijnsel' zijn er altijd als de kippen bij om erop te wijzen dat een ruimteschip onmogelijk de immense afstanden tussen de zonnestelsels kan overbruggen zonder een manier om de wetten van de fysica te omzeilen.

Freeman Dyson, een voormalig NASA-adviseur die tegenwoordig werkzaam is aan het Instituut voor Voortgezet Onderzoek van de Universiteit van Princeton, zegt dat dit eenvoudig onjuist is. 'Ik denk dat het zeer waarschijnlijk is dat andere intelligente soorten door het heelal zoeven om zelfs de verste uithoeken van de interstellaire ruimte te verkennen.'

Volgens Dyson is het geen raadsel meer hoe buitenaardse ruimtevaarders – of zelfs mensen – daartoe in staat zouden kunnen zijn. Er zijn zelfs verscheidene praktisch toepasbare voortstuwingssystemen bedacht die ruimteschepen naar de sterren kunnen laten 'springen'. Bijvoorbeeld een systeem dat een ruimteschip voortstuwt met een laserstraal van hoge snelheid, of een systeem dat gebruik maakt van zonlichtdeeltjes (*fotonen*) door deze te vangen in een soort zonnezeil, of een rondom de planeet cirkelende elektromagnetische 'generator' die een interstellair ruimteschip kan lanceren door het met een onvoorstelbaar hoge snelheid het heelal in te 'slingeren'.

Een ruimteschip dat met een dergelijke voortstuwing een snelheid van ongeveer de halve lichtsnelheid (300.000 km/sec., dus 150.000 km/sec.) haalt, kan binnen negen jaar een bemanning vanuit het dichtstbijzijnde zonnestelsel naar het onze brengen.

De mysterieuze onbekende die op Poe toost

Aangezien Edgar Allan Poe vooral over het geheimzinnige en macabere placht te schrijven, lijkt het heel toepasselijk dat er op de datum van zijn sterfdag jaarlijks vreemde gebeurtenissen lijken plaats te vinden. Zo heeft iemand al sinds 1849 ieder jaar op de 19de januari rozen en een fles cognac op Poe's graf op het Westminster-kerkhof in Baltimore achtergelaten.

Op een recente herdenking van de geboortedag van de schrijver besloot Jeff Jerome, curator van het Poe House, wat navorsingen te gaan doen, in de hoop de identiteit van de geheimzinige bewonderaar te achterhalen. Nadat zij op Poe's sterfdag urenlang het graf hadden geobserveerd, hoorden Jerome en vier andere Poe-bewonderaars omstreeks halftwee plotseling de hekken van het kerkhof rammelen. Toen zij de lichtbundels van hun zaklantaarns de duisternis boven het kerkhof lieten doorboren, ging de indringer er als een haas vandoor, maar niet voordat Jerome en zijn vriendin Ann Byerly kort een glimp van hem hadden opgevangen.

Byerly beschrijft de geheimzinnige vreemdeling als een man met blond of bruin haar, die een ouderwetse pandjesjas droeg. 'Hij had een wandelstok met een gouden bolknop aan het eind in de hand – van het model dat Poe altijd bij zich had,' voegt Jerome eraan toe. 'Voordat hij over de kerkhofmuur verdween, stak hij die wandelstok hoog in de lucht en zwaaide er triomfantelijk mee.'

Chinese aapmensen

Inwoners van de bergachtige streek Hubei in China hebben herhaaldelijk gewag gemaakt van ontmoetingen met wilde aapmensen van ruim twee meter lang. Het hele lichaam van deze wezens, die zich volgens de ooggetuigen slingerend door de bomen verplaatsen en leven van bladeren en insektelarven, is overdekt met een dichte, bruine vacht. Een ooggetuige zei dat hij vreedzaam contact had weten te krijgen met zo'n aapachtig wezen, dat vergezeld was van een jong. Een andere man vertelde dat hij een ontmoeting had gehad met een gewelddadig aapmens, die hij uit zelfverdediging had moeten neersteken.

Recentelijk hebben de Chinese wetenschappers Yuan Zhenxin en Huang Wanpo de veronderstelling geuit dat deze aapachtige wezens wellicht afstammelingen van *Gigantopithecus* zouden kunnen zijn. In hun artikel in het Chinese tijdschrift *Hua Shi* wijzen zij erop dat er overal in Hubai veel fossiele resten van deze vroege primaat – die geacht wordt allang te zijn uitgestorven – zijn gevonden.

Een oude mythe doet ons een andere mogelijke verklaring voor de oorsprong van deze Chinese aapmensen aan de hand. Volgens de overlevering weigerde een deel van de arbeiders die omstreeks 200 v.Chr. op bevel van keizer Ch'in Shih Huang Ti moesten meewerken aan de bouw van de Grote Muur dat te doen. Zij vluchtten de bergen in, waar ze in de loop der eeuwen degenereerden tot primitieve en geheel behaarde aapachtige wezens.

Hij droomde van een fossiel

De 19de-eeuwse wetenschapsbeoefenaar Louis Agassiz verhaalt in zijn boek *Recherches sur les poissons fossiles* ('Speuren naar visfossielen') hoe een repeterende heldere droom hem de weg wees naar een van zijn belangrijkste ontdekkingen.

De zoöloog had al weken geprobeerd uit te dokteren hoe hij een goede afdruk kon maken van de vage contouren van een visfossiel in een oud stuk rots. Niets werkte, en uiteindelijk legde Agassiz het platte brok steen op een plank aan de muur en ging verder met ander werk.

Een paar nachten daarna had hij echter een heldere droom waarin hij zag hoe de fossiele vis eruit had gezien toen hij leefde. Ook toen hij wakker werd, kon Agassiz het beeld niet van zich afzetten. Opnieuw begon hij de platte steen te bestuderen, maar hoe hij zich ook inspande, hij kon niet meer ontdekken dan de vage omtrek van de vis.

Die nacht kwam de droom terug. De volgende ochtend boog de geleerde zich wéér over de steen met de vage contouren van het fossiel, maar ook nu slaagde hij er niet in de vorm van de prehistorische vis te onderscheiden.

Zou de droom zich opnieuw herhalen? Agassiz vermoedde van wel, zodat hij zich erop voorbereidde door potlood en papier naast zijn bed klaar te leggen. Hij viel in slaap en wéér zag hij de vis in een droom. Hij maande zichzelf om wakker te worden en schetste in de duisternis haastig wat hij had gezien.

De volgende ochtend ontdekte de zoöloog tot zijn verbazing dat zijn schets details bevatte die hij aan het fossiel nooit had opgemerkt. Hij gebruikte zijn schets als richtlijn en begon voorzichtig stukjes van de steen met het fossiel weg te hakken, hopend dat hij op die manier meer details van de vis zou vinden.

Langzaam en voorzichtig werkte hij verder en stelde vast dat het fossiel niet volledig was blootgelegd. Nadat hij een papierdun steenlaagje had verwijderd, was de vorm van de vis duidelijk herkenbaar. Deze keer was de prehistorische vis in reliëf te zien en Agassiz stelde vast dat het fossiel exact en tot in alle bijzonderheden overeenkwam met de vis die hij in zijn steeds terugkerende droom had zien zwemmen.

Een droom uit de prehistorie

De antropoloog Joseph Mandemant droomde dat het nacht was en dat hij in de toegang tot de beroemde 'Grottes de Bedeilhac' in zuidwestelijk Frankrijk stond. In de grot ontwaarde hij een groep prehistorische, in dierevellen gehulde jagers uit het Magdalenien (de laatste periode van de steentijd) rondom een kampvuur. Mandemant zag dat er jachtscènes op het gewelf van de grot waren geschilderd. Hij zag ook een jonge man en een jonge vrouw die een eindje van de anderen vandaan zaten.

Even later stond het paar op en verdween in een aangrenzende grot, die een opening had en uitkwam op een rotsrichel. Daar, in het donker, beminden ze elkaar. Maar de idylle – en de droom van de antropoloog – werd ruw verstoord doordat het dak van de grot plotseling instortte, waardoor de grot waarin het jonge paar zich had teruggetrokken, was afgesloten.

Deze droom was zó helder en gedetailleerd dat Mandemant alles opschreef wat hij zich ervan herinnerde, waarna hij op weg ging naar de echte grot bij Bedeilhac. Alles zag er precies zo uit als hij het had gedroomd, behalve dat er zich in de 'hoofdgrot' een wand van kalksteen bevond op de plaats waar hij de doorgang naar de grot ernaast had gezien.

Zou deze wand inderdaad de grot die de geliefden uit zijn droom binnen waren gegaan aan het oog onttrekken? Mandemant beklopte de kalkstenen grotwand met een hamer en stelde aan de hand van het holle geluid vast dat er achter de wand een holte moest zijn. Er lag inderdaad een andere grot achter de wand.

Een ploeg arbeiders had dagen werk om door de rotswand heen te breken. Eindelijk was er een tunneltje gemaakt dat groot genoeg was om erdoorheen te kruipen. En Mandemant vond inderdaad de grot uit zijn droom, met inbegrip van de rotsrichel.

Van de geraamten van de jongeman en zijn geliefde was echter geen spoor te vinden. Mandemant zocht verder en stelde vast dat het instortende gewelf van de grot in de prehistorie voor het paar net voldoende ruimte had gelaten om te kunnen ontsnappen.

Hoewel de juistheid van zijn droom grotendeels werd bevestigd door zijn inspectie van de grot, beschikte Mandemant echter nog steeds niet over een tastbaar bewijs dat hij in zijn slaap op een of andere manier de grenzen van tijd en ruimte had overschreden. Totdat hij zich een ander belangrijk detail van zijn droom herinnerde: de jachtscènes op het gewelf van een van de grotten. Aan de hand van de schets die hij had gemaakt naar de beelden uit zijn droom vond de antropoloog ook de rotsschilderingen die hij op een of andere manier had 'gezien' toen ze nog nieuw waren, duizenden jaren geleden.

De premier droomde van zijn eigen dood

In het voorjaar van 1812 had een welgestelde Engelsman, John Williams, in de nacht van de 3de op de 4de mei een uitzonderlijke droom, die zich drie keer herhaalde. Hoewel Williams geen belangstelling had voor politiek, droomde hij dat hij in de garderobe van het Lagerhuis stond en er getuige van was dat een kleine man in een donkergroene jas premier Spencer Perceval in de borst schoot. De droom was zó verontrustend dat Williams serieus overwoog de premier te waarschuwen. Omdat zijn vrienden dat een bespottelijk idee vonden, zag hij ervan af en zette de vreemde nachtmerrie uit zijn hoofd.

Premier Spencer Perceval kwam echter uit de eerste hand op de hoogte van de nachtmerrie, want zeven dagen later droomde hij precies dezelfde droom! Op de ochtend van de 11de mei vertelde hij aan de leden van zijn gezin dat hij had gedroomd dat hij, toen hij door de foyer van het Lagerhuis wandelde, door een gek werd neergeschoten. De moordenaar had een donkergroene jas met koperen knopen aan gehad, zei hij.

Hoewel Percevals familie hem smeekte de waarschuwing uit de droom ter harte te nemen en die morgen thuis te blijven, ging hij toch naar de zitting van het Lagerhuis die dag, vastbesloten om zich niet door zoiets geks als een droom van zijn bestuurlijke plichten te laten weerhouden. En toen de premier door de foyer wandelde, stond er opeens een man tegenover hem die hij nog nooit had gezien – behalve in zijn droom, want hij droeg een donkergroene jas met koperen knopen, en schoot de eerste minister dood.

Mick snelt te hulp

De chihuahua Percy huppelt weer vrolijk rond in het huis van zijn vrouwtje in Engeland, maar zonder de telepathische vermogens van een andere hond, een terriër die Mick heette, zou hij levend begraven zijn.

Percy's vrouwtje, Christine Harrison, nam haar hondje mee toen ze op bezoek ging bij haar ouders in Barnsley. De kleine hond weigerde in de tuin te blijven en rende de straat op, waar hij door een auto werd aangereden. 'We konden geen hartslag meer ontdekken, en zijn oogjes staarden dof voor zich uit, zonder iets te zien,' vertelde Christine.

Niemand betwijfelde dat Percy dood was, zodat ze goedvond dat haar vader hem in een papieren zak stopte en in de tuin begroef, onder een halve meter aarde.

Mick, de hond van Christines ouders, week echter niet meer van Percy's graf. Nadat Christine alweer thuis was gekomen, hoorde ze van haar ouders het schokkende bericht dat Mick het lijk van haar lieveling had opgegraven en hem met papieren zak en al naar binnen had gebracht. Ongelooflijk maar waar: de terriër had geweten dat de chihuahua nog in leven was.

'Mijn hondje is uit de doden opgestaan,' zegt Christine nu. Want hoewel Percy bewusteloos was, hadden haar ouders nu vaag een hartslag kunnen waarnemen. Haar vader was in allerijl met de hond naar de dierenarts gereden, die tot de conclusie kwam dat het hondje dank zij de lucht in de papieren zak in leven was gebleven. Ook zei hij dat Mick tot Percy's herstel had bijgedragen door hem een stevige tongmassage te geven, zodat zijn bloedsomloop krachtig werd gestimuleerd.

In het verenigingsblad van de Britse Koninklijke Vereniging voor de Preventie van Dierenmishandeling werden lovende woorden over Mick uitgestort, maar Christine zegt dat ze nog steeds niet begrijpt waarom Mick Percy heeft gered. 'Die twee honden konden elkaar niet luchten of zien,' merkte ze op. 'Zo is het altijd geweest, en zo is het nu nog.'

De wondervrouw van het Rode Leger

In de laatste dagen van de Tweede Wereldoorlog werd de jonge soldate Nina Koelagina van het Rode Leger in de frontlinie getroffen door een scherf van een Duitse artilleriegranaat. Ze werd gewond afgevoerd en naar huis gestuurd om te genezen, maar thuis raakte ze hoe langer hoe meer gefrustreerd. Haar vrienden en landgenoten vochten als leeuwen tegen Hitler en zijn nazihorden.

'Ik liep naar een kast,' vertelde de geschrokken Koelagina later, 'toen er opeens een kruik naar de rand van de bovenste plank schoof, van de plank kieperde en op de grond aan scherven viel.'

In haar nabijheid begonnen er lampen aan en uit te floepen. Zonder aanwijsbare reden gingen er deuren open en dicht. Borden dansten over de tafel. Koelagina dacht eerst aan de activiteiten van een *Poltergeist* ('Stommelend spook'), maar het duurde niet lang voordat ze begreep dat deze geheimzinnige kracht van haarzelf uitging. Vanaf dat moment van inzicht begon Koelagina maandenlang haar concentratievermogen te oefenen, totdat ze in staat was voorwerpen naar believen te verplaatsen.

Edward Naumov was de eerste Russische onderzoeker die een studie maakte van Koelagina's vermogen tot psychokinese. Hierop volgde een reeks geslaagde experimenten, opgezet en uitgevoerd door verscheidene andere parapsychologen. Meer dan zestig ervan werden gefilmd. In het meest verbluffende hiervan werd een ei achter een glazen wand stukgeslagen en in een zoutoplossing gedompeld. Koelagina stond op ruim een meter afstand van het aquariumachtige reservoir toen ze haar aandacht op het ei concentreerde. Langzaam scheidde ze het eiwit van de dooier door beide in haar geest van elkaar te scheiden. Tijdens dit experiment was Koelagina aangesloten op een batterij meetinstrumenten, die duidelijk aantoonden dat ze aan hevige geestelijke en emotionele stress blootstond. Haar hersengolven werden gemeten door dr. Genadi Sergejev, die meldde dat haar hersengolfactiviteit vertraagd was tot 4 cyclussen per seconde ('deltagolven', het laagste niveau van hersengolfactiviteit, vert.) toen ze erin slaagde eiwit en dooier van elkaar te scheiden.

Sergejev vergeleek deze pulsaties met magnetische golven. Als deze optreden,' zei hij, 'zal het object waarop zij zich concentreert zich gaan gedragen alsof het gemagnetiseerd is, zelfs als het geen magnetische eigenschappen bezit. Op die manier kan ze het voorwerp naar zich toe halen of van zich af bewegen.'

De wondervrouw uit Georgia

Een onweersbui in een zomernacht van het jaar 1883 boven Cedartown, Georgia, belette de veertienjarige Lulu Hurst en haar nichtje Lora in te slapen. Totdat de meisjes vreemde klop- en plofgeluiden hoorden die veel te dichtbij klonken om iets met het onweer te maken te kunnen hebben.

Aanvankelijk dachten Lulu's vader en moeder dat dit merkwaardige kabaal door het zware onweer werd veroorzaakt. De volgende avond werd hun duidelijk dat er een heel ander verschijnsel in het spel moest zijn, want het bed van hun dochter stond zó luid op de vloer te bonken dat ze het konden *voelen*. En bovendien hoorde een tiental getuigen geluiden in Lulu's kamer alsof de muren door elkaar werden geschud. Algauw ontdekte iemand dat de geluiden antwoord konden geven op vragen. Eén klop betekende ja, twee kloppen betekenden nee.

Niemand realiseerde zich echter dat datgene wat er gaande was iets te maken kon hebben met Lulu. Totdat vier dagen later een op bezoek zijnd familielid dwars door de kamer werd gegooid nadat zij een stoel had aangeraakt die Lulu haar aanreikte. Vier volwassen mannen die de zwevend rondtollende stoel vastgrepen, gingen een uitputtende krachtmeting aan met een onzichtbare kracht, totdat uiteindelijk de stoel in stukken uiteenviel.

Gillend en huilend tegelijk rende de jonge Lulu de kamer uit, doodsbang voor haar nieuwe vermogens. Nauwelijks twee weken later voerde ze echter het ene onwaarschijnlijke kunststuk na het andere uit, voor stampvolle zalen.

De eerste show van de 'wonderbaarlijke Lulu Hurst' – zoals de dagbladen *Atlanta Constitution* and *Rome Bulletin* haar noemden – werd gegeven in een zaal in Cedartown, die tot op de laatste plaats werd bezet door nieuwsgierigen. Rechters, advocaten, bankiers, politici en dokters hadden op het podium plaats genomen om het doen en laten van de kleine, broze tiener van nabij te kunnen volgen.

Een potige man uit de zaal bood zich aan als vrijwillig medewerker bij een experiment, bedoeld om de vermogens van het meisje te testen. Hij kreeg een gesloten paraplu in handen, die hij met beide handen tegen zijn borst moest drukken. En om de paraplu helemaal te kunnen stilhouden, zette hij zich schrap, met de voeten een eindje van elkaar. Maar toen Lulu's rechterhandpalm de paraplu alleen maar aanraakte, begon het ding woeste rukbewegingen naar links en naar rechts te maken. De man zelf begon zich in allerlei bochten te wringen en het eindigde ermee dat hij bij enkele toeschouwers op het podium op schoot belandde.

De volgende twee jaar demonstreerde Lulu haar vermogens tijdens een rondtoer door de Verenigde Staten. Dat deed ze ook voor de faculteit en studenten van het Medisch College van Charleston in South Carolina, een publiek dat door de *Charleston News and Courier* als 'notabel en kritisch' werd omschreven. Nadat de verslaggevers van de krant er getuige van waren geweest hoe het tengere meisje gespierde mannen alle hoeken van het podium liet zien, alleen maar door hen aan te raken, concludeerden zij: 'In heel dit indrukwekkende gezelschap van geleerde heren was niemand te vinden die een verklaring kon geven voor dit raadselachtige fenomeen.'

Toch zouden later niet minder dan twintig wetenschappers van de staf van het Smitsonian en Marine Observatorium het voorbeeld van Alexander Graham Bell volgen door op hun beurt de wonderlijke tiener te onderzoeken. Ze vermoedden dat het meisje over een of andere 'elektrische kracht' beschikte. Geen enkel onderzoek bracht echter opheldering over de geheimzinnige vermogens van de wonderbaarlijke Lulu – en toen ze een paar jaar later trouwde en zich van het toneel terugtrok, was de bron van haar grote telekinetische krachten nog even raadselachtig als in het begin.

De vreemde trance van Molly Fancher

De in Brooklyn, New York City, wonende Molly Fancher leek een normale en gezonde vierentwintigjarige jonge vrouw, totdat ze op een dag begin februari 1866 plotseling duizelig werd en het bewustzijn verloor. Haar moeder dacht dat Molly eenvoudig een flauwte had, maar toen dr. Samuel F. Spier de jonge vrouw kwam onderzoeken, stelde hij vast dat ze in een tranceachtige, comateuze toestand verkeerde, van een soort dat hij nog nooit had gezien.

Er verstreken maanden en Molly kwam maar niet bij. Dr. Spier onderzocht haar klamme lichaam en hij stelde vast dat ze nauwelijks scheen te ademen. Haar lichaamstemperatuur was beneden normaal, de pols was bijna onwaarneembaar en leek zo nu en dan zelfs helemaal te verdwijnen. Er werden allerlei andere dokters geconsulteerd, maar niemand kon uitkomst bieden.

Negen jaar later waakte dr. Spier nog altijd voor zijn comateuze patiënte, toen hij twee opmerkelijke waarnemingen deed. Uit de status bleek dat het meisje gedurende haar comateuze toestand bijna geen voedsel tot zich had genomen. In de loop van al die jaren had ze, zo zei

Spier later, niet meer voedsel naar binnen gekregen dan wat een gezonde jonge vrouw in twee dagen zou hebben geconsumeerd! En bovendien had ze 'bovennatuurlijke vermogens' ontwikkeld, zoals de dokter het noemde.

Dr. Spier nodigde verscheidene geleerden – onder wie twee neurologen en de vermaarde astronoom prof. dr. Richard Parkhurst – uit om samen met hem getuige te zijn van Molly's merkwaardige vermogens. 'Heren, dit meisje kan de kleding en het doen en laten van iemand die zich honderden kilometers van hier bevindt volledig beschrijven zoals ze op dit moment zijn!' verzekerde hij het groepje. 'En bovendien is zij in staat ongeopende brieven en boeken te lezen!'

Om de onmogelijke beweringen van dr. Spier op de proef te stellen, sloten de beide hersenspecialisten een boodschap in drie verzegelde enveloppen en lieten die per koerier bij de praktijk van dr. Spier bezorgen, op kilometers afstand van het huis van zijn patiënte. Daarna vroeg prof. Parkhurst wat er in de envelop zat. Tot zijn verbazing gaf ze een juist antwoord. 'Het is een brief,' zei ze fluisterend. 'In drie verzegelde enveloppen zit een vel papier met de woorden: "Lincoln werd doodgeschoten door een krankzinnige toneelspeler".'

Om haar verder op de proef te stellen, vroegen ze Molly hun te vertellen waar de broer van de neuroloog dr. Peter Graham zich bevond en wat hij daar aan het doen was. Molly Fancher antwoordde al spoedig dat Frank Graham in New York was. Hij droeg een jas waaraan een knoop op de rechtermouw ontbrak en hij was vanwege een hoofdpijnaanval die dag wat vroeger van zijn werk naar huis gegaan dan anders. Een telegram bevestigde kort daarna dat de jonge vrouw in haar tranceachtige toestand de waarheid had gezegd.

Molly overleefde zowel haar moeder als dr. Spier. Zesenveertig jaar lang bleef ze in coma. Maar in 1912 werd ze wakker, even plotseling en raadselachtig als ze het bewustzijn had verloren. Ze leefde nog tot maart 1915 en overleed op de leeftijd van drieënzeventig jaar vredig in haar slaap.

Ziende blind

Toen Europese zeevaarders voor het eerst de Samoa- of Schipperseilanden bereikten, hoorden ze daar onwaarschijnlijk klinkende verhalen over blinde inboorlingen die met hun huid konden zien. Hoewel het klinkt als een fabel, kan het wel degelijk waar zijn geweest. Er bestaan inmiddels talloze goed gedocumenteerde gevallen van mensen die op de een of andere manier konden zien zonder hun ogen te gebruiken.

De Franse arts Jules Romain heeft kort na afloop van de Eerste Wereldoorlog gedurende enkele jaren een studie gemaakt van dit vermogen bij zowel blinde als ziende mensen. Hij ontdekte dat sommige mensen huidlocaties hadden die gevoelig waren voor licht. Dus is het mogelijk, zo redeneerde hij, dat de zenuwuiteinden in dat huidgebied de banen kunnen zijn die lichtimpulsen kunnen doorgeven naar de hersenen, die het kennelijk mogelijk maken om zonder ogen te zien.

Een man die beweerde dit vermogen te bezitten, was de Indiër Ved Mehta, die ten gevolge van hersenvliesontsteking volslagen blind was geworden toen hij drie jaar oud was. In zijn boek *Face to Face*, dat in 1957 werd gepubliceerd, legde Mehta uit dat hij nooit een wandelstok nodig had gehad om op de tast zijn weg te kunnen vinden. Hij kon zelfs zonder problemen door drukke straten fietsen. Zijn geheim? Hij hield bij hoog en bij laag vol dat hij over het vermogen tot 'faciaal zien' beschikte: op de een of andere manier zag hij met de huid van zijn gezicht.

Soms beweren ziende mensen eveneens dat zij over dit vermogen beschikken. De tiener Margaret Foos uit Ellerson in Virginia kon zelfs zo goed 'zien' als ze geblinddoekt was dat haar vader haar in januari van het jaar 1960 meenam naar het Amerikaanse Administratiecentrum voor Oorlogsveteranen om haar te laten testen. Niet alleen kon het veertienjarige meisje feilloos objecten aanwijzen en kleuren benoemen als haar ogen met behulp van kleefpleisters en zwachtels terdege geblinddoekt waren, maar ook kon ze zelfs artikelen in kranten hardop voorlezen!

De columnist Drew Pearson, die over de experimenten ter beproeving van de bijzondere gave van het meisje heeft geschreven, meldde dat een psychiater had opgemerkt: 'Ik zou me kunnen voorstellen dat we zojuist een heel nieuw deel van de hersenen hebben ontdekt.'

'Medische wonder'-hersenen

Menselijke hersenen zijn zó complex dat de onderzoekers nog altijd verwoede pogingen doen te ontdekken hoe ze precies werken. Het is echter welbekend dat zelfs ogenschijnlijk licht letsel of een shock de hersenen kan beschadigen, hetgeen allerlei nare gevolgen kan hebben – vanaf verlies aan gewaarwordingen tot (epilepsie-achtige) attaques. Aan de andere kant maakt de medische literatuur ook melding van gevallen van zeer ernstig hersenletsel dat voor de patiënt niet de minste schadelijke gevolgen met zich meebracht.

In september 1947 werd de vijfentwintigjarige Phineas Gage, die als voorman bij de Rutland and Burlington Railroad werkte, een van deze geluksvogels. Toen hij bezig was met een ijzeren staaf buskruit in een boorgat aan te stampen, met de bedoeling op die manier een stuk rots op te blazen, raakte de ijzeren staaf die hij gebruikte de binnenwand van het boorgat in de rots. Er sprong een vonk over die het buskruit liet exploderen, waarbij de krachtige explosie de ijzeren staaf uit het gat liet schieten, recht in Gage's schedel.

De bewusteloze Gage werd door collega's meteen naar de behandelkamer van een dokter gebracht, waar de ijzeren staaf werd verwijderd – samen met stukjes van zijn schedel en klonters hersenweefsel. De twee dokters die deze operatie verrichtten, verwachtten geen moment dat hij het er levend af zou brengen, laat staan zonder dat dit hersenletsel hem levenslang tot een ernstig gehandicapte zou maken. Maar afgezien van het feit dat hij het gezichtsvermogen in zijn rechteroog had verloren (dat door het ongeluk bijna uit de kas was gedrukt) herstelde Gage volledig, en zelfs binnen vrij korte tijd.

Een vrouw die in 1879 aan het werk was in een fabriek, werd het slachtoffer van een bijna even afgrijselijk ongeval. Een machine slingerde plotseling een enorme bout weg, die zich tien centimeter diep in haar schedel boorde. De inslag vernielde veel hersenweefsel en de schade werd natuurlijk nog groter toen de dokters de bout operatief uit haar hoofd verwijderden. Maar de vrouw genas en leefde nog tweeënveertig jaar, zonder zelfs maar hoofdpijnen aan haar beproeving te hebben overgehouden.

Volgens het jaarboek van 1888 van *The Medical Press of Western New York* werd bijna een kwart van de schedel van een man volledig vernield, toen zijn hoofd zich bevond tussen de bovenbouw van het schip waarop hij aan het werk was en een zware balk die zwaaiend in een strop hing. De scherpe rand van de balk sloeg eenvoudig een groot deel van zijn hoofd af. De dokters die de gapende wond sloten, stelden vast dat de man niet alleen veel bloed had verloren, maar bovendien een groot deel van zijn hersenmassa. Zodra het slachtoffer bijkwam, bleek hij echter uitstekend te kunnen praten en kon hij zichzelf zonder hulp aankleden, alsof hij zich kiplekker voelde. Afgezien van zo nu en dan een aanval van duizeligheid bleef hij nog zeseentwintig jaar lang kerngezond, totdat hij gedeeltelijk verlamd raakte en zich alleen nog strompelend kon verplaatsen.

Zevenentwintig dagen lang leek een baby die in 1935 in het St.-Vincentiusziekenhuis van de stad New York ter wereld was gekomen een heel normaal en gezond kind te zijn: het huilde, at en bewoog als iedere andere normale baby. Pas nadat het kind was gestorven, ontdekten de dokters tijdens een sectie dat de baby helemaal geen hersens had gehad.

In een onderzoeksverslag dat in 1957 door de dokters Jan W. Bruell en George W. Albee werd gepresenteerd aan de Amerikaanse Vereniging van Psychologen werd uit de doeken gedaan dat zij een zware operatie hadden moeten uitvoeren bij een negenendertigjarige man. Hoewel zij de volledige rechterhersenhelft van deze man hadden moeten wegnemen, overleefde de patiënt de zware ingreep. En bovendien, zo besloten de twee chirurgen, had de operatie 'niet in het minst afbreuk gedaan aan zijn verstandelijke vermogens'.

Een nog vreemder geval werd eens gerapporteerd door de beroemde 19de-eeuwse Duitse geneesheer Hufeland. Toen hij sectie verrichte op het lijk van een verlamde man die tot op het moment van zijn overlijden volstrekt rationeel was geweest, ontdekte hij geen spoor van hersenweefsel onder het schedeldak – alleen elf ons water.

Het telepathisch gevonden bewijs

Toen Fred Olsen, agent bij de Canadese 'Mounties', zoals de bereden politie van dat land wordt genoemd, in 1928 de boerderij van Henry Booher in Mannville in de provincie Alberta binnenstapte, zag hij zich geconfronteerd met een zeldzaam voorkomend misdrijf: een viervoudige moord. Henry en zijn twintig jaar oude zoon Vernon hadden bij hun thuiskomst de lijken van mevrouw Booher, Henry's andere zoon Fred en twee knechten aangetroffen. Ze waren alle vier doodgeschoten.

Degene die deze bloedige slachtpartij op zijn geweten had, had zorgvuldig alle patroonhulzen verwijderd, maar hij had er één over het hoofd gezien. Deze huls was in een schaal met zeepsop gevallen en afkomstig uit een geweer met een kaliber van .303 inch (7,69 mm). En precies zo'n geweer was kort geleden van een buurman van de Boohers gestolen. Verder waren er maar heel weinig aanwijzingen die tot het achterhalen van de identiteit van de dader hadden kunnen leiden. Agent Olsens argwaan werd echter gewekt door de van haat gloeiende blik die hij in de ogen van de jonge Vernon Booher meende te zien, en vooral ook door de trek van spottende minachting op het gezicht van de jongeman als hij meende dat de Mountie hem niet zag.

Olsen ontdekte al spoedig dat Vernons moeder een eind had gemaakt aan zijn omgang met een aantrekkelijke vrouw in Mannville. Dit gaf hem aanleiding de jonge Vernon te beschuldigen van moord op zijn moeder, broer en de twee anderen, een daad die hij in een opwelling van tomeloze wraaklust had begaan.

'Heb je het geweer gevonden?' vroeg Vernon kalmpjes. Toen de Mountie moest erkennen dat hij het moordwapen niet had kunnen vinden, liet de jonge Booher erop volgen: 'Als je soms denkt dat je ooit een bekentenis van mij loskrijgt, kun je het wel vergeten, zie je.'

Olsen was er nu zeker van dat hij de moordenaar had gevonden, en ook zijn superieur, inspecteur Hancock, dacht er zo over. Ze gingen zelfs over tot arrestatie van Vernon. Ze beschikten echter niet over harde bewijzen die de jury en de rechter konden overtuigen. Hancock weigerde zich neer te leggen bij deze stand van zaken en nam contact op met een zekere Maximilian Langsner, die beweerde dat hij misdaden kon oplossen dank zij zijn vermogen tot het lezen van de gedachten van misdadigers. De 'mentalist' – zoals hij zich noemde – zei dat hij in het Verre Oosten het vermogen tot gedachtenlezen had ontwikkeld en hij bleek bereid zich af te stemmen op Vernons geest teneinde te ontdekken waar deze het moordwapen had verborgen.

'Als hij eraan denkt, kan ik de door zijn geest uitgezonden impulsen opvangen en ze voor u interpreteren,' verzekerde Langsner aan inspecteur Hancock en agent Olsen.

Vier uur lang zat Langsner voor de cel van Vernon naar de arrestant te staren. Op een gegeven moment hield de verdachte het niet meer uit en kreeg hij het op de zenuwen. 'Verdwijn, verdomme!' schreeuwde hij. 'Lazer op, zeg ik!'

Langsner wist van geen wijken en hij bleef Vernon aanstaren. Er ging opnieuw een uur voorbij en aan de jonge Booher was duidelijk te zien dat de spanning hem uitputte. Dit was de gelegenheid waarop de gedachtenlezer had gehoopt; in deze toestand van geestelijke uitputting zouden de duistere diepten van de geest van de viervoudige moordenaar toegankelijk voor hem worden.

'Hij heeft me telepathisch onthuld waar het geweer verborgen ligt,' zei Langsner even later tegen agent Olsen. Met die woorden maakte hij een schets van de juiste plek: onder een paar struiken, niet ver van de boerderij van Booher.

Agent Olsen, inspecteur Hancock en Langsner haastten zich naar de bewuste plek, die de telepaat ogenblikkelijk herkende als de locatie die hij voor zijn 'geestesoog' had gezien. Hij rende voor de andere twee mannen uit, liet zich bij de struiken op zijn knieën vallen en begon de aarde met zijn blote handen weg te graven. Algauw kwam het moordwapen aan het licht.

Toen Vernon met dit bewijs werd geconfronteerd, bekende hij prompt schuld aan de vier moorden en werd tot de strop veroordeeld.

Hoewel telepathie door de Canadese Mounties geen gebruikelijk instrument voor opsporingsdoeleinden was, besloot inspecteur Hancock niettemin om de rol die Langsner bij de oplossing van deze zaak had gespeeld openbaar te maken. Hij gaf een aantal journalisten een uiteenzetting van de feiten en liet plichtsgetrouw in het dossier van de Royal Canadian Mounted Police aantekenen hoe een telepaat de gedachten van een viervoudige moordenaar had gelezen om zo het bewijs van zijn schuld te vinden.

Arthur Price Roberts: de telepathische detective

Arthur Price 'Doc' Roberts was in 1866 geboren in Wales en gaf er al als kind blijk van over bijzondere gaven te beschikken. In zijn jonge jaren gebruikte hij zijn vermogen tot buitenzintuiglijke waarneming om verloren voorwerpen en vermiste personen op te sporen. Als volwassen man werd hij een paranormaal begaafd privé-detective, die zowel particulieren als de politie hielp moeilijk op te lossen mysteries te ontrafelen.

Zo verdween bijvoorbeeld Duncan McGregor, een inwoner van het stadje Pestigo in Wisconsin, in juli 1905 zonder een spoor achter te laten. Maanden later wendde zijn wanhopige echtgenote zich tot Doc Roberts om hulp. Doc kon niet meteen een mentale impressie ontvangen, waarop hij zichzelf in trance bracht en mevrouw McGregor kort daarna moest zeggen dat haar echtgenoot was vermoord; bovendien kon hij precies zeggen waar zijn lijk zou worden gevonden. De politie volgde Docs instructies op en vond de vermoorde man op de plek waar hij volgens Roberts moest zijn – in de rivier de Menominee, waar zijn kleding aan een onder water gezonken boomstam was blijven haken.

Doc loste ook het raadselachtige geval op van de verdwenen broer van de rijke zakenman J.D. Leroy uit Chicago. Uw broer is vermoord, vertelde Roberts aan Leroy. Volgens de impressie die hij had ontvangen, bevond het lijk zich in een bepaald deel van de Devil's Canyon in New Mexico. Het slachtoffer werd inderdaad in de Duivelskloof gevonden, op slechts 200 meter van de plek die Doc Roberts gedetailleerd had beschreven.

Toen Doc Roberts eens in het Fond du Lac Hotel logeerde, werd hij benaderd door de plaatselijke politie, die zijn hulp inriep voor het oplossen van een moord die al twee jaar lang onopgelost was gebleven. De paragnost sloot zijn ogen en 'zag' het slachtoffer van de moord voor zich, zodat hij hem accuraat kon beschrijven. De volgende dag verzocht hij de agenten hem foto's te laten zien van bekende criminelen. Toen hij de politiefoto's een voor een bekeek, hield hij plotseling op en zei: 'Deze hier is de moordenaar, heren! U zult hem vinden in British Columbia, waar hij bij de Canadese Mounties dient!' Zoals meestal bleek Docs via BZW verworven kennis ook in dit geval juist te zijn.

Roberts kon niet alleen via BZW kennis verwerven over gebeurtenissen uit het verleden, maar bovendien van gebeurtenissen die nog in de schoot van de toekomst verborgen waren. Volgens de *Milwaukee News* deed Doc op 18 oktober 1935 enkele verbazingwekkende voorspellingen. Hij waarschuwde de politie van Milwaukee dat zij op haar hoede moest zijn voor bomaanslagen. 'Ik zie twee banken de lucht in gaan, en misschien ook het stadhuis. Er zullen politiebureaus worden opgeblazen. Dan komt er nog een zware bomaanslag ten zuiden van de rivier (de Menominee), maar dan is het voorbij!'

Acht dagen later explodeerde er dynamiet in City Hall, waarbij twee kinderen werden gedood en een groot aantal andere mensen gewond raakte. Een dag later ontploften er bommen in twee bankgebouwen in Milwaukee en werden er bovendien enkele politiebureaus opgeblazen.

Rechercheur English van de gemeentepolitie van Milwaukee wendde zich tot Doc Roberts, om hem te vragen of hij kon zeggen wie er achter al dit geweld zaten en waarom. 'Op zondag vier november komt er nog één zware explosie ten zuiden van de Menominee. Dan is het afgelopen!' voorspelde Doc.

Inderdaad deed er zich op 4 november een zware explosie voor, die Milwaukee op zijn grondvesten liet schudden en zó luid was dat ze op een afstand van elf kilometer werd gehoord. Zoals Doc al had voorspeld, was dit de laatste explosie – want de politie vond te midden van het puin de aan flarden gerukte lichamen van de daders: de eenentwintigjarige Hugh Rutkowski en zijn negentienjarige vriend Paul Chovonee. Het tweetal had per ongeluk zichzelf opgeblazen, bij hun zoveelste poging een gebouw op te blazen en zo de stad te terroriseren.

Arthur Price 'Doc' Roberts deed een van zijn laatste voorspellingen tijdens een diner dat ter ere van hemzelf werd gegeven. Het was november 1939 en de toen drieënzeventigjarige paranormale detective bedankte zijn vrienden voor hun komst naar deze bijeenkomst. 'Ik vrees dat ik bij de volgende niet meer zelf aanwezig zal kunnen zijn. Ik zou graag nog wat willen blijven, maar na de 2de januari 1940 zal ik niet meer in jullie midden zijn.'

Ook nu had Doc het gelijk aan zijn zijde. Op 2 januari 1940 overleed hij in zijn huis in Milwaukee.

Gladstones gave

Het was een kille decembernacht van het jaar 1932 toen Mountie Carey van de Canadese bereden politie in zijn vrije tijd besloot een bezoek te brengen aan een theatertje in Beechy, in de provincie Saskatchewan, om zich wat te verpozen. Een lange, knappe man die zichzelf 'professor Gladstone' noemde, stond op het podium teneinde een demonstratie te geven van zijn vermogen tot het lezen van andermans gedachten.

Agent Carey moest even hard lachen als de rest van het publiek toen enkele gehypnotiseerde vrijwilligers later op instructie van Gladstone de vreemdste capriolen uithaalden. De stemming in de zaal sloeg echter radicaal om toen de 'mentalist' zich tegenover de veeboer Bill Taylor posteerde en uitriep: 'Ik weet het! U denkt aan uw vriend Scotty McLauchlin, een man die op wrede manier is vermoord!'

Daarna wees hij naar agent Carey. 'Daar zit de man die u moet hebben. Hij is degene die het lijk zal vinden,' riep Gladstone uit. 'En ik zal erbij zijn als dat gebeurt!'

De Mountie wist dat Scotty McLauchlin vier jaar eerder onder geheimzinnige omstandigheden spoorloos was verdwenen. Het geval was nooit opgelost. Carey benaderde de mentalist op persoonlijke titel en vroeg hem hoe hij wist wat er met McLauchlin was gebeurd. Gladstone kon hem alleen maar uitleggen dat hij van binnen 'voelde' dat Scotty was vermoord.

Rechercheur Jack Woods van het Criminal Investigation Bureau in Saskatoon besloot deze professor Gladstone wat nader aan de tand te voelen. Gladstone verzekerde hem dat hij niet wist *wie* Scotty had vermoord, maar hij was er zeker van dat hij de moordenaar zou herkennen zodra hij hem zag.

De twee politiemannen en de mentalist begonnen aan een reeks bezoeken aan mensen die Scotty McLauchlin vóór zijn verdwijning op 16 januari 1929 hadden gekend. Zo bezochten ze ook het huis van een zekere Ed Vogel en verhoorden hem scherp, want getuigen hadden verklaard dat ze hem bedreigingen aan het adres van Scotty hadden horen uitspreken. Vogel ontstak in woede en snauwde de mannen toe dat het hele verhaal 'één grote leugen' was.

Plotseling wees Gladstone naar Vogel en begon haarfijn te vertellen wat er op de bewuste avond was gebeurd. 'U lag ziek te bed. Schumacher (een kennis van hem) stormde bij u naar binnen om u te vertellen dat hij ruzie had gehad met McLauchlin. En hij zwoer dat hij die vervloekte Scotty zou vermoorden,' zei de mentalist.

Vogel werd krijtwit en gaf nu toe dat Gladstone het bij het juiste eind had.

De politiemannen reden naar Schumachers boerderij, maar Gladstone verzocht hun het wat kalmer aan te doen. Hij zei dat hij 'iets smerigs' rook en voegde eraan toe dat het lijk van Scotty McLauchlin ergens in de buurt moest liggen.

De beide politiemannen hadden Schumacher spoedig gevonden en namen hem mee terug naar de stad voor verhoor. De verdachte hield vol dat hij en Scotty – die zijn vennoot op de boerderij was geweest – het altijd uitstekend met elkaar hadden kunnen vinden. Toen de vermiste man had aangekondigd dat hij naar elders wilde vertrekken, had hij, Schumacher, zijn aandeel in de boerderij van hem gekocht.

Gladstone kreeg echter paranormale indrukken door die hem zeiden dat de man loog. 'Bij de schuur!' riep hij plotseling uit. 'Nu kan ik u zeggen hoe u het hebt gedaan! Scotty liep het huis uit... U ging hem achterna. U lokte een ruzie met hem uit... het kwam tot een handgemeen!... Scotty viel... Maar u bleef maar op hem inbeuken, totdat u zeker wist dat hij dood was! En daarna hebt u zijn lijk bij de schuur onder stinkende troep verborgen!'

Schumacher ontkende in alle toonaarden. De volgende dag brachten de beide politiemannen, Woods en Carey, in gezelschap van Gladstone de verdachte terug naar zijn boerderij. Ze zetten meteen koers naar de schuur, waar Gladstone bij een bevroren mesthoop bleef staan en aankondigde: 'Scotty McLauchlin is hieronder begraven, heren.'

Het lijk van de vier jaar geleden spoorloos verdwenen man werd opgegraven en Schumacher ging door de knieën: hij bekende dat de moord precies zo in zijn werk was gegaan als 'professor' Gladstone voor zijn geestesoog had gezien.

Het sprekende potlood

De overlevering wil dat de legendarische Engelse koning Arthur alsmede zijn koningin Guinevere in de crypte van de wereldberoemde abdij van Glastonbury zijn bijgezet. En er zijn zelfs mensen die beweren dat Jezus omstreeks 27 n.Chr. een bezoek aan deze plaats zou hebben gebracht.

Ondanks de grote historische betekenis van de oude abdij liet koning Hendrik VIII – na zijn breuk met Rome in het jaar 1534 – de bibliotheek van de abdij leegplunderen en de gebouwen met buskruit opblazen. Bijna vier eeuwen later was dit oord – door sommigen als de 'heiligste plaats in het Verenigd Koninkrijk' beschouwd – niets meer dan een chaotische verzameling afbrokkelende ruïnes.

In 1907 begon de architect en archeoloog Frederick Bligh-Bond ter plaatse opgravingen te verrichten. Op een gegeven moment was hij op zoek naar twee reeds lang geleden verdwenen kapellen, die in kronieken van en over de abdij zijn beschreven: een aan de martelaar koning Edgar gewijde kapel, en een kapel die aan Onze-Lieve-Vrouw van Loretto was gewijd. Het merkwaardige was dat Bligh-Bond in zijn in 1933 verschenen boek *The Gate of Remembrance* opmerkte dat zijn belangrijkste aanwijzingen voor de juiste locaties om opgravingen te doen afkomstig waren uit een wel zeer onverwachte bron: een 'sprekend' potlood.

Van zijn goede vriend Bartlett, kapitein bij het Engelse leger, hoorde Bligh-Bond voor het eerst iets over 'automatisch schrijven', een methode voor het ontvangen van paranormale boodschappen uit een andere dimensie (tegenwoordig zouden we van 'spirituele communicatie' of *channeling* spreken, vert.). Bligh-Bond werd zó nieuwsgierig naar dit fenomeen dat hij besloot het zelf eens te proberen. Hij nam een potlood licht in de vingers, ontspande en concentreerde zich en vroeg: 'Kunt u ons iets over Glastonbury vertellen?'

Na nog enkele vragen kwam het potlood uit zichzelf in beweging en begon het – in oud Latijn – bijzonderheden van de Edgar-kapel te beschrijven. Er ontstond een nauwkeurige beschrijving van het ontwerp van de kapel. Hierop volgde een plattegrond van de abdij in vroeger eeuwen waarop de kapellen stonden aangegeven die Bligh-Bond probeerde te vinden.

Een ontlichaamde entiteit die zichzelf 'broeder Gulielmus' noemde en schreef dat hij een van de monniken in de abdij was geweest, maakte Bligh-Bond duidelijk dat de Edgar-kapel zich over een lengte van dertig meter naar het oosten had uitgestrekt en vensters van blauw glas had gehad. Aan de hand van de door het 'sprekende potlood' gegeven aanwijzingen ontdekten Bligh-Bonds arbeiders al spoedig de ruïnes van de desbetreffende kapel, met inbegrip van scherven blauw glas.

Toen de archeoloog op dezelfde manier informatie probeerde te krijgen over de juiste locatie van de Loretto-kapel ontving hij deze keer een boodschap in Engels uit de 16de eeuw. De boodschap luidde dat Bligh-Bond deze ruïne in de harde aardheuvel aan de noordzijde van de abdij zou vinden. Er was echter nog maar één muur van overgebleven, vervolgde de onzichtbare briefschrijver, omdat plunderaars de rest van de kloostermoppen hadden weggehaald om ermee te bouwen. Ook nu bewezen opgravingen op de aangewezen locatie dat het 'sprekende potlood' het bij het juiste eind had.

Andere ontlichaamde entiteiten – onder wie een entiteit die zichzelf Johannes Bryant noemde en schreef dat hij in 1533 was 'overgegaan' – leverden Bligh-Bond nog meer historische bijzonderheden over Glastonbury. Een andere geest, die schreef dat hij 'Awfwold ye Saxon' heette, gaf Bligh-Bond de raad om op een bepaalde locatie te gaan graven, omdat hij daar de resten van een oeroude plaggenhut zou aantreffen, die Awfwold ye Saxon er eigenhandig had gebouwd, en wel duizend jaar vóór de bouw van de abdij. De archeoloog volgde ook deze instructies op en opnieuw werd de voorspelde vondst inderdaad gedaan.

Een decennium lang hielden Bligh-Bond en zijn vriend Bartlett een kroniek bij van de informatie die zij via automatisch schrijven ontvingen – boodschappen die zulke precieze aanwijzingen gaven voor de locaties waar de archeologen het beste konden graven dat ze vaak op enkele millimeters nauwkeurig bleken te kloppen.

Revolutionaire voorspellingen

De Franse hertogin de Gramont maakte in de zomer van 1788 plannen voor een sprankelend tuinfeest. Tot de geestige en briljante genodigden behoorden de altijd rondborstig voor zijn mening uitkomende atheïst Jean La Harpe en een excentrieke dichter die Jacques Cazotte heette. Toen Cazotte plotseling op dramatische manier begon te profeteren, schreef La Harpe zijn voorspellingen op. La Harpe was een onverbeterlijk scepticus ten aanzien van bovennatuurlijke dingen en hij was ervan overtuigd dat hij Cazottes voorspellingen zou kunnen benutten om de goedgelovigen eens flink op hun nummer te zetten. Hij was voorbestemd om dit materiaal inderdaad te gebruiken – zij het op een heel andere manier dan hij had kunnen dromen.

Cazottes voorspellingen begonnen kort nadat Guillaume des Malesherbes, een minister van Lodewijk de XIV, had uitgeroepen: 'Een heildronk op de dag waarop de rede in menselijke aangelegenheden zal triomferen, ook al zal ik die dag nooit met eigen ogen aanschouwen!'

Cazotte haastte zich naar de minister. 'Dat hebt u mis, excellentie!' riep hij uit. 'U zult namelijk wèl die dag aanschouwen, want hij breekt binnen zes jaar aan!'

Daarna richtte Cazotte zijn blik op de markies de Condorcet en voegde hem toe: 'U, mijnheer, zult de beul te snel af zijn, door gif in te nemen!'

De profeet dwaalde verder door de menigte gasten en bleef staan bij Chamfort, de gunsteling van de koning, om hem te voorspellen dat hij zichzelf met een scheermes tweeëntwintig keer in de polsen zou snijden. 'Maar u zult er niet aan bezwijken,' zei Cazotte. 'U zult daarna nog een lang leven leiden.'

De voorspellingen werden steeds gruwelijker: zo vertelde hij de vermaarde astronoom Bailly dat hij door een woedende menigte zou worden gelyncht.

Guillaume des Malesherbes probeerde de stemming van de avond weer wat op te vijzelen. Hij maakte een buiging voor de dichter en vroeg met gespeelde eerbied: 'Kunt u wellicht ook een eind maken aan mijn ademloze bezorgdheid omtrent mijn eigen lot?'

'Excellentie, tot mijn spijt moet ik u zeggen,' antwoordde Cazotte, 'dat uw lot het tegendeel zal zijn van dat wat uw vriend Chamfort te wachten staat. Ook u zult sterven ten aanschouwe ende vermaack van het gepeupel.'

De scepticus Jean La Harpe had nu zijn bekomst van al deze hocuspocus. 'En hoe staat het met mij, mijnheer?' vroeg hij op sarcastische toon. 'U doet mij onrecht door mijn nek zo te verwaarlozen. Ik smeek u mij toe te staan mij aan te sluiten bij mijn vrienden, opdat wij te zamen dit gepeupel kunnen trotseren! Ongetwijfeld zult u mij toch de vervulling van deze laatste wens niet willen onthouden, wat ik u bidden mag?'

Iedereen wist dat de atheïst en de dichter elkaar niet konden luchten of zien, dus vonden de overige gasten van de hertogin deze dialoog zeer vermakelijk. Er kon echter geen glimlachje af bij Cazotte.

'M'sieur La Harpe,' antwoordde hij, 'u zult aan de bijl van de beul ontkomen – en wel om een vroom christen te worden!'

De feestgangers bulderden nu van het lachen. De hertogin wilde de herboren feeststemming er graag in houden en pruilend vroeg ze aan Cazotte waarom toekomstige beulen erop uit schenen te zijn dames te ontzien.

De dichterlijke profeet omklemde de handen van zijn gastvrouw. 'Helaas, mijn goede vriendin, de beulen hebben een geringe dunk van de dames, zelfs van de voornaamste en voortreffelijkste onder hen,' sprak hij treurig. 'Er komt een dag waarop het noodlottig zal zijn als aristocraat te zijn geboren. U zult sterven, net als de koning zelf, nadat ze u in een houthakkerskar naar het schavot hebben gereden!'

Vijf jaar later gingen de 'onmogelijke' voorspellingen van Jacques Cazotte gedurende de Franse Revolutie zonder uitzondering in vervulling. En Jean La Harpe's ooggetuigeverslag van de voorspellingen van de profeet werd per testament vermaakt aan het klooster waarin hij zich had teruggetrokken om een vroom christen te worden, precies zoals Cazotte had voorzegd.

Droomvertaling

De in 1857 uit arme ouders in het Engelse graafschap Cornwall geboren E.A. Wallis Budge scheen weinig kans te maken om zelfs maar elementair onderwijs te krijgen, laat staan zich te ontwikkelen tot de meest vooraanstaande linguïst van zijn tijd. Dank zij zijn uitzonderlijke 'knobbel' voor oosterse talen en een raadselachtige droom werden beide onwaarschijnlijkheden tòch werkelijkheid.

De toenmalige premier William Gladstone, zelf een meester in de klassieke talen, hoorde van de grote gaven van de inmiddels eenentwintigjarige Wallis Budge op dit gebied en hij zorgde ervoor dat de ijverige jongeman op kosten van de overheid aan Christ's College in Cambridge kon gaan studeren.

Wallis Budge wist dat hij, als hij verder wilde studeren, moest zorgen dat hij een beurs kreeg. Om die reden besloot hij in te schrijven voor een wedstrijd die door een van de grootste in leven zijnde experts in oude talen, prof. Sayce, zou worden gejureerd. Iedere student die wilde meedingen naar de beurs zou op vier uiterst moeilijke vragen uitvoerig antwoord moeten geven.

Aan de vooravond van deze gewichtige krachtmeting merkte Wallis Budge dat hij zó hard had geblokt dat zijn geest weigerde nog iets op te nemen. Hij was lichamelijk en geestelijk doodop en viel spoedig in slaap. Die nacht had hij een uitzonderlijke droom.

In die vreemde droom legde Wallis Budge het geduchte examen af, maar niet in een collegezaal. In plaats daarvan scheen hij zich in een schuur te bevinden. Er kwam een surveillant binnen die hem de examenpapieren overhandigde. Om de een of andere onnaspeurlijke reden waren de examenvragen op groen papier geschreven. Budge had weinig moeite met het eerste deel van de test, maar toen hij voor de opgave werd gesteld een complexe spijkerschrifttekst uit Assyrië en Accadië te vertalen, sloeg de schrik hem zó om het hart dat hij wakker schrok.

Hij dommelde weer in en dezelfde droom kwam terug – wat daarna opnieuw zou gebeuren. Uiteindelijk stond hij op en keek op de klok. Het was net twee uur geweest. In plaats van weer naar bed te gaan, boog Wallis Budge zich over het boek *Cuneiform Inscriptions of Western Asia* ('Spijkerschriftinscripties uit West-Azië') van de linguïst Rawlinson. Hij had de stellige indruk dat de moeilijke passages waarvan hij had gedroomd in dit leerboek voorkwamen. De rest van de nacht bleef hij over het boek gebogen.

De volgende ochtend meldde Wallis Budge zich stipt om negen uur bij de examenzaal, maar kreeg te horen dat die al tot op de laatste plaats was bezet. Hij werd naar een lokaal gebracht dat hij nog nooit had gezien. Niet alleen leek het op de schuur waarin hij zich in zijn droom had bevonden, maar bovendien herkende hij de tafel met de vele ingekerfde initialen en ook de morsige bovenlichten als details die hij in zijn droom had gezien.

De overeenkomsten hielden daarmee niet op. De surveillant die binnenstapte, was dezelfde als die van wie Wallis Budge had gedroomd. En hij overhandigde de jongeman examenvragen op *groen* papier – en algauw zag hij dat de te vertalen spijkerschriftteksten dezelfde waren als die waarop hij de afgelopen nacht naar aanleiding van zijn vreemde droom had zitten studeren.

Zoals een goede vriend van Wallis Budge later uit de doeken deed in zijn in 1926 verschenen autobiografie *The Days of My Life*, won Wallis Budge de vertaalwedstrijd met glans en werd hij een beroemd geleerde. Hij werd vooral vermaard vanwege zijn vertaling van *Het Egyptisch dodenboek*. Voor een man die in armoede geboren was, zodat hij nauwelijks op een dergelijke carrière had durven hopen, was dit zowel letterlijk als figuurlijk een in vervulling gegane droom.

De stelende slaapwandelaar

Een aan een plaatselijk dagblad verbonden verslaggever, D.O. Spencer uit het district Monroe in de Amerikaanse staat Indiana, begon zich in 1881 bezig te houden met telepathie. Hij besloot zich voortaan 'kolonel' Spencer te noemen en bouwde een show op waarin een beetje hypnose hand in hand ging met enkele slimme goocheltrucs, en ging ermee in de omgeving van de stad 'de boer op'. Spencer beweerde nooit van zichzelf dat hij echt over paranormale vermogens beschikte, maar op zekere dag ontdekte hij dat hij werkelijk iemands gedachten had kunnen lezen – en al doende een raadsel had opgelost. In een artikel in de *Indianapolis News* stond te lezen: 'En vanaf dat moment werd de heer Spencer als een soort tovenaar beschouwd!'

Spencer gaf een voorstelling in de aula van een school. Onder het publiek waren ook een zekere mevrouw Harmon en haar volwassen kinderen – drie dochters en een zoon. Het gezin stond bloot aan hevige spanningen en dreigde uiteen te vallen, omdat het spaargeld van de ouders, in totaal vierduizend dollar, een kapitaaltje dat op vijf verschillende plaatsen verborgen was geweest, spoorloos was verdwenen. Omdat alleen de gezinsleden wisten waar het geld was opgepot, was het zo klaar als een klontje dat een van hen de dief moest zijn. Maar wie?

John Harmon junior stond op en vroeg of 'kolonel' Spencer bereid was zijn bijzondere vermogens te gebruiken om dit raadsel op te lossen. Spencer had nooit eerder een dergelijk verzoek gehad en erkende haastig dat het voor hem een experiment was zich te wagen aan een poging om een misdrijf op te lossen. 'Ik zal het proberen, als u wilt,' antwoordde hij de Harmons, maar hij vergat niet eraan toe te voegen dat 'de geesten' tien procent vindersloon zouden verwachten als het geld inderdaad werd teruggevonden.

De volgende dag verdrong een menigte van wel driehonderd mensen zich om het huis en de tuin van de Harmons, in de hoop er getuige van te zijn hoe kolonel Spencer het mysterie van het verdwenen geld oploste. Toen de mentalist hun huiskamer binnenstapte, zaten mevrouw Harmon en haar dochters nerveus op hem te wachten. Nadat hij de menigte toeschouwers had gezegd dat hij stilte nodig had, begon Spencer de gezinsleden een voor een te hypnotiseren, waarna hij hem of haar vroeg hem te wijzen waar het geld lag.

Omdat Nancy Harmon begon te huilen, wendde Spencer zich tot haar zuster Rachel. De jonge vrouw raakte spoedig in trance, maar ze was zó lethargisch dat de kolonel zijn pogingen opgaf om iets van haar te weten te komen. Nu probeerde hij het bij Rhoda. Ook zij was algauw in een diepe trance.

'Je gaat nu regelrecht naar de plaats waar het geld verborgen is,' beval hij. 'Je loopt langzaam achter mij aan en geeft mij aanwijzingen om regelrecht naar de bergplaats met het geld te gaan. Als ik verkeerd loop, hou je mij tegen. En nu – òp naar het geld!'

Met zijn hand op het hoofd van het meisje begon Spencer langzaam achteruit te lopen. Het meisje leidde hem naar een grote maïskrib van houten balken, op ongeveer honderd meter van een schuur.'

'Hier graven, mannen,' zei Spencer tegen de menigte. 'Dit is de plek!'

In een ondiep gat onder de krib werd een pak vergeeld krantepapier gevonden. Het verdwenen geld bevond zich in het pak.

Zodra Rhoda uit haar trance was gehaald en het teruggevonden spaargeld zag, viel ze flauw. Kolonel Spencer vermoedde dat de jonge vrouw het geld had weggenomen als ze slaapwandelde en zich daarom niets van haar 'misdrijf' kon herinneren.

Spencer veranderde van gedachten over de 'tien procent vindersloon voor de geesten'. Bovendien kwam hij na de Harmon-affaire tot de conclusie dat hij niet langer als mentalist door het leven wilde gaan en staakte zijn voorstellingen. Sommigen vermoeden dat hij wellicht had ingezien dat er geestvermogens waren waarvan hij weinig begreep en waarmee hij zich beter niet kon inlaten.

Paranormale pil

Volgens de Britse parapsychologe Serena Roney-Dougal komt er een dag waarop mensen een pilletje kunnen slikken dat hun paranormale vermogens versterkt, waarna zij in staat zullen zijn telepathisch met elkaar te communiceren of een blik in de toekomst te slaan. Hoewel dit als het scenario voor een sf-film klinkt, wijst Roney-Dougal erop dat het middel vermoedelijk al bestaat: harmaline, gewonnen uit een plant van het geslacht *Banisteriopsis*, die in de regenwouden van de Amazone groeit.

Zogeheten 'primitieve' volken die dit middel al sinds mensenheugenis hebben gebruikt om mystieke bewustzijnstoestanden op te wekken, geloven dat de pijnappelklier of *epifyse** de zetel is van paranormale vermogens, betoogt dr. Roney-Dougal. Bovendien lijkt de stof harmaline zeer sterk op een door de epifyse uitgescheiden stuurhormoon. De parapsychologe vermoedt echter dat harmaline op de een of andere manier de paranormale vermogens versterkt door de pijnappelklier te stimuleren, in combinatie met de synthese van melatonine.

'Al deze factoren lijken erop te wijzen dat de pijnappelklier op de een of andere wijze een rol speelt bij de ontwikkeling van paranormale vermogens, mogelijk als een orgaan dat een voor BZW gunstige bewustzijnstoestand bewerkstelligt,' legt dr. Roney-Dougal uit.

Zij meent dat harmaline – dat zij als een experimenteel middel beschouwt – ten behoeve van het parapsychologisch onderzoek zou moeten

* *Epifyse*: een pegelvormig orgaantje met een doorsnede van circa een halve centimeter en een lengte van circa 12 millimeter aan de bovenzijde van de middenhersenen waarvan de functie nog onzeker is. Vermoedelijk heeft het door de 'pijnappelklier' uitgescheiden stuurhormoon *melatonine* tot taak de produktie van geslachtshormonen te remmen.(Vert.)

worden vrijgegeven. Dan kunnen proefpersonen na een dosis van dit middel te hebben ingenomen worden getest op 'paranormale' vermogens. Als de resultaten van dit onderzoek positief uitvallen, zouden er volgens haar nog meer oude procédés voor het activeren van de pijnappelklier moeten worden uitgeprobeerd, met het doel de BZW-vermogens van mensen te versterken.

'Er is grote behoefte,' besluit dr. Roney-Dougal, 'aan experimenteel onderzoek ter verificatie van het antropologisch bewijsmateriaal.'

Waterapen

De aapachtige voorouders (of verwanten) van de mens hebben niet allemaal in bomen geleefd. Sommige antropoïden hebben 3,5-9 miljoen jaar geleden in zee geleefd. Deze hypothese – door de Britse auteur Elaine Morgan uiteengezet in haar boek *The Aquatic Ape* – zou ons verklaren waarom het menselijk lichaam bepaalde aanpassingen bezit die bij geen enkel ander landzoogdier worden aangetroffen.

Mevrouw Morgan betoogt dat deze antropoïden of 'ontbrekende schakels in de evolutieketen' uit de oceaan kwamen om weer op het land te gaan leven, 'naakt' waren, in vergelijking met andere apen. Dit verlies van lichaamsbeharing wordt gewoonlijk toegeschreven aan de zinderende hitte op de open savannes. Maar als dat werkelijk zo was, zegt Elaine Morgan, zouden verscheurende dieren als de leeuw en de hyena ook geen vacht hebben gehad!

De mens heeft zijn lichaamsbeharing verloren, zo redeneert zij, om dezelfde redenen als dat bij walvissen, dolfijnen en bruinvissen is gebeurd: 'Omdat een tamelijk groot waterzoogdier in het water zijn lichaamstemperatuur op peil moet houden, heeft het meer aan een onderhuidse laag vet dan aan een vacht op de huid.'

Zij voegt eraan toe dat onze wateraapachtige voorouders gedurende miljoenen jaren van zwemmen lange en sterke 'achterpoten' ontwikkelden die uitstekend geschikt waren om rechtop te lopen. Bovendien leerden zij uit onverbiddelijke noodzaak met elkaar te communiceren door middel van de spraak, omdat het in het water moeilijk is via oogcontact en gezichtsuitdrukkingen te communiceren.

Mevrouw Morgan maakt ons bovendien nog op iets anders attent, namelijk dat mensen de enige primaten zijn die kunnen huilen, een eigenschap die zij gemeen hebben met zeerobben en andere zeezoogdieren. 'Als we de mens als een landdier zien, is hij uniek en onverklaarbaar,' luidt haar conclusie. 'Ik zie hem als een voormalig waterzoogdier, aangezien hij aan het algemene patroon voldoet.'

De boemerang-UFO

In de periode van 17 tot en met 31 maart van het jaar 1983 waren honderden inwoners van het district Westchester in de staat New York getuige van het langs de hemel zigzaggen van een vliegend object dat de vorm had van een boemerang, geluidloos boven hun hoofden zweefde en oogverblindende stralen van wit licht uitzond. Deze vele ooggetuigeverslagen waren uitzonderlijk, zo legt J. Allen Hynek, directeur van het Centrum voor UFO-onderzoek in Evanston, Illinois, uit, omdat de meeste UFO-waarnemingen op zichzelf staande incidenten zijn. 'Deze UFO werd echter in de loop van twee weken op verschillende dagen boven een stedelijk gebied waargenomen, en wel door ooggetuigen die tot alle lagen van de samenleving behoorden.'

De meteoroloog Bill Hele was de eerste die de merkwaardige V-vormige UFO met rijen veelkleurige lichtjes opmerkte toen hij in zuidelijke richting over de Taconic State Parkway reed. Hij zag de lichtjes heel even uitvallen, maar daarna floepten ze weer aan – en nu waren het pulserende groene lichten geworden. Bill Hele rapporteerde dat het toestel – dat gedurende twee tot drie minuten op een hoogte van ongeveer 300 meter stil boven het aardoppervlak bleef hangen alvorens in noordelijke richting weg te zweven tot het uit het zicht was – een totale breedte van naar schatting 900 meter had.

Binnen enkele dagen begonnen er vele andere waarnemingen binnen te stromen, waarop het Centrum voor UFO-onderzoek een onderzoek op touw zette, onder leiding van de natuurkundeleraar George Lesnick en Hynek zelf. Het tweetal ondervroeg een groot aantal ooggetuigen – dokters, verpleegsters, advocaten, zakenlieden, huisvrouwen en een groep stakende employés van de Metro-North. Met behulp van een computer (een Apple II) werd de samenhang tussen al deze waarnemingen aan het licht gebracht. Het resultaat? Alle beschrijvingen van de desbetreffende UFO kwamen grotendeels overeen met die van Bill Hele.

De onderzoekers stuitten echter ook op vreemde tegenstrijdigheden. Er waren waarnemingen gedaan op plaatsen die op vele kilometers afstand van elkaar waren gelegen – was het mogelijk dat er meer dan één UFO was waargenomen? Het vergaarde bewijsmateriaal leek dat vermoeden te wettigen. Daarentegen wezen honderden UFO-waarnemingen, die een maand na die in Westchester op vijf plaatsen in Connecticut werden gedaan, op de mogelijkheid van een practical joke: de ooggetuigen in Connecticut hadden motorengeronk gehoord en manoeuvres gezien die heel goed door een groep in formatie vliegende kleine vliegtuigen konden zijn uitgevoerd.

De onderzoekers kwamen tot de slotsom dat deze laatste waarnemingen sterk verschilden van de vermoedelijk authentieke waarnemingen van een boemerangvormige UFO boven Westchester, New York. Hynek wees erop dat eenmotorige toestellen niet geluidloos op één plek kunnen blijven zweven, noch plotseling in een hoek van negentig graden van koers kunnen veranderen en dat ze bovendien geen oogverblindende lichtbundels uitzenden.

De smaak van diepvriesmammoet

De geleerden gaan ervan uit dat de mammoet, de grote, behaarde voorouder van de hedendaagse olifant, al vele duizenden jaren geleden is uitgestorven. Toch zijn er zowel toeristen als wetenschappelijk onderzoekers in Siberië geweest die daar het vlees van de enorme *pachydermen* (dikhuiden) hebben geproefd. Nadat het op zijn minst 12.000 jaar ingevroren was geweest, werd het gebraden of geroosterd om door hedendaagse mensen te worden geconsumeerd.

Het gerucht wil dat enkele Russische wetenschappers zo nu en dan bijeenkomen voor een 'mammoet-feestmaal'. Russische wegenbouwers in Siberië kregen het eens flink aan de stok met een team van paleontologen, omdat zij hun honden mammoetvlees voerden.

De geoloog Robert M. Thorson van de Universiteit van Alaska in Fairbanks heeft zelf nog nooit mammoetvlees geproefd, hoewel hij hard bezig is een van deze gedeeltelijk geconserveerde dieren uit te graven. Wel heeft hij de smaak van dertigduizend jaar geleden ingevroren bizonvlees gekeurd. 'Het stukje dat ik heb geproefd, smaakte niet best,' merkte hij op. Collega's van Thorson, die wèl mammoetvlees hebben gegeten, zeiden dat ook dàt vlees niet bepaald smakelijk was – ook al was er niemand ziek geworden van de prehistorische biefstuk.

Wellicht zal er in de toekomst meer mammoetvlees worden gegeten, en niet alleen uit de diepvries van Siberië. Op een recent symposium over de aard van mammoetweefsels in Helsinki opperden enkele onderzoekers dat er wellicht in de afgelegen bossen van Siberië nog mammoets leven. En het kon natuurlijk niet uitblijven: de zoöloog Nikolai Veresjtsjagin heeft voorgesteld de bevroren cellen van een mammoet te gebruiken voor het klonen van nieuwe mammoetkudden.

UFO's en veranderde bewustzijnstoestanden

Lorraine Davis, als onderzoekster verbonden aan de John F. Kennedy-universiteit in Orinda, Californië, heeft uitgebreid onderzoek op het gebied van veranderde bewustzijnstoestanden gedaan. Zij zegt nu dat ze in staat is aan te tonen dat er voor UFO-waarnemingen een verklaring mogelijk is die tot nu toe over het hoofd werd gezien. In plaats van ruimteschepen uit andere zonnestelsels kan het heel goed een paranormaal verschijnsel zijn dat sterk verwant is aan de heldere lichten die veel mensen kort voor hun dood zeggen te zien, of waarvan melding wordt gemaakt in bijna-dood-ervaringen (BDE's), betoogt Lorraine Davis.

Ze kwam op dit idee tijdens het bijwonen van een seminar over BDE's, geleid door de aan de Universiteit van Connecticut verbonden psycholoog Kenneth Ring. Davis wees op opvallende overeenkomsten tussen enerzijds de tijdens een BDE optredende veranderde bewustzijnstoestand – zoals die kan worden afgeleid uit de beschrijvingen van mensen die deze ervaring hebben opgedaan en waarin vaak sprake is van een welhaast oogverblindend licht en het waarnemen van overleden vrienden en verwanten – en anderzijds de ervaringstoestand van mensen die zeggen contact te hebben gehad met de inzittenden van UFO's. Lorraine Davis gebruikte een door Kenneth Ring opgesteld BDE-vragenformulier om 261 mensen te ondervragen die zeiden dat zij contact hadden gehad met een UFO.

Bij het analyseren van de 93 ingevulde formulieren die zij terugkreeg, ontdekte Davis een opmerkelijk patroon. Net zoals mensen die – na klinisch dood te zijn geweest – zeggen dat zij drie ingrijpende veranderingen hebben ondergaan, zeiden ook degenen die beweerden contact te gehad met UFO-inzittenden dat hun leven in drie opzichten ingrijpend was veranderd. Hun houding tegenover zichzelf en anderen was minder egocentrisch geworden en hun persoonlijke opvattingen op godsdienstig gebied, die vaak sektarisch of atheïstisch waren geweest, hadden plaats gemaakt voor een spiritualiteit van universele aard. (Met andere woorden: hun godsdienstige blik was aanmerkelijk breder en toleranter geworden.) Bovendien zeiden zij dikwijls dat hun paranormale vermogens – die meestal nauwelijks ontwikkeld waren geweest – aanzienlijk waren versterkt.

Lorraine Davis vermoedt dat UFO-waarnemingen en BDE's allebei voorbeelden zijn van veranderde bewustzijnstoestanden. Met dien verstande dat 'degenen die een UFO-ervaring hadden gehad door een eraan voorafgegane gebeurtenis in deze veranderde bewustzijnstoestand zijn beland', voegt zij eraan toe, 'terwijl degenen met een BDE zijn beïnvloed door het feit dat ze met één been in het graf stonden'.

Dit betekent echter niet, zo laat ze er met nadruk op volgen, dat de mensen die UFO's zien zich alleen maar iets hebben verbeeld.

'Als de UFO-ervaring in een veranderde bewustzijnstoestand wordt opgedaan, is het heel goed mogelijk dat zij gedurende enkele minuten een *concreet* toestel voor zich hebben gehad,' legt ze uit. 'Wie zal het zeggen? Het lijdt geen twijfel dat het mogelijk is in andere bewustzijnstoestanden concrete dingen te ervaren, en soms gebeurt dat zelfs met een groter realiteitsbesef dan het geval is met onze dagelijkse ervaringen.'

Een sigaarvormige UFO boven Mexico

Op 8 december 1981, ongeveer een uur voor zonsondergang, zag Dan Luscomb in de omgeving van Reserve, New Mexico, een enorm, sigaarvormig object langs de hemel zweven. Luscomb is eigenaar van het Whispering Pines Resort, een motel op tien kilometer ten zuiden van Reserve. Hij zei dat de UFO even groot was 'als vier reuze-Boeings aan elkaar'. Bovendien was hij ervan getuige geweest hoe een straaljager het vreemde object achtervolgde. 'Maar telkens als de straaljager in de buurt dreigde te komen, schoot die UFO een eind weg,' vertelt Luscomb.

J. Allen Hynek, directeur van het Centrum voor UFO-onderzoek in Evenston, Illinois, kwam via een artikel in de *El Paso Times* op de hoogte van Luscombs waarneming. Een paar maanden later, in april, besloot hij naar Reserve te gaan om daar persoonlijk de zaak te onderzoeken.

Hynek vond negen mensen die hem verzekerden dat ook zij het sigaarvormige object aan de hemel hadden gezien, ongeveer op hetzelfde moment als Luscomb. Lance Swapp, werknemer bij Jake's Grocery Store in het bij Reserve gelegen plaatsje Luna, zei dat hij tijdens de rit van zijn werk naar huis een helder licht aan de hemel had gezien. 'Toen ik thuiskwam, schreeuwde mijn broer me heel opgewonden toe dat ik naar boven moest kijken. Er zweefde een grote UFO boven onze hoofden en hij werd achtervolgd door een straaljager.'

Huisvrouw Alma Hobbs meldde dat zij een 'rode bol' van de grond had zien opstijgen toen ze op weg was naar Luscombs motel. Een paar seconden later had de bol zich om zijn as gedraaid en had ze gezien dat het object buisvormig was.

Hynek is ervan overtuigd dat wat deze ooggetuigen hebben gezien onmogelijk een raket kan zijn geweest – de motor zou een oorverdovend gebrul hebben laten horen, terwijl de UFO boven New Mexico geluidloos was. Ook is het volgens hem onwaarschijnlijk dat het een militair testvliegtuig betrof, 'omdat het met geen enkele bekende technologie mogelijk is een vliegtuig binnen enkele seconden een koerswijziging van negentig graden te laten maken, iets dat van dit object werd waargenomen. Die manoeuvre is in strijd met Newtons tweede mechanicawet over beweging'.

De verbazingwekkende voorspelling van Jules Verne

Als sf-auteurs toekomstige technologische en/of biologische ontwikkelingen voorspellen, zitten hun voorspellingen er vaak naast, maar zo nu en dan slaan ze met ongelooflijke trefzekerheid de spijker op de kop.

Jules Verne, de beroemde Franse schrijver van fascinerende sf-boeken als *Twintigduizend mijlen onder zee* en *Reis rond de wereld in tachtig dagen*, beschreef in de jaren zestig van de vorige eeuw het traject dat een maanraket zou volgen, na vanaf een basis aan de kust van Florida te zijn gelanceerd. Het ruimteschip zelf noemde hij *Nautilus*, en de tijd die de *Nautilus* in zijn boek nodig had om de maan te bereiken, was 73 uur en 10 minuten. Het is bijna ongelooflijk maar waar: de eerste maanraket – de *Apollo 11* – had 73 uur en tien minuten nodig om in de baan rondom de maan te komen vanwaar uit de maanlander naar de maan zou afdalen.

In een andere 'sprong in de tijd' voorspelde Jules Verne de afmetingen van een atoomonderzeeër die hij eveneens de naam *Nautilus* gaf, en wel 150 jaar voordat de eerste atoomonderzeeër werd gebouwd. Deze duikboot met kernreactor, die door de Amerikaanse marine als een blijk van respect voor Verne USS *Nautilus* werd gedoopt, was de eerste onderzeeër die onder de ijskap van de noordpool doorvoer en zijn naam schonk aan een hele klasse van atoomonderzeeërs.

Het Nostradamus-programma

Al ruim vijf eeuwen hebben veel zwoegende exegeten pogingen ondernomen om de raadselachtig gecodeerde voorspellingen van de astroloog, arts en mysticus Jean de Nostre Dame (Nostradamus; hij leefde van 1503 tot 1566 en was lijfarts van Karel IX) te ontsluieren. Hoewel Nostradamus een christen was die zei door God zelf te worden geïnspireerd, vreesde hij de toorn van de Inquisitie en verhulde hij zijn voorspellingen met behulp van alle mogelijke woordspelingen en andere kunstgrepen, zoals anagrammen en een methode die *afarese* heet – het weglaten van de beginletter of zelfs de beginlettergreep van een woord.

Zijn voorspellingen – ondergebracht in een boek met de titel *Centuriën** – zijn op wel vierhonderd verschillende manieren geïnterpreteerd, maar niemand was in staat Nostradamus' complexe codering te kraken voordat er een computer bij werd ingeschakeld. Jean Charles de Fontbrune, manager van een farmaceutisch bedrijf die het bestuderen van de *Centuriën* tot zijn grote hobby heeft gemaakt, voerde alle gegevens die hij in de loop der jaren zelf had verzameld in een computer in. Dit stelde hem in staat te bepalen hoe vaak Nostradamus bepaalde letters, woorden, zinsneden en andere linguïstische trucjes had toegepast. Het werd De Fontbrune al spoedig duidelijk dat Nostradamus oorspronkelijk de Latijnse syntaxis of opbouw van zinnen had gebruikt en deze rechtstreeks in het Frans had vertaald – een sleutel die De Fontbrune in staat stelde 600 van de 1100 kwatrijnen in de *Centuriën* te decoderen.

Hoewel hij al in 1980 een boek uitgaf waarin hij verslag deed van zijn bevindingen, baarde het boek nauwelijks opzien. Totdat iemand opmerkte dat De Fontbrune erop wees dat Nostradamus' omschrijving 'het jaar waarin de Roos bloeide' zou samenvallen met een islamitische opstand tegen het westen.

Omdat de roos het symbool was van de Franse socialistische partij, die aan de regering kwam in het jaar waarin ook ayatollah Khomeini aan de macht kwam en de Amerikaanse ambassade in Teheran door Iraanse 'studenten' werd bezet, begon het publiek zich plotseling af te vragen wat Nostradamus allemaal nog meer zou hebben voorspeld. De Fontbrunes lezers ontdekten dat Nostradamus zijn verbazingwekkende vermogens had benut om de dood van Hendrik II in een toernooi te voorspellen, alsmede de opkomst van Napoleon Bonaparte, het lot van Lodewijk XIV en Marie-Antoinette en zelfs het verjagen van de sjah van Perzië (het tegenwoordige Iran) door 'godsdienstfanaten'.

Volgens De Fontbrunes interpretatie van Nostradamus' kwatrijnen zal de islam nog voor het eind van deze eeuw het centrum van de rooms-katholieke kerk vernietigen en zullen de Arabische volken zich verenigen met de (voormalige?) Sovjetunie om West-Europa binnen te vallen.

* *Centuriën:* deze titel verwijst naar de indeling van de 1100 kwatrijnen in groepen van 100. (Vert.)

Parijs zal verdrinken in bloed en de wereld zal door een afschuwelijke oorlog worden geteisterd.* Al deze onthullingen baarden zoveel opzien dat naar verluidt nu al sommige Franse staatsburgers hun vaderland hebben verlaten.

Toekomstige levensvormen

De fysicus Freeman Dyson van het Instituut voor Voortgezet Onderzoek van de Princeton-universiteit in New Jersey zegt dat moleculair-biologen al een begin hebben gemaakt met de ontwikkeling van een technologie die nodig zal zijn om het leven op aarde 'opnieuw te ontwerpen'. Op een dag zullen sommige mensen via genenmanipulatie zodanig zijn veranderd dat zij ofwel in de ruimte of in 'onaardse' milieus kunnen leven zonder een ruimtepak met kunstmatige *life-support*-systemen te moeten dragen.

Hoe zullen deze mensen in de afzienbare toekomst eruitzien? Dyson zegt dat ze wellicht geen neus meer zullen hebben ('in de ruimte valt trouwens niets te ruiken') en ze zullen een luchtdichte, gepantserde krokodillehuid hebben om hun lichaam – dat een aanzienlijk verminderde inwendige druk zal hebben – te beschermen tegen kookverschijnselen, aangezien er geen atmosferische druk om hen heen is. Dyson voegt eraan toe dat andere genetisch veranderde mensen wellicht beschermd zullen zijn door een dikke laag isolerend bont of een warm verenpak, dat in de ijzige koude van het heelal goed van pas zal komen. Ook de neiging van botten om tijdens langdurige ruimtevluchten bij een zwaartekracht van nul uiteen te vallen, zou volgens Freeman Dyson te verhelpen zijn door de chemische balans van het lichaam te wijzigen.

Ruimtevaartpakken in het oude Japan

Tussen 7000 en 520 v.Chr. hebben Japanse kunstenaars kleine lemen beelden met een puntig hoofd, spleetjes in plaats van ogen en – een met een ingewikkeld patroon van strepen en punten overdekte – romp vervaardigd. Deze artefacten worden *dogu* genoemd en over het algemeen

* In 1980 wist De Fontbrune natuurlijk nog niets van de bloedige, wrede oorlog in het voormalige Joegoslavië, die de anti-westerse sentimenten in de islamitische landen sterk aanwakkert! (Vert.)

als belichamingen van de Japanse vruchtbaarheidsgoden beschouwd. Vaughn Greene, schrijver van het boek *Astronauts of Ancient Japan*, gelooft echter dat deze dogu exact datgene uitbeelden wat hun uiterlijk suggereert: *humanoïde* wezens in ruimtepak. In feite, zo betoogt hij, doen ze verbazingwekkend veel denken aan ruimtevaarders die de *Extravehicular Mobility Unit* (EMU) dragen, het ruimtepak dat de NASA liet ontwikkelen voor gebruik buiten het ruimteschip.

Greene vermoedt dat de boven- en onderkant van het ruimtepak van een dogu afzonderlijk werden aangetrokken, net als met de EMU gebeurt. Ook wijst hij erop dat de besturingsorganen van de EMU op dezelfde plaatsen zitten als de ronde 'knoppen' op een dogu-borst. De strepen rondom deze knoppen, oppert hij, zijn geen versieringen: integendeel, het zijn merktekens voor het signaleren van de hoeveelheid water of zuurstof die het ruimtepak aan de drager toevoert.

Raadselachtige katten en honden

De afgelopen 10-12 jaar heeft de publicist Michael Goss een onderzoek ingesteld naar de rapporten over geheimzinnige vleesetende dieren in het Verenigd Koninkrijk, die onveranderlijk als 'enorme katten of honden' worden omschreven.

Goss heeft zeventig van deze waarnemingen uit alle delen van de Britse eilanden onderzocht en gedocumenteerd. Nu eens wordt het dier omschreven als een taankleurige katachtige van drie meter lang – degenen die karkassen van door dit verscheurende dier verslonden dieren hebben gezien, zijn er beslist van overtuigd dat het dier katachtige eetgewoonten moet hebben – dan weer als een grote hond, zoals diverse ooggetuigen verzekeren, onder wie een buschauffeur en een groepje mariniers van de Royal Navy dat erop uit was gestuurd om het beest te doden dat in Stokenchurch bijna honderd schapen had doodgebeten.

Een van deze geheimzinnige roofdieren werd in de zomer van 1982 ten oosten van Londen in de zogeheten Fobbing Marshes gesignaleerd, aldus Goss. Een voorman van een waterleidingbedrijf, die op een middag aan het werk was bij een afgelegen drinkwaterreservoir, was door het dier opgeschrikt. Een paar dagen later zag een voorbijganger een vreemd dier achter een hoge heg vandaan springen, en volgens Goss was dit vermoedelijk hetzelfde dier als dat wat de voorman had gezien. Geen van de ooggetuigen kon echter met zekerheid zeggen of het een katachtige of een soort hond was geweest. Eind 1983 zagen drie mensen – van wie er een was uitgerust met een verrekijker – een glimp van een groot dier op korte afstand van de Fobbing Marshes. Ze hielden alle drie bij hoog en bij laag vol dat het een grote panter was geweest.

'Er zijn mensen in het Verenigde Koninkrijk,' vertelde Goss, 'die denken dat al deze waarnemingen erop wijzen dat er "buitenaardse katten en honden" door het land sluipen. Als dit een nieuw volksgeloof is, moeten we proberen er alles van aan de weet te komen,' besloot hij. 'En als het om een zoölogisch of zelfs paranormaal feit gaat, is het nog essentiëler dat we er zoveel mogelijk informatie over vergaren.'

De speurtocht naar Mallory's camera

Op 8 juni 1924 verdwenen George Mallory en Andrew Irvine spoorloos tijdens een beklimming van de steile Mount Everest. Niemand weet of het weinig of veel heeft gescheeld dat de twee mannen de eerste bedwingers van de hoogste berg ter wereld zouden zijn geweest, maar er is wellicht een manier om dat alsnog te weten te komen. Computeringenieur Tom Holzel uit Massachusetts heeft een expeditie georganiseerd om te zoeken naar de Kodak-vestzakcamera's die de twee bergbeklimmers bij zich hadden.

Holzel kwam van het bestaan van die fototoestelletjes op de hoogte via een artikel in *New Yorker* Magazine. Hij realiseerde zich dat deze toestellen, *als* ze te vinden waren, zeer waarschijnlijk onbelichte films zouden bevatten die konden aantonen hoever de twee mannen waren gekomen. Hij geeft echter toe dat de kans dat de twee minuscule fototoestellen op dat immense bergmassief zullen worden gevonden even klein is als die op het vinden van een naald in een hooiberg.

Niettemin denkt Holzel dat het mogelijk is. Om het zoeken te vergemakkelijken heeft hij bij White's Electronics in New England speciale, zwaar uitgevoerde metaaldetectors laten bouwen die speciaal zijn 'afgestemd' op het uit ijzer en koper bestaande camerahuis van de beide toestelletjes.

In 1986 vertrok Holzel naar de Himalaya om Mallory en Irvine's camera's op te sporen. Na drie maanden had hij nog niet gevonden wat hij zocht, hoewel hij wel twee zuurstofflessen vond, op wat wellicht een tussenbivak van de twee bergbeklimmers is geweest.

Waarom is Holzel – ondanks de ontzettend geringe kans van slagen – er zo op gebeten de fototoestelletjes en de historische films erin te vinden? Zijn antwoord wijkt nauwelijks af van dat wat sir Edmund Hillary gaf op de vraag waarom hij zo nodig de Mount Everest moest beklimmen: 'Omdat Mallory daar moet zijn.'

Grootvoetjager

Mark Keller zegde zijn baantje bij het postkantoor op en kondigde aan dat hij vertrok voor een jachtexpeditie van vijf maanden. Hij had het op groot wild voorzien, verklaarde hij, met name op Bigfoot (Grootvoet), het legendarische aapachtige wezen dat volgens allerlei waarnemers door de dichte bossen langs de noordwestkust van de Verenigde Staten moet zwerven.

Zodra bekend werd dat Keller zich had voorgenomen een Grootvoet te schieten, kreeg hij meer dan honderd bedreigende telefoontjes. Sommige opbellers zeiden dat ze manieren zouden weten te vinden om Kellers plan te verijdelen. Anderen dreigden rechtstreeks hem te zullen vermoorden.

'Een paar boogschutters daarginds in de staat Washington belden mij met de mededeling dat zij me zouden vermoorden als ik probeerde een Grootvoet te schieten,' meldde Keller.

Brigadier van politie Jim Dawson in Arcata wist dat Keller ook verscheidene dreigbrieven had ontvangen. De politie had echter niet kunnen vaststellen wie de afzenders waren.

Al degenen die zich bezorgd maakten over de mogelijkheid dat een Grootvoet zijn of haar dood tegemoet ging, hoorden korte tijd later tot hun opluchting dat Keller zijn jachtexpeditie had moeten uitstellen – en vermoedelijk voorgoed. Hij was inderdaad aan de westkust gesignaleerd – maar niet in de wildernis van Washington, maar in het centrum van de Californische plaats Eureka, waar hulpsheriff Rich Walton hem had ingerekend.

'Hij liep rond met een geweer met nachtkijker erop,' legde de politieman uit. 'Dus heb ik hem maar opgepakt.'

IJzig graf

Wesley Bateman uit Poway in Californië zat op een avond een videoband over UFO's te bekijken toen hij een merkwaardige ontdekking deed. Hij merkte dat een met ijsafzetting overdekt object, dat naar verluidt door astronauten in de Apollo 11 zou zijn gefotografeerd, ongeveer de contouren van een Amerikaanse bommenwerper van het type TBM Avenger had. 'Het zwaarste gedeelte van het toestel – de neus – wijst naar de aarde,' legt hij uit, 'en je kunt met gemak de geschutkoepel en de staart herkennen.'

Maar hoe komt een met propellermotoren uitgeruste bommenwerper uit 1945 in een baan om de aarde? Bateman gelooft dat hij die vraag kan beantwoorden. Volgens hem moet dit toestel een van de vijf TBM-Avengers zijn die op 5 december 1945 voor een oefenvlucht opstegen uit Fort Lauderdale in Florida maar nooit zijn teruggekomen.

Die routinevlucht was pas drie uur geleden begonnen toen deze toestellen met hun bemanning van veertien koppen spoorloos verdwenen. Een Martin-vliegboot met dertien man aan boord ging erop uit om de zee af te speuren naar de verdwenen vliegtuigen of hun bemanning, maar ook dit toestel verdween. De afgelopen dertig jaar is er druk gespeculeerd over de mogelijkheid dat er bij dit raadselachtige voorval buitenaardse ruimtevaarders betrokken zijn geweest – vooral omdat er verkeersleiders en piloten zijn die zweren dat zij de vluchtinstructeur hadden horen roepen: 'Kom mij niet achterna; zo te zien zijn ze uit de ruimte afkomstig!' voordat zijn via dc boordradio doorkomende stem wegstierf.

Bateman veronderstelt dat de Avenger in een baan om de aarde weleens een concreet bewijs zou kunnen zijn voor het vermoeden dat buitenaardse wezens achter de verdwijning van deze zes vliegtuigen hebben gezeten. Hij denkt dat de bommenwerpers, toen ze tijdens hun oefenvlucht dieptebommen in zee lieten vallen, misschien een onder de zeespiegel aanwezig buitenaards ruimtevoertuig hebben beschadigd. 'En toen de UFO uit het water opsteeg om verdere schade te voorkomen,' zegt hij, 'gebeurde dat met zoveel kracht dat er een soort kielzog in de dampkring ontstond dat massa's zeewater opzoog, met die vijf Avengers erbij.'

En als iemand betwijfelt dat er inderdaad een TBM-Avenger op een hoogte van duizenden kilometers boven het aardoppervlak rondom de planeet cirkelt, zegt hij, moet hij maar eens goed naar de foto van die met ijs bedekte kist kijken. 'Ik kan me niet voorstellen dat ook maar iemand die dit ziet kan zeggen dat het géén Avenger is. Voor mij is dit een onomstotelijk bewijs voor het bestaan van UFO's.'

Dromen over de doden

Er zijn dromen die aanwijzingen bevatten dat er inderdaad leven is na de dood. Zo luidt althans de conclusie van de Zwitserse psychologen Marie-Louise von Franz en Emmanuel Xipolitas Kennedy nadat zij een studie van maar liefst 2500 dromen hadden gemaakt.

Deze onderzoekers betogen dat veel dromen over het hiernamaals alleen maar een bepaalde psychologische dimensie van de dromer onthullen. Andere dromen daarentegen zijn zó helder en welhaast bovennatuurlijk echt dat ze zich heel duidelijk van gewone dromen onderscheiden en de dro(o)m(st)er de overtuiging geven dat er leven is na de dood. 'Dergelijke dromen lijken ontmoetingen te zijn met overgegane zielen,' legt dr. Kennedy uit. 'Na zo'n droom is de dromer er zeker van dat hij of zij een of meer overledenen heeft gezien.'

Als mensen in de terminale fase van een ziekte de dood nabij zijn, krijgen hun dromen vaak een soortgelijk karakter. Een stervende kan in zo'n droom zichzelf op veel jongere leeftijd ervaren, of iemand ontmoeten die al naar "gene zijde" is overgegaan.

'De dromen van stervenden lijken tot doel te hebben hun onderbewustzijn te bevestigen dat de naderende dood niet het definitieve einde is,' verklaart Kennedy. 'Het uiteinelijke doel van het leven lijkt te bestaan uit de hereniging van het individuele zelf met het archetypische zelf dat wij als "de godheid" plegen te zien. Deze dromen wettigen ook het vermoeden dat alles wat wij in dit leven nog niet hebben op- of ingelost met ons meegaat, zodat we er ook na onze dood aan kunnen werken.'

Moordvisioen

Toen Etta Louise Smith, een medewerkster op de afdeling Expeditie van de grote vliegtuigfabriek Lockheed en moeder van drie jonge kinderen op een middag in 1980 over de radio een bericht hoorde over een vermiste verpleegster, kreeg ze dadelijk het intuïtieve gevoel dat de jonge vrouw al dood was. Volgens de radio ging de politie alle huizen langs om de vrouw te vinden, maar mevrouw Smith dacht voortdurend: 'Ze is niet in een huis.'

Etta Louise Smith besloot de politie van Los Angeles op de hoogte te brengen van haar intuïtieve zekerheid. Na een uitvoerig gesprek met de desbetreffende rechercheurs bracht ze een bezoek aan de afgelegen canyon die ze uren eerder 'voor haar geestesoog' had gezien. Kort daarna ontdekte ze het mishandelde en verkrachte lichaam van de pas eenendertigjarige Melanie Ulribe.

Mevrouw Smith werd voor al haar moeite beloond met arrestatie, op verdenking van moord of medeplichtigheid aan moord. Ze had al vier dagen achter de tralies doorgebracht voordat een inwoner van de stad bekende dat hij – samen met twee andere mannen – de moord had gepleegd. Deze mannen werden later ook veroordeeld.

Mevrouw Smith diende een eis tot schadevergoeding in wegens onrechtmatig arrest en rechter Joel Rudolf van het hooggerechtshof vonniste dat de politie niet over overtuigende en toereikende bewijzen voor de schuld van mevrouw Smith had beschikt toen zij werd gearresteerd. De jury bepaalde het smartegeld en de schadevergoeding op een bedrag van 26.184 dollar, want volgens de voorzitter van de jury geloofden de meeste juryleden dat mevrouw Smith een authentieke paranormale ervaring had gehad, die haar de weg had gewezen naar het lijk van het slachtoffer.

Inmiddels betwijfelt mevrouw Smith ernstig of ze er wel verstandig aan heeft gedaan met haar 'moordvisioen' naar de politie te stappen. 'Ik denk,' zei ze ernstig, 'dat ik voortaan maar een anoniem telefoontje pleeg.'

Het raadselachtige vliegtuig in de Bermuda-driehoek

Eindelijk lijkt er dan tòch een doorbraak te komen in het raadselachtige geval van de vijf bommenwerpers van het type TBM-3 'Aztek Avenger' van de Amerikaanse marine, die op 5 december 1945 voor een oefenvlucht opstegen van Fort Lauderdale in Florida en koers zetten naar de zogeheten Bermuda-driehoek, waarna ze alle vijf spoorloos verdwenen, net als de Martin-vliegboot die erop uitging om ze op te sporen. De schatjager Mel Fisher en zijn bemanning ontdekten de onder modder bedolven resten van een vliegtuig dat weleens een van de verdwenen vliegtuigen zou kunnen zijn op de oceaanbodem, op 20 zeemijlen (37 km) ten westen van Key West.

Hoewel UFO-enthousiasten lange tijd hebben vermoed dat de vermiste toestellen door buitenaardsen waren meegevoerd, was er aan het wrak van de Grumman Avenger dat door de bemanning van Fisher werd ontdekt niets te vinden dat op contacten met buitenaardsen zou kunnen wijzen. 'Voor mij zag het er gewoon uit,' zei K.T. Budde, een lid van de bergingsploeg, 'alsof het verdwaald was geraakt en zonder benzine was komen te zitten.'

Het raadsel van de verdwenen vliegtuigen was dus opgelost? Verre van dat! Volgens David Paul Horan, Fishers advocaat, bleek uit marinebescheiden dat de recentelijk gevonden Avenger géén deel had uitgemaakt van de beruchte vlucht van vijf toestellen van dat type. 'Deze kist was afkomstig van Key West en was al drie maanden zoek vóórdat die vijf andere bommenwerpers verdwenen,' zegt hij. 'Bovendien was er in dit geval een overlevende die uit de kist had kunnen springen en het toestel met absolute zekerheid heeft herkend.'

Horan, zelf ook piloot, zegt dat hij het teleurstellend vond te horen dat Fisher en zijn mannen – die de oceaanbodem afspeuren naar gezonken schatten – niet de oplossing voor het raadsel van de vermiste Avengers hadden gevonden. 'Eerlijk gezegd,' liet Horan erop volgen, 'is daar beneden nog nooit iets gevonden dat ook maar in de verste verte verband lijkt te houden met dat hele incident.'

•

Blauwhuiden

Wezens met een buitenissige huidkleur – zoals de mythische groene mannetjes van Mars – zijn niet meer uit de sf-literatuur weg te denken. Wetenschappers hebben echter aangetoond dat er hier op de planeet aarde zelf mensen wonen met een *blauwe* huid.

Toen de fysioloog en bergbeklimmer John West van de Medische Faculteit van de Universiteit van Californië in San Diego in Chili een bezoek bracht aan een deel van het Andes-gebergte in de naaste omgeving van Aucanquilcha deed hij een opzienbarende ontdekking. Lange tijd hadden de geleerden aangenomen dat het voor mensen absoluut onmogelijk was om op hoogten van meer dan 5300 meter boven de zeespiegel te leven, maar toch stuitte West op een handvol mannen die op een hoogte van 6000 meter leefden – en hij ontdekte dat ze een blauwe huid hadden.

Hoewel het tot de medische feitenkennis behoort dat bepaalde aandoeningen de huid een blauwachtige tint kunnen geven en dat enkele bewoners van de Ozark Mountains in de Verenigde Staten als gevolg van een genetische afwijking een lichtblauwe huid hebben, ontdekte John West dat deze mannen in de Andes om een geheel andere reden blauwhuiden konden worden genoemd: hun afwijkende huidkleur lijkt een aanpassing te zijn aan de ijle lucht op dergelijke extreme hoogten, waar de dampkring half zoveel zuurstof bevat als op zeeniveau.

West legt uit dat het lichaam van deze mijnwerkers in Chili grote hoeveelheden hemoglobine, het zuurstofbindende pigment in rode bloedlichaampjes, aanmaakt. 'De hemoglobine kan hier maar weinig zuurstof opnemen,' zegt hij, 'en dat is zichtbaar in hun huid, die daardoor een blauwachtige kleur aanneemt. Ik denk dat deze mensen de diepte en het tempo van hun ademhaling hebben verbeterd om zich aan de omstandigheden op zesduizend meter hoogte aan te passen, en dat hun nakomelingen nu een voorsprong hebben op andere mensen, dank zij deze aanpassing. Er is echter nog veel dat we niet hebben doorgrond.'

Een fysioloog van de Universiteit van Pennsylvania, Sukhamay Lahiri, heeft eveneens met eigen ogen de blauwhuiden van de Andes gezien. Hij wijst erop dat de Tibetaanse goeroes die op overeenkomstige hoogten in de Himalaya mediteren eveneens een blauwachtige huid hebben. 'En dat is in feite het meest opmerkelijke aan deze Andes-bewoners,' zegt Lahiri verbaasd. 'Want zij *leven* op die enorme hoogte en verrichten er dagelijks zwaar lichamelijk werk.'

Een vervloekte snelweg

Veel mensen zouden zich wel twee keer bedenken alvorens een autorit te maken over de nieuwe Route 55 in New Jersey, een traject van 6,75 kilometer dat onder verantwoordelijkheid valt van het gemeentebestuur van Deptford in het zuidelijke deel van New Jersey. Een deel van die snelweg doorkruist de archeologische resten van een oud Indianendorp, met inbegrip van de graven van paleo-Indianen die hier achtduizend jaar geleden hebben geleefd. Een lid van de stam der Nanticoke-Indianen, medicijnman Wayandaga (ook bekend als Carl Peirce) heeft in het openbaar verklaard dat de ontheiliging van de graven van zijn voorouders rampzalige gevolgen zou hebben.

'Ik heb hun vooruit gezegd dat mijn voorouders zich zouden wreken, als ze hun plannen voor de aanleg van dat stuk weg zouden doorzetten,' beweert Peirce. 'Ik waarschuwde hen dat ze rekening moesten houden met de mogelijkheid dat de geesten lik op stuk zouden geven.'

Kort na de persconferentie waarop medicijnman Wayandaga zijn onheilspellende voorgevoelens openbaar maakte, begon er een reeks ongelukken en sterfgevallen waardoor het project 'Route 55' zou worden geplaagd. Een van de arbeiders werd overreden door een wals, een tweede kreeg ter plekke een hersenbloeding. Een andere arbeider moest constateren hoe zijn voeten zwart verkleurden als gevolg van een doorbloedingsstoornis en weer een andere arbeider raakte zwaar gewond door een val van een brug in de snelweg. Daarna kreeg een wegwerker kort na elkaar drie hartinfarcten. Vervolgens vloog een bestelbusje met vijf wegarbeiders erin in brand.

'Op een gegeven moment was het zó erg dat de arbeiders ter plaatse tegen elkaar zeiden: "Ik ben benieuwd wat er nu weer zal gaan gebeuren," ' vertelde Karl Kruger, die een kijkje ging nemen bij de werkzaamheden.

Wayandaga weet absoluut zeker dat de vervloekte snelweg nooit veilig zal zijn voor de gebruikers. 'Er zullen daar doden blijven vallen, net zolang tot ze Highway 55 omleggen.'

Bijna-doodervaringen en de toekomst

Volgens de psycholoog dr. Kenneth Ring van de Universiteit van Connecticut zeggen mensen die – na klinisch dood te zijn geweest – zijn gereanimeerd, dat zij méér hebben gezien dan alleen een terugblik op hun hele leven. Dr. Ring zegt dat sommigen ook hun toekomst konden zien.

Na een grondige studie te hebben gemaakt van de ervaringen en verdere levens van twaalf mensen die een BDE hadden gerapporteerd, wijst Ring erop dat een man, toen hij als jongen van tien een BDE ervoer, zichzelf als een volwassen man had gezien. Dit visioen – dat hij kreeg tijdens een blindedarmoperatie in 1941 – had hem ook zijn twee kinderen getoond. De jongen had zichzelf in een leunstoel 'zien' zitten en daarbij iets 'heel vreemds' op de muur achter hem opgemerkt.

Pas in 1968 had deze man zich plotseling gerealiseerd dat zijn BDE-visoen werkelijkheid was geworden. 'Toen ik daar in die fauteuil zat te lezen en terloops naar mijn kinderen keek, realiseerde ik mij dat *dit* die "herinnering" uit 1941 was,' legt hij uit. 'Dat vreemde ding achter de muur was een luchtverhitter – iets waarvan ik als kind het bestaan nog niet kende.'

Andere personen die aan Kenneth Rings onderzoek meewerkten, vertelden hem soortgelijke verhalen. Er waren echter ook veel rapporten bij van mensen die tijdens hun klinische dood getuige waren geweest van het toekomstige lot van de aarde. Vrijwel al deze mensen, zegt Ring, hebben een rampzalig tijdperk voorzien dat binnen nu en tien jaar gaat beginnen, zo verzekeren zij ons. Grote aardbevingen, vulkaanerupties, hongersnoden, een kernoorlog en ook rampzalige droogten behoorden tot de voorspelde catastrofen. Op die periode van rampen zullen 'decennia van een wereldwijde broederschap' volgen.

Ring gelooft niet dat iemand in paniek moet raken vanwege deze voorspelde roerselen op aarde. 'Ik heb de neiging om deze voorspellingen te beschouwen als metaforen voor de angsten en hoopvolle verwachtingen van het menselijk onderbewustzijn,' legt hij uit.

UFO-films

Op de ochtend van 11 januari 1973, kort na negen uur, ontdekte de bouwkundig opzichter Peter Day in de nabijheid van het Engelse dorp Cuddington een grote, oranjeachtig gloeiende bol aan de hemel. Dadelijk greep hij naar de Super 9-filmcamera die hij in zijn auto had en begon het object te filmen toen het op ongeveer 400 meter afstand over de boomtoppen scheerde.

Nadat experts van de Britse Vereniging voor UFO-onderzoek (BUFORA = British UFO Research Association) deze film had geanalyseerd, maakte zij bekend dat de beelden die de heer Day had gemaakt 'authentiek en raadselachtig' waren. Nader onderzoek door de UFO-fotografiespecialist Peter Warrington, werkzaam bij de Engelse Kodak-laboratoria in Hemel Hempstead, leidde tot een ongeveer gelijkluidende conclusie: 'Met deze film is niet geknoeid.' Ook technisch adviseur Peter Sutherst van Kodak verklaarde dat de film authentiek was: 'Wat het ook moge zijn dat er op die film te zien is, het is in elk geval een concreet vliegend object.'

Een ander onderzoeksteam onder leiding van de UFO-expert Ken Philips maakte ook een studie van de film en kwam tot de conclusie dat het object op de film van Peter Day een Amerikaanse straaljager van het type F-11 was, die kort na te zijn opgestegen van de luchtmachtbasis Heyford een motorstoring had gekregen en toen in brand was gevlogen. Dit toestel was op 11 janauri 1973 om 09.46 uur neergestort.

Niet iedereen onderschrijft deze conclusie. De fotografiespecialist Warrington zegt met nadruk dat hij en zijn mede-onderzoekers de film onder aanzienlijke vergroting hebben onderzocht en dat er 'nergens op de film een vliegtuig is te zien'.

Day zelf zegt nuchter dat hij niet gelooft een vliegtuig te hebben gefilmd. 'Die UFO is gezien door wel tien andere mensen, onder wie een onderwijzer en enkele schoolkinderen. Zij stonden er dichter bij dan ik, en hun beschrijving van wat ze hebben gezien klopt met datgene wat er op de film te zien is.'

Een UFO in Brazilië

De meeste mensen deden tijdens de nachtvlucht van Fortaleza naar São Paulo in Brazilië een dutje, in die februarinacht van 1982, toen piloot Gerson Maciel De Britto een onverwachte aankondiging deed: 'Ik zie een vreemd object op een afstand van vijfenzestig tot tachtig kilometer links van ons en heb daarom ooggetuigen nodig.'

De passagiers schrokken wakker en ontdekten dat ze gevangen waren in een helder licht. Terwijl ze de volgende tachtig minuten uit de raampjes van het vliegtuig tuurden, zagen ze de hemel achtereenvolgens rood, oranje, wit en blauw worden.

Vanuit zijn veel betere uitkijkpost in de cockpit kon De Britto 'een snel vliegende, schotelvormige schijf met vijf schijnwerpers' onderscheiden. Toen dit object niet reageerde nadat piloot De Britto zowel in het Engels als in het Portugees had geprobeerd contact op te nemen, probeerde hij het via geestelijke concentratie, in de hoop langs telepathische weg informatie te kunnen uitzenden of ontvangen.

Toen het passagiersvliegtuig op nog maar 13 kilometer van de internationale luchthaven van Rio de Janeiro was, voor een geplande tussenlanding, zag de piloot dat de UFO op nog maar 12 kilometer afstand van zijn toestel was en snel naderbij kwam. Hoewel de radar van de verkeerstoren het vliegende object niet registreerde, vroeg de verkeersleiding aan drie andere piloten van civiele vliegtuigen in de nabijheid of ze het vreemde licht konden zien; ze antwoordden alle drie bevestigend. Kort daarna stegen Braziliaanse straaljagers op en begonnen de UFO te achtervolgen, maar de uitslag van die jacht is altijd geheim gebleven.

Nadat grote Braziliaanse dagbladen en tijdschriften berichten over het incident hadden gepubliceerd, wezen UFO-sceptici erop dat Venus die ochtend om tien over drie was opgekomen. Konden piloot De Britto en zijn passagiers wellicht door het heldere en kleurrijke licht van die planeet om de tuin zijn geleid, zodat zij meenden een UFO waar te nemen?

De Britto houdt staande dat dat onmogelijk is. Hij verzekert iedereen die het maar horen wil dat hij Venus en de UFO *tegelijkertijd* heeft gezien. Bovendien zegt hij dat de UFO ten opzichte van zijn toestel onder dezelfde hoek bleef vliegen, ook toen hij zijn koers 51 graden omboog – hetgeen er duidelijk op wijst dat het een door intelligente wezens bestuurd toestel is geweest. 'Als de piloot de waarheid spreekt, kan het onmogelijk Venus zijn geweest,' beaamt J. Allen Hynek, directeur van het Centrum voor UFO-onderzoek in Evenston in de staat Illinois. 'En als het Venus niet was, moet het een UFO zijn geweest.'

Reacties van pasgestorvenen

Lichamen kunnen zich ook na het intreden van de dood bewegen en ze doen dat soms inderdaad, zoals iedereen zal beamen die ooit een kip zonder kop heeft zien rondrennen.

Uit de periode van het schrikbewind in 1792 gedurende de Franse Revolutie, toen de guillotine voor het eerst werd gebruikt, zijn gruwelverhalen bekend van reacties van mensenhoofden en de lichamen waarvan ze afkomstig waren, *nadat* ze van elkaar waren gescheiden. Grote aantallen ongelukkige mensen – eerst de aristocraten, daarna de dissidenten – werden geguillotineerd, de een na de ander. Onder de ogen van het massaal toegestroomde publiek maakten enkele geïnteresseerde toeschouwers notities van de macabere verschijnselen die ze waarnamen.

Soms ging de mond van een onthoofd slachtoffer open en dicht alsof het hoofd iets probeerde te zeggen; soms ook bleven de ogen in hun kassen bewegingen van anderen volgen of gingen ze afwisselend open en dicht. Ook de lichamen bleven vaak nog lange tijd schokken en bewegingen maken, hoewel ze zonder hoofd morsdood moesten zijn.

Even angstaanjagend was het geval van de misdadiger George Foster, die in 1803 ter dood werd gebracht door middel van ophanging. Na de executie paste een zekere prof. Aldini de pasontdekte methode van 'galvanisatie' toe op het lijk, in de aanwezigheid van medische waarnemers die al even benieuwd waren als hij wat er zou gaan gebeuren. De resultaten waren schokkend en wettigden het vermoeden dat sommige motorische zenuwbanen nog konden functioneren. De benen bewogen, de rechterhand werd opgetild en tot een vuist gebald en een van de ogen ging langzaam open.

In elk geval kon Foster zich voor een deel wreken op de samenleving. Een chirurgijn die Pass heette en getuige was geweest van deze 'lijkschouwing' kwam om het leven toen hij na het experiment op weg was naar huis. Zijn dood werd toegeschreven aan hartstilstand ten gevolge van overmatige angst.

Het verdwenen dorp

Berichten over vermiste personen zijn aan de orde van de dag, maar in het jaar 1930 verdween een compleet dorp – en het is nog steeds niet teruggevonden.

Het bewuste dorp lag aan het Angikuni-meer, op 800 kilometer ten noordwesten van de thuisbasis van de Royal Canadian Mounted Police in Churchill, Canada. Hoewel het dorp geïsoleerd was gelegen, kregen de Eskimo's die er woonden geregeld bezoek van pelsjagers die hun bontvellen met hen ruilden en samen met hen feestmaaltijden met kariboevlees aanrichtten. De Frans-Canadese pelsjager Joe LaBelle, die al veertig jaar door dat deel van de Canadese wildernis had gezworven, beschouwde de mensen van het Eskimo-dorp aan het Angikuni-meer als oude vrienden van hem.

Maar in november 1930, toen Joe een bezoek aan het dorp wilde brengen, zag hij ogenblikkelijk dat er iets mis was. Om te beginnen, sloeg er geen enkele hond aan. Hij schreeuwde een groet, maar niemand reageerde. Hij opende de deuren van verschillende van de hutten van het dorp en riep de namen van zijn vrienden, maar niemand antwoordde.

Toen hij het dorp een uur lang had onderzocht, wist hij dat iedere bewoner van het dorp verdwenen was. Er waren nergens sporen van een gevecht te bekennen – pannen met eten stonden nog boven vuren die al wekenlang niet meer hadden gebrand. Een naald stak nog in een kledingstuk dat een vrouw had zitten verstellen. De kajaks waren al zó lang achtergelaten dat de golven ze kapot hadden gebeukt. Geweren zaten onder een laag stof en vuil. De honden van de Eskimo's werden vastgebonden aangetroffen – ze waren gestorven van de honger.

Het raadsel werd nòg groter toen LaBelle haastig een bezoek bracht aan de begraafplaats van het dorp, waar de doden gewoontegetrouw werden bedekt met stenen. Een van de graven was geopend en het lijk weggehaald. Een lijk stelen, is, zoals LaBelle wist, absoluut taboe voor iedere Eskimo. De dader had de stenen van het graf in twee hopen opgestapeld, hetgeen bewees dat het graf niet door een dier was omgewoeld.

De Mounties stelden een onderzoek in naar het verhaal van LaBelle dat er een heel dorp was verdwenen. Hoewel de Mounties de reputatie bezitten dat zij 'hun mannetje altijd te pakken krijgen', konden ook zij niet ontdekken hoe het mogelijk was dat dertig Eskimo's in hartje winter waren verdwenen, en waarom. Maanden van nasporingen – waarbij ook in andere Eskimo-dorpen in de omgeving werd ondervraagd – leverden geen enkele aanwijzing op die kon verklaren hoe het dorp was verdwenen en waar het was gebleven.

Schip op het droge

De *Arakwe* was een houten schip met grote raderen, zoals die van de rivierboten op de Mississippi, en het was gebouwd in de laatste dagen van de Amerikaanse Burgeroorlog (1861-1865). Ofschoon de *Arakwe* slechts met enkele kleine kanons was bewapend, stond het schip bij de Amerikaanse marine als 'kanonneerboot' te boek en werd het naar de Hoorn van Aconcagua in Chili gestuurd teneinde de Amerikaanse steun aan Chili te demonstreren door de Amerikaanse vlag te tonen en de kanons te laten horen door saluutschoten af te vuren.

De gezagvoerder en de bemanning van de *Arakwe* hadden nauwelijks een reden om te geloven dat zij daadwerkelijk in actie zouden moeten komen, laat staan dat die actie zich zou afspelen op het land. Toch was dat precies wat er gebeurde, als gevolg van een gril van de natuur.

Kapitein Alexander bevond zich in zijn hut toen hij op een gegeven moment, zoals het scheepsjournaal vermeldt, de hanglamp aan het plafond van voor naar achter zag slingeren. 'Ik haastte mij aan dek en herkende de oorzaak van deze beweging als een onderzeese beving, omdat het water met grote snelheid vanuit de baai wegstroomde naar zee.'

Niet lang daarna werd de *Arakwe* meegesleurd door een woeste, onvoorstelbaar sterke vloedgolf, die het houten schip en tientallen andere boten een flink eind landinwaarts droeg. Het eindigde ermee dat kapitein Alexander en zijn mannen op ruim drie kilometer van de kust aan de voet van een hoge klip belandden. Ofschoon de *Arakwe*, een schip met een platte bodem, in tweeën was gebroken, was het schip er nog niet eens zo slecht aan toe, gelet op de wrakstukken van allerlei andere schepen rondom het schip.

Deze wrakstukken lagen over kilometers verspreid en lokten horden plunderaars aan. Sommigen probeerden zelfs aan boord van de *Arakwe* te klauteren. Kapitein Alexander en zijn bemanning trokken hun pistolen en bevalen de plunderaars zich terug te trekken, maar ze weigerden verder te gaan dan tot buiten bereik van de pistolen. De gezagvoerder besefte dat hij zwaardere wapens nodig had, maar de bemanning kon niet bij de munitie voor de kanons, die ergens onder het beschadigde dek was opgeslagen. Er was nog maar één uitweg, begreep Alexander, en dat waren de ronde kaasjes uit de kombuisvoorraad. Dus liet hij de kanons laden met kruit en vervolgens ronde kaasjes.

De kapitein wachtte totdat de plunderaars zich op enkele honderden meters afstand van het oorlogsschip bevonden en gaf eindelijk het sein om de kanons af te vuren. Ze lieten hun bulderende geluid horen – en toen de kaas een aantal plunderaars van de sokken gooide, bleek dat voldoende om de overigen af te schrikken.

De *Arakwe* zou nooit meer kunnen varen en staat thans in de marinearchieven te boek als 'verlorengegaan in actie'. Het schip neemt echter een unieke plaats in onder alle oorlogsschepen uit de Amerikaanse militaire geschiedenis: het was de enige kanonneerboot die ooit op het droge zijn kanonnen liet spreken – door ronde kaasjes af te vuren – en de strijd in zijn voordeel te beslechten.

Vikingen in Tennessee

Omstreeks 1874 werd in de nabijheid van enkele Indianse graven in aardheuvels bij Castalian Springs in het district Sumner, Tennessee, een oude gedenksteen van kalksteen ontdekt. Hij mat 50 x 40 centimeter en in het oppervlak was een levendige uitbeelding van een grimmige veldslag aangebracht – tussen Indianen en vikingen.

In de afbeelding zijn twee duidelijk herkenbare partijen te zien. De krijgers met amandelvormige ogen lijken afkomstig van achter enkele heuvels, die door vier rechtopstaande kammosselschelpen worden voorgesteld; ze hebben beschilderde gezichten en dragen dierevellen, enkel- en armbanden en een indrukwekkende hoofdtooi.

Van de tweede groep zijn de ogen omgeven door stralen. De onderzoekers Ruth Verrill en Clyde Keeler van de Academie van Wetenschappen van Georgia kwamen tot de conclusie dat deze 'stralen' wimpers voorstellen, een detail dat bij blanke mensen – zoals de blonde vikingen – opvallender zal zijn geweest. De leider van de tweede groep is uitgerust met een rechthoekig schild. Dat lijkt op niets wat de Amerikaanse Indianen ooit hebben gebruikt, maar het herinnert wel aan de schilden van de oude Noormannen. Op de voorgrond ligt een speer die de vorm heeft van de door Johannes Bronsfed in *The Vikings* beschreven speren. De 'wimpermannen' dragen schoenen en een van hen draagt bovendien een helm van het Frygische of Romeinse model, met een hoge, halvemaanvormige kam.

Niemand zal ooit weten waarom de veldslag ontbrandde, maar het moet beslist een bloedige strijd zijn geweest. Een van de wimpermannen is onthoofd afgebeeld. Er zijn aanwijzingen dat er vrouwen in het spel zijn geweest: een vrouw met amandelvormige ogen en gekleed in een rok en schoenen houdt iets in haar handen – misschien een wampoem-gordel – alsof ze vrede aanbiedt. Zij wordt door een mannelijke Indiaan aangevallen. Een andere vrouw – duidelijk een wimpervrouw – ligt geknield in een hut die door Verrill en Keeler is herkend als de hut van een medicijnman. Ze kijkt omhoog alsof ze de goden iets wil afsmeken en rookt de rituele pijp.

Het deel van de afbeelding dat de tweede groep het overtuigendst identificeert als vikingen, is de onmiskenbare vorm van een viking-schip. Verrill en Keeler wijzen erop dat dit schip één mast met ra heeft, voor het soort zeil dat de vikingen gebruikten. De overige kenmerken van het schip komen echter overeen met die van de schepen die Scandinavische handelaren en ontdekkingsreizigers tot omstreeks 1200 n.Chr. plachten te gebruiken. De gezagvoerder van de boot staat op de voorplecht en hij draagt de bekende viking-helm met horens, die hem kenmerkt als de aanvoerder. Vijf roeiers zijn afgebeeld op roeidekniveau, en de uiteinden van hun roeiriemen zijn rond – zoals eveneens te zien is op rotstekeningen van een viking-boot die in Zweden is ontdekt. Midscheeps is een afmeerhaak te zien, en van de achtersteven loopt een ankertros naar het water. Op de gedenksteen is bovendien nog het type anker te zien dat onder bepaalde omstandigheden door de vikingen werd gebruikt.

Als er werkelijk vikingen in Tennessee zijn geland en zij het daar met de Indianen aan de stok hebben gekregen, dringt zich de vraag op hoe zij daar zijn beland. Verrill en Keeler opperen dat een viking-schip via de Golf van Mexico de rivier de Mississippi kan zijn opgevaren, waarna het de rivieren de Ohio en de Cumberland volgde tot bij Rock Creek, om vanaf dat punt verder te varen tot Castalian Springs, de plaats waar de oude gedenksteen is gevonden.

De terugkeer van John Paul Jones

In 1773 was de jonge Schot John Paul kapitein van een Britse koopvaarder. Hij moest zich teweerstellen tegen een muitende bemanning, waarbij John Paul een man met zijn pistool dodelijk verwondde. Toen het schip de haven van het eiland Tobago (bij Trinidad) binnenliep, werd hij door het Britse gezag daar gearresteerd. In de wetenschap dat hem een wisse dood wachtte, peuterde hij het slot van zijn celdeur open en vluchtte naar de Britse koloniën in Amerika.

Daar maakte hij kennis met een familie, raakte bevriend met hen en veranderde zijn naam door hun achternaam aan de zijne toe te voegen. Die naam zou op een gegeven moment zó populair zijn onder zijn nieuwe landgenoten dat de Amerikaanse regering nog in de 20ste eeuw een merkwaardige expeditie uitrustte om zijn stoffelijk overschot op te delven.

Onder leiding van admiraal John Paul Jones slaagde de kleine, slecht uitgeruste Amerikaanse vloot er keer op keer in de Britse schepen de baas te worden. Na de Onafhankelijkheidsoorlog (1775-1783, de 'Revolutionary War') nam admiraal Jones als huurling dienst bij de vloot van tsarina Katharina de Grote om haar te helpen de Turken te verslaan.

De trotse Amerikaanse admiraal kon deze slag echter niet meer winnen doordat zijn gezondheid hem in de steek liet, zodat hij op vijfenveertigjarige leeftijd eenzaam in Parijs overleed. De Amerikaanse regering gaf opdracht zijn lijk te laten balsemen en terug te brengen naar Amerika.

Wellicht kwam het doordat er door de bureaucratie knoeiwerk werd geleverd, maar hoe het ook zij, niemand eiste het lijk op en de grote held uit de Amerikaanse vrijheidsoorlog werd in Parijs begraven. De naam John Paul Jones zou echter niet worden vergeten. Honderd dertien jaar later, begin 20ste eeuw, besloot de toenmalige Amerikaanse regering alsnog de stoffelijke resten terug te halen. Er was echter een kleine moeilijkheid: niemand wist waar de grote held was begraven.

Het kerkhof waar Jones was begraven, was al decennia geleden geruimd en nu bebouwd met een fabriek, kantoorpanden en een ziekenhuis. Uiteindelijk wist een hardnekkige speurneus de oude archieven te vinden die aangaven waar het stoffelijk overschot te vinden moest zijn.

Maar hoe konden de opgravers bij het graf komen? Er was maar één oplossing: mijnwerkers inschakelen. Bij een groot gebouw op 60-70 meter van de plek waar John Paul Jones begraven moest liggen, werd begonnen met het graven van een mijnschacht. Toen ze diep genoeg waren, groeven de mijnwerkers een aantal tunnels onder de bebouwing door, net zolang tot ze stuitten op de met lood beklede kist met de initialen *J.P.J* erop.

Toen het deksel van de kist werd verwijderd, zagen ooggetuigen dat het lijk zó uitstekend was geconserveerd dat het gezicht nog duidelijk op de portretten van de oorlogsheld leek.

Kort daarna arriveerde de admiraal weer in de Verenigde Staten, alwaar hij – uiteraard met militaire eer en te midden van andere helden – op de militaire begraafplaats bij Annapolis werd bijgezet. Het was niet meer dan gepast dat John Paul Jones naar zijn laatste rustplaats werd geëscorteerd door een deel van de Amerikaanse oorlogsvloot die hij meer dan een eeuw geleden persoonlijk had helpen opbouwen.

Het telepathische paard

Kort nadat een zekere mevrouw Lord uit Richmond, Virginia, in 1925 een twee weken oud veulen had gekocht, begon het dier zich vreemd te gedragen. Het veulen draafde al naar zijn eigenaren toe voordat ze het hadden geroepen – ze hoefden alleen maar te *denken* dat ze haar wilden roepen. Een paar jaar later kon de merrie, die 'Lady Wonder' was gedoopt, tellen en korte woorden spellen door speelgoedblokken met duwtjes van haar neus te verplaatsen.

Lady Wonder gebruikte haar uitzonderlijke gaven om met waarlijk verbluffende accuratesse de toekomst te voorspellen. Zo voorspelde de merrie volgens een artikel in de *Chicago Tribune* bijvoorbeeld dat Franklin Delano Roosevelt de volgende president van de Verenigde Staten zou zijn, nog vóór hij zelfs maar tot presidentskandidaat was genomineerd. In 14 op een totaal van 17 opeenvolgende jaren voorspelde de merrie correct de winnaar van de World Series (honkbal). In ten minste twee tragische sterfgevallen van kinderen kon Lady Wonder feiten aan het licht brengen die de politie niet had kunnen achterhalen.

In het begin van de jaren vijftig kreeg Lady Wonder van de overheid van het district Norfolk (een marinehaven) in Massachusetts het verzoek te assisteren bij het opsporen van de vierjarige Danny Matson, die al maanden werd vermist. De merrie gaf de politie de raad naar een ondergelopen steengroeve te gaan, een plek waar al eerder was gezocht, zonder dat daar ook maar één aanwijzing was gevonden. De politie besloot niettemin een nieuwe poging te doen – en vond het lijkje van Danny.

In oktober 1955 verdween een ander jongetje, de driejarige Ronnie Weitcamp, zonder een spoor na te laten toen hij tijdens een spel met drie vriendjes in de voortuin van het huis van zijn ouders in het hart van de staat Indiana aan het spelen was en om het huis begon te rennen. Assistent-sherifs, geholpen door de staatspolitie van Indiana en circa 1500 man van het marinegarnizoen, kamden een gebied met een oppervlakte van honderden hectaren om Ronnies ouderlijk huis uit, op zoek naar de kleuter. Er werd geen spoor van hem gevonden.

Was de kleine Ronnie ontvoerd en/of vermoord? Of was hij gewoon verdwaald? Het regende nutteloze tips en ongegronde beweringen in het hoofdbureau van politie in Annapolis. Op 22 oktober werd de zoekactie officieel gestaakt.

De journalist Frank Edwards, destijds hoofd van de afdeling Nieuwsgaring van het televisiestation WTTV in Bloomington, herinnerde zich de wonderbaarlijke verhalen over de telepathische merrie Lady Wonder.

Hij belde een vriend die op niet al te grote afstand van mevrouw Lord woonde en verzocht hem of hij erheen wilde rijden om het sprekende paard om hulp te vragen bij het zoeken naar Danny Matson.

Hoewel de merrie al dertig jaar oud was – opmerkelijk hoogbejaard voor een paard – bleek Lady Wonder nog zeer goed bij de tijd te zijn toen de vriend van Edwards de merrie verscheidene vragen stelde.

In antwoord op de vraag: 'Weet je waarom we hier zijn?' spelde het wonderdier het woord *boy*, door het omlaagtrekken van grote letters van blik die aan een ijzeren staaf dwars voor en boven haar box was aangebracht. Toen haar werd gevraagd hoe de jongen heette, spelde ze de letters R-O-N-E – alsof ze probeerde de naam Ronnie te spellen.

Volgens Lady Wonder was de jongen overleden. Hij was niet ontvoerd en zou in een gat in de grond op 0,5-1,5 kilometer afstand van zijn huis worden gevonden.

'Wat is er in zijn buurt?' werd de merrie gevraagd. *'E-L-M'* (een olm), spelde Lady Wonder. Ook gaf ze aan dat de grond om de jongen heen zanderig was en dat hij zou worden gevonden in *'D-E-C'*.

Op 24 oktober 1955 zond Edwards de informatie uit die het sprekende paard had gegeven, en zoals te voorzien was, lokte dit bericht veel kritiek en spot uit. Totdat twee tieners het lijkje van Ronnie vonden.

Het kind werd in de onmiddellijke nabijheid van een olm aangetroffen in een zanderige, droge bedding, op 1,5 kilometer van zijn ouderlijk huis. Bovendien werd hij gevonden in december, precies zoals de opmerkelijke Lady Wonder twee maanden eerder had voorspeld.

De vreemde dood van Meriwether Lewis

Ofschoon in de Verenigde Staten nagenoeg iedereen weleens heeft gehoord van de vermaarde expeditie van Lewis en Clark, zijn weinig mensen op de hoogte van het merkwaardige lot dat Meriwether Lewis wachtte. Deze volksheld was gedoemd te sterven, en wel onder zulke uitzonderlijke omstandigheden dat het onwaarschijnlijk is of zelfs Sherlock Holmes had kunnen uitknobbelen wat er precies was gebeurd.

Kort voordat hij in oktober 1809 werd vermoord, was Lewis samen met majoor John Neely van het Amerikaanse leger onderweg naar Washington, D.C., waar hij zich teweer moest stellen tegen de beschuldiging dat hij zich als gouverneur van het territorium Louisiana* schuldig had ge-

* Louisiana: zo werd dit gebied na de aankoop van dit gebied van Frankrijk in 1803 genoemd totdat het officieel toetrad tot de Verenigde Staten. (Vert.)

maakt aan financieel wanbeheer – een beschuldiging die later werd ingetrokken. Terwijl ze zich een weg zochten door de uitlopers van de bergen in oostelijk Tennessee, sloegen enkele pakezels met Lewis' administratie gedurende een hevig onweer op hol. Major Neely steeg op zijn paard om de dieren terug te halen.

Gouverneur Lewis reed alvast in zijn eentje verder. Hij was een gebroken man – ernstig vermagerd ten gevolge van malaria – in het moerassige zuidoosten van de V.S. destijds een veel voorkomende ziekte (Vert.) – maakte zich zorgen over de tegen hem ingebrachte beschuldigingen en werd gekweld door liefdesverdriet (de dochter van vice-president Aaron Burr had zijn aanzoek afgewezen). Toen hij ten slotte de blokhut van John Griner en zijn vrouw bereikte, vroeg hij of hij bij hen kon overnachten.

De lange vreemdeling stelde zich niet met zoveel woorden voor. Hij gebruikte zwijgend zijn maaltijd en trok zich terug voor de nacht. Later hoorden de Griners iemand in zijn kamer praten, hoewel ze niet konden uitmaken of hun gast in zichzelf praatte of werkelijk een gesprek met iemand anders voerde. En als hij inderdaad met iemand anders sprak, hoe kwam het dan dat de honden niet waren aangeslagen toen een tweede vreemdeling het huis binnenging?

Kort voor het aanbreken van de dag schrok het echtpaar Griner wakker van een schot, afkomstig uit een geweer. Haastig namen ze poolshoogte en stelden vast dat er niets was verdwenen. Nu hoorden ze uit de kamer van de vreemdeling een zacht gekreun.

Ze gingen naar binnen en zagen direct dat de magere lange man stervende was. Uit een wond in zijn linkerzij stroomde bloed toen hij probeerde te spreken. 'Ik ben geen lafaard,' zei hij. 'Maar het is zwaar om... al zo jong... te moeten sterven.' Enkele ogenblikken later was alles voorbij.

Toen de Griners zijn leren zadeltassen doorzochten, op zoek naar iets dat duidelijk kon maken hoe de man heette, vonden ze een map waarin de overledene werd omschreven als 'Meriwether Lewis, Albemarle, Virginia, kapitein bij het leger van de Verenigde Staten van Amerika'.

Had de beroemde ontdekkingsreiziger zichzelf het leven benomen? De Griners waren binnen enkele seconden nadat ze het schot hadden gehoord aan Lewis' zijde. Ze verzekerden echter dat er geen kruitdamp in zijn kamer te ruiken was geweest – ondanks het feit dat het kruit dat in die tijd werd gebruikt altijd een stinkende, bittere, witte rook achterliet. Lewis' geweer stond nog in de hoek van de kamer en was niet afgevuurd. In de kamer werd ook geen ander vuurwapen aangetroffen.

De reisgenoot van de gouverneur, majoor Neely, arriveerde pas op de dag na het overlijden van Lewis halverwege de ochtend bij de blokhut van de Griners. Waarom had hij zoveel tijd nodig gehad om een paar pakezels op te sporen, en waar had hij de nacht doorgebracht?

Als Meriwether Lewis géén zelfmoord pleegde, bestaat de mogelijkheid dat zijn politieke vijanden zijn dood hebben gearrangeerd. Maar zouden zij er dan ook niet voor hebben gezorgd dat ze in het bezit kwamen van zijn administratie en persoonlijke paperassen, voor het geval die belastend bewijsmateriaal tegen hen zou bevatten?

Niemand is ooit in staat geweest die vragen te beantwoorden. De merkwaardige dood van Meriwether Lewis is nooit opgehelderd.

De dag waarop de duivel het dorp bezocht

Toen bakker George Fairly in het Engelse dorp Topsham in de vroege ochtend van de 8ste februari 1855 naar zijn werk ging, zag hij een vreemd spoor van voetafdrukken naar de deur van zijn bakkerij lopen. Aangezien de grond bedekt was met een laag verse sneeuw, kon Fairly de vreemde vorm van de afdrukken duidelijk onderscheiden. Het wezen dat deze merkwaardig gebogen sporen had achtergelaten, was naar de voet van een muur gelopen, was erop gesprongen en had de muur een poosje gevolgd, om weer naar de grond te springen en koers te zetten naar de baai waaraan Topsham is gelegen.

Dit voorval zou niet echt interessant zijn, ware het niet dat George Fairly slechts een van de *duizenden* bewoners van het graafschap Devonshire was die dezelfde ochtend ontdekten dat een merkwaardig soort bezoeker over hun velden, door hun straten en over hun daken en muren had gekuierd of gegleden, en daarbij duidelijk herkenbare U-vormige pootafdrukken had achtergelaten, en wel in een lijn die *nergens* werd onderbroken!

Al spoedig verbreidde zich het gerucht dat deze pootafdrukken, die hier en daar duidelijk gespleten waren, van niemand anders konden zijn dan van satan zelf. Nu ontstond er een welhaast panische angst en begonnen de mensen zich tegen het onbekende wezen te bewapenen.

In een artikel in de *Times* van 16 februari 1855 werden de afdrukken beschreven als: '... eerder afkomstig van een tweebenig wezen dan van een dier met vier poten... De gemiddelde afstand tussen de afdrukken bedroeg twintig centimeter en hun vorm kwam tamelijk goed overeen met die van een ezelshoef, maar hun grootte varieerde van 4-6 centimeter'.

Wat voor wezen was in staat om in enkele uren tijds een spoor achter te laten ter lengte van honderden kilometers (de afdrukken moesten zijn gemaakt tussen 19.00 uur op 17 februari, want op dat moment was het begonnen te sneeuwen, en de vroege ochtend van de 18de, toen ze waren ontdekt)? Bovendien had het wezen kans gezien om twee watervlakten over te steken, met inbegrip van de rivier de Exe bij Exmouth.

Niemand had echter een glimp opgevangen van het wezen dat berucht werd als 'de Duivel van Devonshire'. En na die tijd zijn er nooit meer nieuwe U-vormige pootafdrukken in deze omgeving gesignaleerd. Het is echter mogelijk dat het wezen ook een bezoek heeft gebracht aan het onbegroeide eiland Kerguelen bij Antarctica. Volgens het scheepsjournaal van de ontdekkingsreiziger kapitein James C. Ross ontdekten leden van zijn expeditie die op dit eiland landden soortgelijke onverklaarbare voetsporen in de sneeuw. Ze werden later door dr. Robertson omschreven als 'hoefijzervormig, en 7,5 centimeter lang en ruim 6 centimeter breed, waarbij aan weerszijden een ondiepe en een diepe afdruk was achtergelaten'.

Kon het wezen dat deze vreemde afdrukken had achtergelaten uit zee afkomstig zijn geweest? Twee wonderlijke vondsten aan de kust van Engeland wijzen op die mogelijkheid. In november 1953 werd op het eilandje Canfey het half ontbonden karkas van een wezen gevonden dat ongeveer 70 centimeter lang was en was uitgerust met poten en voeten waarmee het zonder twijfel net als een mens rechtop had kunnen lopen. In augustus 1954 vond dominee Joseph Overs het karkas van een soortgelijk wezen, dat dood in een getijdenpoel dreef. Dit karkas woog ongeveer 25 pond, was ruim 1,20 meter lang en had twee korte poten. De plaatselijke politie, die het karkas onderzocht, rapporteerde dat het grote ogen had, gaatjes waar een neus behoorde te zitten, een gapende mond en kieuwen. Maar in plaats van schubben bezat het wezen een dikke, roze huid.

De vorm van de kleine voeten van dit wezen – zoals die door de Britse politie werd beschreven – herinnerde enkele mensen echter aan het zojuist beschreven incident dat zich bijna een eeuw eerder had voorgedaan: het wezen had vijf kleine tenen aan iedere voet, die in U-vorm rondom een holle wreef waren gerangschikt.

ITT versus Sharks

Een deel van de storingen in op de oceaanbodem afgezonken glasvezelkabels kan worden veroorzaakt door haaien die in deze nieuwe kabels bijten, die soms op zeer grote diepten liggen. Het vermoeden dat haaien de boosdoeners zijn, werd ingegeven door het feit dat er haaietanden in de beschadigde kabels werden aangetroffen. Aangezien haaien in de Atlantische Oceaan zich voorheen nooit iets hebben aangetrokken van onderzeese telefoonkabels, gevoegd bij het feit dat de nieuwe kabels nog maar een diameter van 2,5 centimeter hebben en dus veel minder opvallen dan de oude, die zo dik waren als een mannenarm, zijn deze aanvallen van haaien op de nieuwe kabels tamelijk verbazingwekkend. De kosten van het repareren van zo'n doorgebeten kabel (die ook in de Grote Oceaan zijn gelegd) bedragen ten minste een kwart miljoen dollar per reparatie.

Enkele deskundigen opperden dat de lichttrillingen in de nieuwe glasvezelkabels wellicht vibraties opwekken die door haaien worden opgepikt en geïnterpreteerd als een signaal van iets eetbaars. Bekend is dat haaien reageren op signalen in een elektromagnetisch veld en geneigd zijn naar alles te happen dat dergelijke signalen uitzendt (belangrijke informatie voor duikers en zwemmers die met elektronische apparatuur de zee in gaan).

ITT overweegt nu onderzeese kabels te voorzien van een dubbele laag van een stalen omwinding waarop zelfs haaien zich de tanden stuk zullen bijten.

De kannibaalboom

Roger Williams kwam in 1630 naar de Engelse koloniën in de Nieuwe Wereld. En omdat hij zo vurig in godsdienstvrijheid geloofde, werd hij binnen de kortste keren uit Massachusetts verbannen. Hij was echter voorbestemd om de geliefde en luid voor zijn mening uitkomende leider van de kolonie op Rhode Island te worden. Ofschoon de Amerikaanse geschiedenisboeken meestal verslag doen van Williams' leven, zwijgen ze vaak over een van de meest fascinerende aspecten van zijn bestaan: het feit dat hij na zijn dood op Rhode Island werd verslonden.

Het begon allemaal in 1683, toen Williams overleed en naast zijn echtgenote op hun eigen boerderij werd begraven. De graven waren gemarkeerd met twee eenvoudige zerken, maar verscheidene jaren na zijn dood besloot de plaatselijke bevolking een gedenkteken op te richten dat iemand van Williams' statuur waardig zou zijn.

Er werd een commissie gevormd die gemachtigd werd de stoffelijke resten van Roger Williams en zijn vrouw te laten opgraven, teneinde hun een waardiger laatste rustplaats bij het nieuwe monument te geven. Er deed zich echter een wel zeer onverwacht probleem voor: toen de beide graven werden geopend, was er noch van Williams zelf, noch van zijn vrouw een spoor te bekennen.

Hoewel het een poosje duurde voordat werd ontdekt wie de lijken had geroofd, werd de dief niettemin gevonden. Het bleek een appelboom te zijn, en wel een exemplaar dat zeer bekend was om de heerlijke vruchten die hij voorbracht.

De wortels van deze boom waren dwars door de doodskisten van het echtpaar Williams gegroeid en ze waren doorgedrongen tot in de plaatsen waar zich de borstholte van de man en die van de vrouw hadden bevonden. Uiteindelijk had het wortelstelsel de beide lijken (die immers voor meer dan 90 procent uit vocht bestonden) volledig opgenomen. Een al even merkwaardige bijkomstigheid was dat het wijdvertakte wortelstelsel, dat werd uitgegraven en overgebracht naar het museum van het Historisch Genootschap van Rhode Island, een opvallende gelijkenis vertoonde met de bloedsomloop in het menselijk lichaam.

Algauw begonnen de mensen zich te realiseren dat iedereen die ooit een van de heerlijke, grote sterappels van de boom had opgesmikkeld zich onwillekeurig te goed had gedaan aan een van de vermaardste figuren uit het koloniale verleden van Amerika en diens echtgenote.

Leven na de dood: ooggetuigeverslagen

Dank zij de wonderen van de moderne geneeskunde overleven thans steeds meer mensen ongevallen en hartinfarcten – en onder hen zijn er vaak die kunnen navertellen hoe sterven in zijn werk gaat en wat het betekent een bezoek aan 'gene zijde' te brengen.

Een groep cardiologen uit Denver, Colorado, verrichtte onderzoek onder 2300 hartpatiënten die waren gereanimeerd na klinisch dood te zijn geweest. In het rapport van deze cardiologen – gepubliceerd in 1980 – werd vermeld dat 60 procent van deze mensen opmerkelijk overeenkomstige verhalen hadden te vertellen: zij beschreven bezoeken aan een oord met een 'heerlijk licht', waar zij werden opgewacht door vrienden en verwanten die al waren overleden.

Volgens deze onderzoekers en anderen wijken de verhalen inhoudelijk weinig van elkaar af, hoewel niet alle details gelijk zijn. Klinisch doden zijn zich vaak op de plaats waar zij zich bevinden – zoals de locatie van een ongeval of een ruimte in een ziekenhuis – bewust van het feit dat ze stervende zijn. Zij voelen hoe hun geest/ziel zich losmaakt uit hun stoffelijk lichaam, waarna zij zich naar believen kunnen verplaatsen, alleen al door de wens daartoe te *denken*. Zij zijn er dikwijls getuige van hoe verpleegkundigen en artsen verwoede pogingen doen om hun roerloze lichaam te reanimeren, totdat zij plotseling een 'luid gedruis' horen en dan de gewaarwording hebben een donkere tunnel in te 'vallen', in de richting van 'een helder licht' of 'een lichtende gestalte'.

Wanneer zij dat licht hebben bereikt, bevinden ze zich gewoonlijk in een fraai landschap, waar zij worden overweldigd door gevoelens van geluk en vrede. Meestal bevindt er zich in dit landschap een barrière in de vorm van een water of andere hindernis en ontwaren zij achter die barrière reeds overgegane vrienden of verwanten die hun zeggen dat zij terug moeten gaan omdat zij nog een bepaalde taak op dit ondermaanse hebben te verrichten.

De klinisch 'dode' wordt dan vaak plotseling opnieuw ondergedompeld in diepe duisternis, alvorens hij wordt geconfronteerd met wat door BDE-onderzoeker James Graves wordt omschreven als een 'zuil van verblindend licht, licht dat hen vervult van mateloze vreugde'. Dit 'lichtwezen' identificeert zich echter niet, maar toont de klinisch 'dode' een flitsende terugblik op het leven dat hij of zij tot nu toe achter de rug heeft en waarin betrokkene zich bewust wordt van wat hij heeft verzuimd of verkeerd gedaan, wanneer het lichtwezen vraagt: 'Wat heb je gedaan met het leven dat ik je heb geschonken?'

Volgens Graves – die al in de jaren zestig, toen hij docent psychologie was aan het Community College van Muskegon in Michigan verhalen uit de eerste hand van dit soort ervaringen begon te verzamelen – wilden veel mensen onder die omstandigheden niet meer terug naar hun aardse leven. Zonder uitzondering zeggen zij dat het lichtwezen hen vervulde van een overweldigend gevoel van gelukzaligheid dat zij nooit hadden gekend. 'Het is het laatste stadium vóór het *point of no return*,' aldus Graves. 'Wie een stap verder gaat, komt niet meer terug.'

Niet alle BDE's zijn echter zo aangenaam. De onderzoekers hebben ook ontdekt dat sommige mensen die door de donkere tunnel gaan, uitkomen in een grauwe omgeving die vervuld is van woede en neerslachtigheid. Daar dwalen zij rond met andere mensen, die in wanhoop gevangen lijken te zijn.

Al deze verhalen van klinisch 'doden' die werden gereanimeerd, worden door sommigen van tafel geveegd of afgedaan als 'gewoon' het resultaat van het gebruik van medicamenten of een tekort aan zuurstof in de hersenen. Daarmee is echter geen verklaring gegeven voor de talloze voorbeelden van een BDE waarin *bewezen* is dat de desbetreffende man of vrouw, die beweerde boven zijn eigen lichaam te hebben gezweefd en alles te hebben gezien wat er rondom dat lichaam gebeurde, daadwerkelijk over kennis beschikte die hij of zij op geen enkele andere manier kon hebben opgedaan.

Zo was er het geval van de patiënt van wie het hart tijdens een operatie in het Academisch Ziekenhuis van Muskegon, Michigan, stil bleef staan. Toen hij was gereanimeerd, kon deze hartpatiënt de naam noemen van de apotheker die de radeloze verpleegkundige het middel had gegeven dat nodig was om zijn leven te redden. Hoewel zijn ogen dicht waren geweest en zijn hart in de operatiezaal stilstond, hield deze patiënt vol dat hij erbij was geweest toen de verpleegster op een holletje naar de ziekenhuisapotheek ging om het middel te halen. 'Ik heb altijd vertrouwen in u gehad,' zei de patiënt later tegen deze verpleegster, 'en daarom ben ik u achternagegaan toen ik zag dat u de operatiezaal verliet.'

Monsterschildpadden

Bij het woord 'zeemonsters' denken de meeste mensen aan iets dat verwant is aan een dinosaurus of reuzenslang. Er is echter nog een ander type zeemonster dat in de oceanen van de wereld herhaaldelijk is gesignaleerd: gigantische zeeschildpadden.

Tijdens een zeereis in 1484 ontdekte de bemanning van Christoffel Columbus bij de zuidoostelijke uitloper van het Iberisch schiereiland een van deze immense dieren. Hij rapporteerde: 'Het was een weerzinwekkend zeemonster van het formaat van een middelgrote walvis, met een pantser als van een zeeschildpad, een gruwelijke kop ter grootte van een regenton en twee vleugelvormige peddels.'

Bijna vijf eeuwen later, in oktober 1937, ving een Cubaanse visser een enorme zeeschildpad in zijn netten. Dit dier was vier meter lang, woog honderden kilo's en was – volgens de schatting van enkele zoölogen – op zijn minst vijfhonderd jaar oud.

In maart 1955 dreef een schipbreukeling op een vlot al tien dagen lang zonder eten of drinken voor de kust van Columbia toen hij een soortgelijk monster zag, dat van kop tot staart zeker vier meter lang moest zijn. Een kranteartikel, dat door niemand minder dan de latere Nobelprijswinnaar Gabriel García Marquez werd geschreven, vermeldt dat de man 'een gigantische gele schildpad zag, een reptiel met een kop met tijgerstrepen en dom starende ogen die hem aan twee enorme glazen bollen deden denken'.

Bruce Mournier, een visser uit Miami, beweert dat hij, toen hij bij de Bahama's in het water dook, opeens oog in oog kwam met een gigantische zeeschildpad. Het beest moest volgens hem op zijn minst honderd kilo hebben gewogen. Het had 'een vooruitstekende kop met een apesnuit. En het kon de kop draaien als een slang.'

Als zulke monsterlijk grote zeeschildpadden werkelijk bestaan, wat is dan hun bakermat? Deze dieren zijn altijd gesignaleerd in het Caribisch gebied, bij Canada en voor de Europese kust. Die drie gebieden hebben één ding met elkaar gemeen: ze liggen in de route van de Golfstroom. Die zou dus best de natuurlijke habitat en 'kweekvijver' van deze reuzen van de zee kunnen zijn.

Het getal van het Beest

Tegenwoordig zijn borden van demonstranten die tegen het een of ander willen protesteren bijna overal ter wereld een alledaags verschijnsel, maar een demonstratiebord dat in 1986 in Athene was te zien, had betrekking op iets heel anders dan een alledaagse politieke of internationale kwestie. Het protest was gericht tegen de invoering van een nieuw legitimatiebewijs. De demonstranten riepen het publiek op het legitimatiebewijs af te wijzen, niet omdat ze tegen de noodzaak van een legitimatiebewijs waren, maar omdat de basiscode op dat bewijs het getal 666 was. Iedereen die ook maar iets af weet van het laatste bijbelboek – *Openbaringen* – weet dat dit het getal is van het 'Beest' of de 'Antichrist' en daarom aan het werk van satan doet denken.

Volgens de Grieks-orthodoxe aartsbisschop Afxentios van Athene moest het getal op het legitimatiebewijs zijn aangebracht door 'duistere krachten' die tegen het christelijk geloof gekant waren. Dus gingen duizenden mensen de straat op met borden met de tekst: 'Nee tegen 666!' Hieruit blijkt dat het bewustzijn van satans felle haat tegen ware gelovigen in die oude stad nog springlevend is.

Hoe het ook zij, de desbetreffende bijbelpassage laat er geen misverstand over bestaan:

'Hier is de wijsheid: wie verstand heeft, berekene het getal van het Beest, want het is het getal van een mens, en zijn getal is zeshonderd zesenzestig (Openb. 13:18).

Het doek viel voor de laatste maal

In november 1986 gaf de toneelspeelster Edith Webster in Baltimore haar laatste voorstelling van het stuk *The Drunkard*. De rol, die ze al gedurende acht jaar met veel succes had vertolkt, was die van een bejaarde oma. Volgens het script moest ze op een gegeven moment het lied *Please Don't Talk About Me When I'm Gone* zingen en daarbij op het toneel ineenzakken. Maar tijdens die laatste voorstelling, onder luide toejuichingen van het publiek, verwisselde zij werkelijk het tijdelijke voor het eeuwige, hoewel het publiek dacht dat het bij het stuk hoorde – zelfs toen er luidkeels om een dokter werd geroepen. Het duurde een poosje voordat ook in de zaal werd begrepen dat het overlijden van Edith niet gespeeld maar echt was. Het applaus verstomde en het grootste deel van het publiek sloot zich aaneen in een gezamenlijk gebed.

Oogafwijkingen

Monsters met meer of minder dan één ogenpaar? Het klinkt als pure fantasie. Toch hebben er zich merkwaardige, goed gedocumenteerde gevallen voorgedaan van mensen met dergelijke 'oog'-afwijkingen. Soms bleken ze zelfs nog vreemder dan welke fabel of mythe dan ook.

Zo gaven de Engelse autoriteiten bijvoorbeeld volgens het *Boston Medical Journal* in 1854 het geval vrij van een inwoner van Cricklade, die met vier in plaats van twee ogen was uitgerust. De ogenparen waren boven elkaar geplaatst. 'Hij kon elk ooglid onafhankelijk van de andere sluiten en hij kon zijn ogen los van elkaar in elke gewenste richting draaien, wat voor toeschouwers buitengewoon verontrustend was', vermeldt het artikel in dit medische vaktijdschrift. De auteur voegt eraan toe dat deze man-met-vier-ogen ook in andere opzichten tamelijk merkwaardig was. Zo zong hij 'met een krijsend stemgeluid, waarnaar ik niet kon luisteren zonder te worden bekropen door weerzin'.

Een zekere Edward Mordrake, een Engelse aristocraat, had eveneens twee paar ogen, maar in zijn geval bevond het tweede paar zich op zijn 'achterhoofd', samen met een tweede stel oren, plus een extra mond en een tweede neus. Dit tweede gezicht van Mordrake kon lachen en huilen en de ogen konden zien, maar de mond at nooit en zei nooit iets – in plaats daarvan staarde het gezicht alleen maar voor zich uit en liep er speeksel uit de mond. Uiteindelijk heeft Mordrake zijn verstand verloren en is hij als een krankzinnige gestorven.

De medische wetenschap heeft ook het bestaan van een echte eenogige 'Cycloop' geregistreerd. Deze man, die jarenlang ergens in het achterland van de staat Mississippi heeft geleefd, had een oog van normale afmetingen midden in zijn voorhoofd. Vaak werden hem baantjes in een variété-show of circus aangeboden, maar hij weigerde zijn afwijking te exploiteren en staarde met zijn ene oog dreigend naar iedereen die probeerde hem op andere gedachten te brengen.

Pearl Harbor voorspeld

De boodschap was met verf op de stoep gekliederd, vlak voor de ingang van de openbare school in Owensville, Indiana. En de inwoners van die plaats vonden het een ergerlijk staaltje vandalisme. Maar wat had deze cryptische boodschap te betekenen? In enorme letters had de onbekende geschreven: 'Denk om Pearl Harbor!'

Die winterochtend van 7 december 1939 werd er in de stad druk over gepraat. Wat bedoelde die kliederaar met 'Pearl Harbor'? Niemand kwam er ooit achter wie de woorden had aangebracht, of waarom. Het leek een zinloze praktical joke of een staaltje van jeugdig vandalisme, en het incident raakte in het vergeetboek – todat de Japanners precies 2 jaar later, op 7 december 1941, de Amerikaanse oorlogsschepen in de haven van Pearl Harbor bombardeerden.

Het gezicht in de melkemmer

Niet alle portretten zijn het werk van kunstenaars. Soms duiken goed gelijkende gezichten van mensen op de gekste plaatsen op zonder dat er een mensenhand aan te pas is gekomen. Dat was bijvoorbeeld zo toen er in Northamptonshire, Engeland, in 1948 plotseling een gezicht in een melkemmer verscheen.

Mevrouw Margaret Leatherland was bezig met het melken van haar koeien toen zij tot haar verbazing opeens een gezicht aan de binnenzijde van haar glanzend geschuurde melkemmer ontdekte. Het gezicht, dat zich juist boven de 'melklijn' bevond, lachte haar toe en leek sprekend op dat van haar beroemde broer, de circusdirecteur sir Robert Fossett.

Mevrouw Leatherland trommelde haar hele gezin bijeen om iedereen het gezicht te laten zien en ook zij herkenden het als een portret van sir Robert, die het echter zelf nooit te zien zou krijgen: enkele weken nadat het portret in de melkemmer was verschenen, kwam hij te overlijden.

Mevrouw Leatherland was vastbesloten het portret weer uit haar melkemmer weg te schuren, maar sterke sodaoplossingen en zelfs zuren haalden niets uit. Soms leek het portret te vervagen, maar al spoedig werd het gezicht weer even duidelijk als eerst.

Het verhaal over het mysterieuze portret in de melkemmer deed als een lopend vuurtje de ronde. Een krant drukte een gewaarmerkte foto van de binnenkant van de melkemmer af. De afdeling Northamptonshire van het Brits Genootschap voor Parapsychologisch Onderzoek stuurde een afgevaardigde om een onderzoek in te stellen. Ook hij zag het portret van sir Robert Fossett in de melkemmer, en verbluft ging hij weer naar huis om verslag uit te brengen.

Volgens de verhalen raakte mevrouw Leatherland ten slotte zó van streek door het portret dat ze zich van de zeldzame melkemmer ontdeed. Dat was haar niet kwalijk te nemen: per slot van rekening zag zij, iedere keer als ze aan het melken was, het gezicht van haar overleden broer verdrinken in melk...

Een taaie rakker

Volgens een bericht in de *Deseret News* van 2 februari 1958, een in Salt Lake City verschijnende krant, deden vier mijnwerkers die hard aan het werk waren in een uraniummijn in Utah een ongelooflijke vondst. Deze mijnwerkers – Charles North, zijn zoon Charles, Ted McFarland en Tom North – hadden zich een weg gebaand door een laag zandsteen van 2,5 meter dik toen zij op een versteende boom stuitten, midden in een laag uraniumerts (*yellow cake*). Om goed bij het erts te kunnen, waren ze genoodzaakt de versteende boom op te blazen.

De explosie opende een holte in de versteende stam – en in die holte bleek een kikker te zitten. Het amfibie was grijsbruin en leek te zijn verschrompeld. Het had lange tenen zonder zwemvliezen ertussen en aan de dunne 'vingers' zaten zuignappen. Aan de vorm van de holte was duidelijk te zien dat het amfibie het gat ooit volledig had opgevuld – maar in de loop van honderdduizenden jaren was het dier kennelijk verschrompeld tot op een derde van de oorspronkelijke grootte.

Het meest ongelooflijke aspect van dit mijnwerkersrapport is dat zij meldden dat het dier nog in leven was. Het scheen op de een of andere manier gedurende talloze millennia in de versteende boom in winterslaap te zijn gebleven. Helaas overleed het alsnog, slechts achtentwintig uur nadat het door een daverende klap was wakker geworden in de 20ste eeuw.

Het onverklaarbare portret

De Engelse schilderes Margaret Moyat, woonachtig in het plaatsje Eythorne, werd op een juni-ochtend van het jaar 1953 wakker na een heel merkwaardige droom, zich ervan bewust dat de beelden die ze had 'gezien' op onverklaarbare manier uitzonderlijk helder en kleurrijk waren geweest. In haar droom was haar een oudere heer verschenen die zij niet kende. Deze heer had haar glimlachend toegeknikt en ze had daarop aangenomen dat hij wilde dat ze zijn portret zou schilderen.

De schilderes kon dit nachtelijke visioen niet van zich af zetten. Ze voelde zich welhaast gedwongen het portret van de oude heer te schilderen. Het gezicht, een wilskrachtig gelaat met lichtblauwe ogen en een sneeuwwitte baard, kwam binnen twee dagen af.

Enkele weken later kreeg Margaret Moyat bezoek van twee dames die al meer dan dertig jaar in Eythorne woonden. Toen ze een blik wierpen op het portret dat was geïnspireerd door een droom, hijgden ze van schrik. Het was zonder enige twijfel, zo verzekerden ze de schilderes, een portret van een zekere dominee Hughes, die in Eythorne had gewoond en al vijfentwintig jaar dood was.

Andere oudere inwoners van Eythorne beaamden dat het portret onmiskenbaar het gezicht van ds. Hughes weergaf. Hoe Margaret Moyet in staat was geweest zo'n goed gelijkend portret van hem te schilderen zonder hem ooit in levenden lijve te hebben gezien (ze woonde zelf pas twee jaar in Eythorne en had zelfs nooit van hem gehoord *voordat* ze zijn konterfeitsel op linnen vereeuwigde) kon niemand verklaren.

Voetstappen op een grafsteen

Het beruchte Salem in Massachusetts was niet de enige plaats in Amerika waarin aan heksenjacht werd gedaan: ook Bucksport in Maine werd door die waanzin bevangen, grotendeels door toedoen van de stichter van het stadje, kolonel Jonathan Buck – een wrede persoonlijkheid die het had voorzien op een oud vrouwtje dat hij, alleen omdat ze een wilskrachtige kin en een excentrieke manier van doen had, voor een heks aanzag.

De oude vrouw hield bij hoog en bij laag vol dat ze onschuldig was, maar Buck brulde haar toe dat ze een handlangster van de duivel was en gaf opdracht haar te martelen totdat zij op haar betuigingen van onschuld terugkwam. Ondanks de uren van onduldbare pijnen die ze doorstond, weigerde de oude vrouw te bekennen. Het eindigde ermee dat de kolonel bevel gaf haar ter dood te brengen.

Kort voor haar laatste ademtocht vervloekte de oude vrouw kolonel Buck. Na zijn dood, zo waarschuwde ze, zou er een onweerlegbaar bewijs zichtbaar worden dat aantoonde dat hij een volmaakt onschuldige vrouw ter dood had laten brengen: haar voetafdruk zou op zijn grafsteen te zien zijn.

Buck maakte zich blijkbaar zorgen over deze voorspelling van de oude vrouw, want bij zijn overlijden liet hij de instructie achter dat zijn grafsteen 'absoluut maagdelijk en zonder gebreken' diende te zijn. Zijn familie voerde zijn laatste wens stipt uit en richtte een groot monument van hagelwit marmer boven zijn graf op.

Maar algauw ontdekten de koster-doodgraver van Bucksport en de dominee dat er op de maagdelijke grafsteen een herkenbare afbeelding was te zien. Naarmate de dagen verstreken, was deze steeds duidelijker te herkennen als de afdruk van een vrouwelijke voet. De familie Buck gaf de steenhouwer onmiddellijk opdracht de voetafdruk weg te polijsten, maar reeds na enkele weken was hij opnieuw duidelijk te zien.

Bucks graf trok massa's nieuwsgierigen, en ten einde raad lieten zijn erfgenamen de grafsteen weghalen en door een nieuwe vervangen. Ook op die nieuwe steen was echter al spoedig de afdruk van een vrouwenvoet te zien – een verschijnsel dat onomstotelijk bewees dat de geëxecuteerde oude vrouw haar dreigement had uitgevoerd.

De extra doodskist

In september 1956 waren Henry en Harry Kalabany uit Westport in Connecticut in de buurt van hun familiegraf op het kerkhof van de Congregational Church van Green Farms aan het graven toen hun spaden op iets stuitten dat ze daar niet hadden verwacht. In een deel van de kerkhofhoek die voor hun eigen familie was gereserveerd, maar waar nog nooit een lid van de familie was bijgezet, bleek zich een doodskist te bevinden.

Nieuwsgierig naar deze vreemdeling in hun familiegraf maakten de broers de prijzig ogende doodskist open. Ze zagen het lijk van een heer met blozende wangen die ze nooit eerder hadden gezien. Hij moest tussen de vijfenveertig en vijftig jaar oud zijn geweest toen hij in een blauw pak van onberispelijke snit was begraven. De gebroeders Kalabany waren genoodzaakt de doodskist weer te begraven; omdat de dode niet te identificeren was, kregen zij geen toestemming het stoffelijk overschot te verplaatsen. Dus probeerden ze zelf uit te zoeken wie de man was geweest en waarom hij in hun hoek van het kerkhof was begraven.

Pas de volgende lente bleek de plaatselijke politie genegen de broers te helpen. De geheimzinnige doodskist werd weer opgegraven en geopend. Deze keer lag er echter geen goed geconserveerd lijk van een kennelijk welgestelde heer in. Ze vonden alleen het skelet van een man die al op zijn minst een halve eeuw dood moest zijn.

Ofschoon de broeders betoogden dat dit niet het lijk was dat *zij* hadden gezien, liet de politie hen de kist op dezelfde plek begraven en sloot haar onderzoek van het geval af.

De Kalabany's zijn nooit achter de identiteit gekomen van de man die zij eerst in de kist hadden gezien. Kon hij het slachtoffer van een moord zijn geweest, van wie het lijk later was verwisseld voor het reeds ontbonden stoffelijk overschot? Of was het lijk dat zij hadden gevonden snel tot stof vergaan nadat zij de kist hadden geopend? Of hadden Harry en Henry Kalabany het skelet op de een of andere manier gezien zoals de man er bij zijn leven had uitgezien?

Ouwe reus

In juli 1977 trok een groep van vier geologen en mijnonderzoekers door de heuvels van Spring Valley, niet ver van Eureka in Nevada. Ze hakten stukken rots open, op zoek naar sporen van kostbare metalen. Een lid van de groep zag iets vreemds uitsteken uit een nabije rotsrichel en klom naar boven om te zien wat het was. Hij vond echter geen goudader, maar een lichaamsdeel van een prehistorische reus.

Met behulp van hun houwelen slaagden de vier mannen er al spoedig in een onmiskenbaar menselijk been uit het harde kwartsiet los te hakken. Tot de zwarte botten – het been was vlak boven de knie afgebroken – behoorden het kniegewricht met knieschijf, het kuit- en het scheenbeen en een compleet stel voetbeentjes. Aan de afmetingen van het geheel was te zien dat de man immens groot moest zijn geweest, want het been mat van knie tot hiel 99 centimeter.

Vlug haastte het viertal zich met zijn vondst naar Eureka, waar de botten door plaatselijke artsen werden onderzocht. Nadat het dagblad van Eureka het bericht van de vondst van het reuzenbeen had gepubliceerd, stuurden verscheidene musea archelogen naar de vindplaats, in de hoop dat er nog andere resten van het skelet van de oude reus te vinden waren, maar er werd nergens nog iets van de gigant – die zeker drie meter lang moet zijn geweest (Vert.) – gevonden.

Piloten die van de aardbol stapten

In de zomer van 1924 liepen in het Midden-Oosten niet alleen de temperaturen in de woestijn hoog op, maar raakten ook de gemoederen ernstig verhit. In het gebied dat destijds Mesopotamië (Tweestromenland, tussen Eufraat en Tigris) heette, werd zwaar gevochten tussen de verschillende Arabische volken. En de Britten probeerden de situatie in de hand te houden. Op 24 juli stegen luitenant W.T. Day en piloot-officier D.R. Stewart in hun eenmotorige vliegtuigje op voor een vier uur durende routinepatrouillevlucht boven het gebied.

Toen de beide verkenners maar niet terugkwamen, werd er een grote zoekactie op touw gezet. De volgende dag werd hun toestel gevonden, en er mankeerde niets aan. Het was niet neergehaald. Bovendien zat er genoeg benzine in de tank en sloeg de motor aan zodra de propeller werd rondgedraaid. Maar waar waren Day en Stewart gebleven? En waarom waren zij in een kale woestenij geland?

Op zoek naar meer aanwijzingen, ontdekten de mannen die het vliegtuig hadden gevonden dat de twee officieren uit hun vliegtuig waren gestapt, zoals aan de duidelijke sporen van hun laarzen was te zien. Die voetafdrukken bewezen dat zij naast elkaar een afstand van ongeveer 40 meter hadden afgelegd. Toen waren ze blijven staan – en hielden de voetsporen om onverklaarbare redenen op.

Zes uit ervaren woestijnbewoners bestaande patrouilles, een aantal soldaten in pantserwagens en enkele verkenningsvliegtuigen slaagden er niet in ergens nog een spoor van de piloten terug te vinden. Het zag ernaar uit dat zij letterlijk van de aardbol waren gestapt.

Zeeraadsel

De nacht van 28-29 oktober 1902 was helder en stil toen het stoomschip *Fort Salisbury* door de Guinese Golf voor de westkust van Afrika voer en op weg was naar de evenaar. In de geruststellende wetenschap dat hij over een degelijk gebouwd schip en een betrouwbare bemanning beschikte, zocht de kapitein zijn kooi op en viel vredig in slaap. Het scheen een normale nacht te zijn, zonder opvallende gebeurtenissen. Maar plotseling – de scheepsklok wees vijf over drie – sloeg de uitkijk luidkeels alarm.

Vlak voor de *Fort Salisbury* – een plek waar niets behoorde te zijn – bevond zich een immens groot en rond object.

Tweede stuurman A.H. Raymer haastte zich aan dek en gaf bevel het zoeklicht op het object in hun vaarroute te richten. In de lichtbundel zagen ze een metaalachtige structuur met aan de ene kant twee kleine oranjerode lichten en twee blauwgroene lichten aan de andere kant. De bemanning omschreef het object als een reusachtige luchtschip, geconstrueerd van metalen platen. Uit het inwendige van het object kwamen geluiden die aan werkende machines deden denken, en bovendien hoorden ze stemmen die in onverstaanbaar 'koeterwaals' met elkaar praatten.

Terwijl de kapitein en zijn mannen het vreemde object langzaam onder de golven zagen zinken, schreeuwden ze dat ze bereid waren hulp te bieden. Er kwam echter geen antwoord en het immense schotelvormige object verdween voor hun ogen onder de golven.

Paranormale redding

Howard Wheeler, een vroom christen uit Charlotte in North Carolina, lag op zondagmorgen 10 juni 1962 in zijn huis op zijn knieën te bidden toen hij zich plotseling oprichtte. 'Ik heb een autobotsing gehoord!' zei hij tegen zijn geschrokken echtgenote Pat. 'Ik ben zó terug!'

Wheeler rendde zijn huis uit en sprong in zijn auto. Toen pas wachtte hij even om na te denken. Het enige dat hij had gehoord, was een vage, doffe klap, gevolgd door glasgerinkel. Waar ging hij heen, en waarom?

Hoewel hij in een buurt met veel straten en dwarsstraten woonde, leek iets Howard de weg te wijzen over Park Road. Toen hij Woodlawn Avenue had bereikt, sloeg hij rechtsaf en reed een helling af, naar een kade waaraan de kleine boot van een garnalenvisser lag afgemeerd. Nergens was een autowrak te zien. Op dat moment bekroop hem het sterke gevoel dat hij moest omkeren en zo snel mogelijk terug diende te rijden naar Montford Drive.

'Hij had een paar honderd meter over Montford Drive gereden en ging een bocht door,' zo rapporteerde de *Charlotte News*, 'toen hij een auto ontdekte die een paal had geramd, en wel met zoveel kracht dat de motor achteruit was gedrukt. Hij zag niemand... maar een stem zei: "Help me, Humpy, help me!" '

Wheeler ontdekte dat een oude vriend van hem, Joe Funderburke, die hem altijd Humpy had genoemd, klem zat in het autowrak. Hoewel Funderburke ernstig gewond was, kon Howard Wheeler hem bevrijden uit het verwrongen metaal en naar een ziekenhuis brengen. Een spoedoperatie redde Funderburke het leven.

Wheeler heeft nooit kunnen verklaren hoe het mogelijk was dat hij een botsing op ruim een halve kilometer van zijn huis *binnenshuis* had kunnen horen, en evenmin kon hij uitleggen hoe hij het wrak van de auto had weten te vinden – drie kwartier voordat de politie of een passant het wrak ontdekte.

Cinque

Een van de hoofddaders van de in 1974 gepleegde ontvoering van Patricia Hearst, de dochter van de krantenmagnaat Hearst, had de schuilnaam Cinque aangenomen. De oorspronkelijke Cinque had een slavenopstand op een zeilschip geleid en was beroemd en berucht geworden gedurende de laatste jaren van de import van Afrikaanse slaven door Amerika, een periode die bekend is als de *Middle Passage*.

Cinque behoorde tot de Mende-stam in het huidige Sierra Leone. Hij was in 1839 gevangengenomen en samen met lotgenoten naar Cuba verscheept, maar de slavenhaler werd onderweg aangehouden door een patrouillerende oorlogsbodem van Groot-Brittannië, dat een eind probeerde te maken aan de slavernij. Het werd onder escorte teruggevaren naar Afrika. Zodra ze echter in Sierra Leone terug waren, verscheepten de hardnekkige slavenhalers Cinque met vijftig andere zwarten opnieuw naar Cuba, deze keer aan boord van de bark *Amistad*.

De Afrikanen wisten wel hoe zij hun koers konden bepalen aan de hand van de zon, maar ze konden zich niet oriënteren aan de sterrenhemel. Zo kwam het dat de 'muiters', toen ze het schip eenmaal in handen hadden, overdag richting Afrika voeren, maar 's nachts richting Cuba en de zuidelijke staten van Amerika. Uiteindelijk weken ze echter in noordelijke richting van die koers af en bevonden zich uiteindelijk voor de noordkust van Long Island (New York), waar ze bij Montauk Point landden. Cinque en enkele andere Afrikanen gingen de wal op om te proberen aan voedsel te komen. Ze kwamen terug met honden en... gin. Ze waren echter gevolgd door de kustwacht van de Verenigde Staten, die door eendenjagers was gewaarschuwd.

Het schip werd in beslag genomen en alle Afrikanen werden gevangengezet, eerst in New Londen en vervolgens in New Haven, waar het proces tegen hen werd gevoerd.

Dit proces was een doorn in het oog van de 'abolitionisten' (voorstanders van afschaffing van de slavernij in de noordelijke staten) en zij vormden een 'Comité voor de Verdediging van de Afrikanen van de *Amistad*', waarin ook ex-president John Quincy-Adams, Ralph Waldo Emerson en een andere bekende abolitionist, William Lloyd Garrison, zitting hadden. Ogenblikkelijk kreeg het comité felle tegenstand van zuiderlingen, die beweerden dat het comité een eerlijk proces tegen de 'muiters' onmogelijk maakte.

President Martin Van Buren werd bestookt met petities van beide partijen en zwaar onder druk gezet door de abolitionisten, de congresleden uit de zuidelijke staten, koningin Victoria (via de Britse ambassadeur) en zelfs de Spaanse regering. Hij stelde zich neutraal op en vaardigde geen presidentieel decreet uit om de slaven terug te laten brengen naar Afrika, zoals hij had kunnen doen. De Afrikanen kregen intussen hulp van de Theologische Faculteit van Yale (Yale Divinity School) en andere sympathisanten.

De zaak werd voortgezet tot voor de Hoge Raad (Supreme Court). Expresident Adams stelde een pleidooi op ter lengte van 100.000 woorden (een boek van circa 250 bladzijden!), waarin onder meer de verklaring voorkwam dat slaven 'als vrij geboren mensen dienen te worden beschouwd' en 'ogenblikkelijk in vrijheid behoren te worden gesteld'.

Pas in 1842 wees de president van de Hoge Raad vonnis: hij bepaalde dat de gevangenen moesten worden teruggebracht naar Afrika en dat er in Sierra Leone een christelijke zendingpost diende te worden opgezet – een project waarvan de kosten door middel van collectes en het honorarium van te houden lezingen zou worden bijeengebracht. (De 'muiters' hadden van Yale-studenten al sinds 1839 les gekregen in de Engelse taal.)

Cinque keerde samen met de andere ex-slaven terug naar Afrika, maar hij bleef niet lang op de zendingspost. Hij ging terug naar de jungle, waarna er berichten kwamen dat hij op eigen houtje een slavenlijn had opgezet.

De *Lusitania*-nachtmerrie

Toen I.B.S. Holbourne in de lente van 1915 na een zeer geslaagde tournee van lezingen door de Verenigde Staten terugging naar Engeland, boekte hij passage op de reusachtige oceaanstomer van de Cunard Line, de *Lusitania*. Hij had onmogelijk kunnen weten dat hij spoedig getuige zou zijn van de gewelddadige vernietiging van dit zeekasteel, maar op de een of andere manier kon zijn echtgenote, aan de overzijde van de Grote Plas, wèl 'zien' wat het lot voor haar man in petto had.

Marion Holbourne schrok op 7 mei 1915 wakker in een gemakkelijke fauteuil in de bibliotheek van haar huis, waar ze een dutje had gedaan. In haar slaap had ze een uitzonderlijk levendige en gedetailleerde nachtmerrie beleefd. Ze zag het grote passagierschip voor zich, en het maakte zwaar slagzij en de reddingboten werden klaargemaakt om te worden uitgezet. Hoewel er geen paniek aan boord uitbrak, waren de passagiers zeer geagiteerd.

In haar heldere droom bevond mevrouw Holbourne zich op het opperdek toen ze het schip onder haar voeten zag zinken. Ze zag een jonge scheepsofficier naderen en vroeg hem of haar echtgenoot nog aan boord was. De scheepsofficier antwoordde dat de professor al van boord was gegaan en in een reddingboot zat.

Nadat ze wakker was geworden, vertelde mevrouw Holbourne haar gezinsleden van haar heldere droom. Ze moesten om haar lachen en deden haar visioen af als 'gewoon een nachtmerrie'.

Later die dag lachte er niemand meer. Het nieuws dat de *Lusitania* door een Duitse U-boot voor de Ierse kust tot zinken was gebracht, bereikte Engeland binnen de kortste keren. Veel opvarenden hadden daarbij het leven verloren.

Maar prof. Holbourne was gered, zoals zijn familie te weten kwam. Nadat hij een aantal andere mensen in de reddingboten had geholpen, had de bemanning hem gelast zelf in een reddingboot te stappen. Toen hij veilig thuiskwam, kon hij zijn vrouw bevestigen dat haar droom over de ondergang van de *Lusitania* in alle opzichten juist was geweest – met inbegrip van het uiterlijk van de jonge scheepsofficier met wie ze had gesproken. De hoogleraar herinnerde zich de jongeman heel goed, want het was deze officier geweest die hem had gelast zelf in een reddingboot te stappen, waarmee hij hem het leven had gered.

Noorderlicht

In de winter van 1917-1918, aldus een artikel dat in 1939 in een nummer van het blad *Nature* verscheen, zagen de medewerkers van een door de Amerikaanse overheid bekostigd radiostation binnen de poolcirkel zich 'omhuld door een lichtgevende, op mist gelijkende nevel'. Als ze hun handen uitstrekten, leken die omgeven door een gekleurde mist – en 'tussen hun handen en lichaam was een ware caleidoscoop van kleuren zichtbaar'. Het verbazingwekkende was echter dat er in deze 'nevel' geen spoor van waterdamp te bespeuren viel. En als deze mannen zich bukten, konden ze onder deze 'lichtende nevelbank' door kijken, want de onderzijde ervan bevond zich ongeveer 1,20 meter boven de grond.

Veel ontdekkingsreizigers hebben over een soortgelijke 'etherische mist' bericht en zij schreven dit verschijnsel toe aan het noorderlicht, zoals de elektrische ontladingen in de hemel binnen de poolcirkel worden genoemd. Wetenschappers hebben die verklaring echter van de hand gewezen. Zij wijzen erop dat het noorderlicht nooit afdaalt tot minder dan 50 kilometer boven het aardoppervlak, en dat dit fenomeen zich meestal zelfs op een hoogte van honderden kilometers voordoet.

Toch blijft de reeks van verhalen over heel laag boven de bodem voorkomend 'noorderlicht' aanhouden. Floyd C. Kelley – destijds studerend aan het Trinity College in Hartford, Connecticut – had daar dit verschijnsel met eigen ogen gezien. 'Die lichteffecten wekten de indruk alsof de atmosfeer vervuld was van een soort nevel waarin iemand een spel van gekleurd licht veroorzaakte door de lichtbundel van een zoeklicht door die nevel te laten spelen', schreef hij in 1934 in een nummer van het blad *Nature*. Ook had hij 'suizende geluiden' gehoord die synchroon leken te lopen met de bewegingen van het 'noorderlicht'.

Bliksemgrillen – grillende bliksems

Het gedrag van bliksemschichten is soms moeilijk te verklaren. Zo werd in het kwartaaltijdschrift van de Engelse Royal Meteorological Society bijvoorbeeld verslag gedaan van een incident waarbij een blikseminslag in het Ierse district Mayo in 1891 een keuken vernielde. 'Alle voorwerpen van glas of porselein waren van hun plaats gekomen, maar er waren heel weinig dingen gebroken. Van een glazen inktpot was een hoekje afgeslagen, zonder dat er ook maar een druppel inkt was weggelopen. Het meest opmerkelijke detail was wat er was gebeurd met een mand eieren op de vloer van de keuken. De eierschalen waren allemaal gebarsten, zodat ze eraf vielen toen de eieren werden gekookt, maar de vliezen eronder waren intact gebleven.

In een nummer van *Nature* uit 1886 wordt bericht over de uitwerking van een blikseminslag tijdens een uitzonderlijk hevig onweer boven Duitsland. Naar het scheen had de bliksemschicht een gat – ter grootte van een kogelgat – in het onderste deel van een ruit geslagen. Door die opening was een krachtige waterstraal opgespoten naar het plafond, waarvan een deel naar beneden was gekomen en een kleine tafel eronder aan splinters had geslagen.

Een recenter geval – waarbij de bliksem eveneens een gaatje boorde in een ruit – (in een raam van de afdeling Meteorologie van de Universiteit van Edinburgh) – heeft zich in 1973 voorgedaan. Volgens een nummer van het vakblad *Weather* werd het ontbrekende schijfje glas – intact – in het desbetreffende lokaal teruggevonden.

Het stoomschip en de UFO

In het scheepsjournaal van de *Llandovery Castle* doet de gezagvoerder van dat schip verslag van een incident dat zich in de avond van 1 juni 1947 voordeed toen dit stoomschip in de Straat van Madagascar voer en korte tijd gezelschap kreeg van een UFO.

Het was ongeveer 23.00 uur toen enkele passagiers een helder licht boven de zee ontdekten. Toen dit heldere licht over het schip heen zweefde, minderde het snelheid en begon het te dalen totdat het op circa vijftien meter boven het wateroppervlak zweefde. Aanvankelijk was het licht omlaag gericht, zodat het leek alsof de lichtbundel uit een schijnwerper door het water werd weerkaatst. Op een gegeven moment ging dit licht echter uit en konden de passagiers en bemanningsleden van de *Llandovery Castle* het vreemde object naast hun schip onderscheiden.

De ooggetuigen beschreven de UFO als 'gigantisch' (ten minste 300 meter lang), en 'metaalachtig', met een cilindrische vorm. Sommigen zeiden dat hij eruit had gezien als een immense stalen sigaar waarvan de punt was afgeknipt. De lengte was ongeveer vijf keer de doorsnede (zodat hij dus ongeveer 60 meter moet zijn geweest) en het object had geen zichtbare patrijspoorten of raampjes. Aangezien het geheimzinnige toestel zich precies aanpaste bij de snelheid van de *Llandovery Castle*, concludeerde de bemanning dat het door intelligente wezens moest worden bestuurd.

Nadat de grote UFO ongeveer een minuut zij aan zij had gezweefd met de door de golven ploegende *Llandovery Castle*, steeg hij geluidloos op. Toen hij een hoogte van ongeveer 300 meter had bereikt, braakte hij plotseling een staart van oranjeblauwe vlammen uit, schoot omhoog en verdween snel in het duister van de nachtelijke hemel.

UFO's op Hawaii

Sinds het einde van de jaren veertig zijn ongeïdentificeerde objecten met tussenpozen in het nieuws geweest. Aanvankelijk konden de onderzoekers geen enkel patroon in deze waarnemingen ontdekken. Later bleek dat 'vliegende schotels' zich vooral in de lente- en zomermaanden lieten zien, en dan nog overwegend op het noordelijk halfrond. De rest van het jaar was er een grotere kans dat ze op de zuidelijke hemisfeer van de aarde werden waargenomen.

In het begin van de jaren zestig begon zich een ander patroon af te tekenen: keer op keer werden er UFO's ontdekt in de nabijheid van lanceerplatforms voor het in een baan om de aarde brengen van satellieten en in de nabijheid van centra voor het beproeven van kernbommen. Blijkbaar waren bemanningen van UFO's ook nieuwsgierig naar andere aspecten van menselijke technologie. Zo heeft bijvoorbeeld kapitein Joe Walker, een testpiloot van de Amerikaanse luchtmacht, vreemde objecten gezien en gefotografeerd toen hij in een experimenteel toestel, de met raketmotoren uitgeruste X-15, met een snelheid van duizenden kilometers per uur door het luchtruim raasde.

Ofschoon veel van deze geregistreerde UFO-waarnemingen door slechts een of twee personen werden gedaan, zijn er honderden – en misschien zelfs duizenden – mensen geweest die ze (letterlijk) op 11 maart 1963 hebben zien vliegen. Een rond, licht uitstralend object, gevolgd door een wazig wit licht, scheerde gedurende 5-6 minuten over het eiland Hawaï.

Tot de mensen die het vreemde toestel zagen, behoorden ook twee piloten van de Nationale Garde van de Amerikaanse staat Hawaii: zij meldden dat ze het toestel vanuit hun straaljagers konden zien toen ze op een hoogte van 40.000 voet (ruim 13 km boven het aardoppervlak) vlogen. Luitenant George Joy zei later dat de UFO een lichtgevend dampspoor achterliet. Een woordvoerder van de Federale Luchtvaartdienst (FAA = Federal Aviation Authority) verzekerde enkele verslaggevers dat ook hij en enkele collega's van hem de UFO hadden gezien.

Het vreemde object kon onmogelijk een satelliet zijn geweest. En meteoren en raketten konden niet minuten lang roerloos in de lucht hebben gehangen, zoals honderden waarnemers hadden gezien. Dus blijft het geval van de UFO boven Hawaï tot de onopgeloste waarnemingen van onbekende vliegende toestellen behoren.

Zelfmoorddroom

Mevrouw Bertha Stone, de echtgenote van een boer in het district Jefferson in Indiana, hield iedere middag siësta. Op de middag van de 10de juni 1951 schrok ze uit haar middagdutje wakker omdat ze iets gruwelijks had gedroomd.

Ze had zichzelf aan het uiteinde van een enorme brug gezien, in een stad waar ze nooit was geweest. Een in het zwart geklede vrouw van middelbare leeftijd kwam naar mevrouw Stone toe en zei tegen haar: 'Ik ben naar Abilene gekomen om in de rivier te springen.'

En terwijl mevrouw Stone vol afgrijzen toekeek, niet in staat de zelfmoord te verhinderen, klom de vrouw in het zwart op de leuning van de brug en sprong naar beneden.

De nachtmerrie leek zó realistisch dat mevrouw Stone besloot er iets aan te doen. Zou er werkelijk een vrouw zijn geweest die zelfmoord had gepleegd door van een brug in Abilene te springen? En welk Abilene?

Mevrouw Stone schreef brieven aan de gemeentepolitie van zowel Abilene in Kansas als Abilene in Texas, waarin ze vroeg of er op de dag van haar droom iemand op die manier zelfmoord had gepleegd.

De politie van Kansas antwoordde ontkennend. Maar de politie van Abilene in Texas schreef haar dat een vrouw – die zich onder de naam Ruth Brown had laten inschrijven in het Wooten Hotel in Abilene – de weg had gevraagd naar de dichtstbijzijnde rivier. Daar was ze de brug op gewandeld, op de leuning geklommen en haar dood tegemoet gesprongen.

Het slachtoffer kon nooit worden geïdentificeerd – de naam en het adres die zij in het hotel had opgegeven, waren vals, en ook haar kleding gaf de politie geen enkel aanknopingspunt. Bertha Stone kwam daarom ook nooit te weten waarom zij in een droom getuige was geweest van deze tragische dood op ruim 1600 kilometer afstand van haar woning.

Buitenaardse kabouters

Op 28 november 1954 stormden twee doodsbange mannen een politiebureau in Caracas, Venezuela, binnen. Het verhaal dat ze vertelden, klonk zó ongerijmd dat de dienstdoende wachtmeester het tweetal dadelijk afdeed als dronkaards. Toen de politiearts echter had vastgesteld dat ze broodnuchter waren – en aan shock leden – was het duidelijk dat Gustavo Gonzales en José Ponce iets was overkomen dat reëel en uitzonderlijk moest zijn geweest.

Volgens hun beëdigde verklaringen waren de twee mannen omstreeks 02.00 uur in een vrachtwagen uit Caracas vertrokken, op weg naar Petare, een stad die op ongeveer twintig minuten rijden van de hoofdstad is gelegen. Halverwege stuitten ze op een rond, lichtgevend object dat de autoweg blokkeerde.

Het object zweefde op ongeveer anderhalve meter boven het wegdek en Ponce en Gonzales besloten het van dichterbij te gaan bekijken. Ze stapten uit, en toen ze naar het object toe liepen, kwam een klein en zwart behaard wezen dat zo ongeveer de gestalte had van een mens en alleen een lendendoek droeg, naar hen toe. Meteen bukte Gonzales zich en griste het wezentje van de grond, zich erover verbazend dat de 'man' heel weinig woog – hooguit vijfendertig pond, schatte hij later.

Het bleek echter heel gevaarlijk het wezen aan te raken, want Gonzales werd achteruitgeworpen en belandde 4-5 meter verder op het wegdek. Ponce draaide zich om en vluchtte naar het politiebureau en toen hij achteromkeek, zag hij twee andere 'mensachtige' wezentjes naar hun lichtgevende toestel rennen. Ze hadden groene vegetatie in hun handjes.

De politie van Caracas zou dit onwaarschijnlijke verhaal niet gauw vergeten, omdat het al spoedig door een onafhankelijke betrouwbare bron werd bevestigd. Twee dagen nadat de twee mannen de homonoïde wezentjes hadden ontmoet, meldde een van de dokters die hen hadden onderzocht dat ook hij iets te vertellen had. Hoewel hij er eerst niet over had durven praten, uit angst dat hij voor gek zou worden versleten, bekende hij nu dat hij – toen hij, na te zijn weggeroepen voor een spoedgeval, onderweg was naar huis – zelf getuige was geweest van de hele gang van zaken! Het was precies zo gegaan als Gonzales en Ponce hadden gezegd, verklaarde hij: de UFO, de behaarde, piepkleine mannetjes en de hele rest.

De neergestorte UFO in Nevada

Op 18 april 1962 meldden allerlei mensen dat ze aan de hemel boven Oneida in New York een rood object hadden waargenomen dat naar het westen vloog. Hoewel het object op radarschermen was te zien, was het niet te identificeren. En toen het verder vloog tot boven het Midden-Westen, liet het Air Defense Command (Opperbevel Luchtverdediging) vanuit Phoenix in Arizona straaljagers opstijgen om de UFO te onderscheppen.

Toen het vliegende object zich echter ongeveer 115 kilometer ten noordwesten van Las Vegas bevond, verdween het plotseling van de radarschermen. Volgens de *Las Vegas Sun*, het enige dagblad dat een onderzoek naar het incident liet instellen, kon de UFO boven Nevada zijn geëxplodeerd. Op ongeveer hetzelfde moment als waarop de UFO van de radarschermen was verdwenen, had er zich boven de Mesquito-keten een explosie voorgedaan. Die explosie had zóveel kracht gehad en was met zó'n sterke lichtflits gepaard gegaan dat het in de straten van Reno die avond wel klaarlichte dag had geleken. Hoewel veel mensen de lichtflits afdeden als veroorzaakt door een kernproef, ontkende de Commissie voor Atoomenergie categorisch dat er in die tijd kernproeven in de Verenigde Staten aan de gang waren.

Enkele uren na die explosie maakte United Press International melding van een andere merkwaardige gebeurtenis. In de nabijheid van de elektriciteitscentrale van Eureka in Utah was een landing van een reusachtig object waargenomen. Ook dit verhaal werd door verslaggevers van de *Las Vegas Sun* nagetrokken. En toen deze journalisten een medewerker van de luchtmachtbasis Stead in Reno interviewden, kregen ze de bevestiging dat deze landing zich inderdaad had voorgedaan. Deze zegsman, die als voorwaarde had gesteld dat zijn naam niet zou worden genoemd, had hun verzekerd dat de 'inslag' van de UFO-landing de centrale buiten werking had gesteld.

Vreemd genoeg hebben weinig Amerikanen ooit iets gehoord van de vreemde objecten die het zuidwesten van hun land die bewuste voorjaarsavond op zijn grondvesten lieten schudden. Alleen de *Las Vegas Sun* en enkele regionale kranten hebben ooit het bericht gepubliceerd dat 'er kennelijk een vliegende schotel was neergestort'.

Archeologische tips in de bijbel

Het zorgvuldig bestuderen van literaire bijbelvertalingen is méér dan alleen een tijdverdrijf van theologen. Veel archeologen en geologen houden staande dat die bezigheid hen al dikwijls heeft geholpen om verborgen dingen van onschatbare waarde te ontdekken.

Ofschoon niemand aanwijzingen had gevonden dat koning Salomo kopermijnen had geëxploiteerd, vermoedde dr. Nelson Glueck, rector magnificus van het Hebrew Union College, dat Salomo met koper ruilhandel had bedreven met de Perzische koningen van zijn tijd. Hij werd in die overtuiging gesterkt door een zinsnede in het boek Deuteronomium: 'Uit de... bergen kunt gij koper delven'. Maar waar bevonden zich deze kopermijnen?

Glueck maakte gebruik van vliegtuigjes om vanuit de lucht kleurenfoto's te maken van de omgeving van een kort tevoren ontdekte zeehaven die door koning Salomo was gebruikt. Daarna werd de grond afgezocht naar reeds lang in onbruik geraakte waterputten. Toen Glueck de gevonden gegevens met elkaar combineerde, vond hij de kopermijnen van koning Salomo in de streek die thans bekend is als Wadi el-Araba. Hij ontdekte daar ook koperertsdeposito's die nu, duizenden jaren later, opnieuw worden geëxploiteerd.

Een andere door de bijbel geholpen geleerde was dr. James Pritchard van het Museum van de Universiteit van Pennsylvania, die zich al lange tijd het hoofd had gebroken over de 'bron van Gideon' die in het Oude Testament wordt genoemd. Na de aanwijzingen in de bijbel te hebben bestudeerd, slaagden hij en zijn medewerkers erin die vijver te lokaliseren op ongeveer dertien kilometer ten noorden van Jeruzalem. Zij ontdekten dat – toen de troepen van Nebukadnessar het land in 587 v.Chr. binnenvielen – de Babylonische veroveraars deze bron met tonnen puin hadden dichtgegooid, waarna de locatie al spoedig in vergetelheid raakte. Pritchard gebruikte de tips in de bijbel om hem terug te vinden, en nu stroomt de bron van Gideon opnieuw: een zegen voor het naar water dorstende Israël.

Doodskisten kennen rust noch duur in de Buxhøwden-kapel

In de Oostzee ligt het kleine rotseiland Oesel. De enige plaats op het eiland, Arensburg, telt tal van privé-kapellen die daar door rijke lieden werden gebouwd.

Als iemand sterft, is het in Arensburg de gewoonte dat het lijk door de familie in een zware eikehouten kist een poosje in de familiekapel wordt opgebaard. Pas daarna wordt de dode bijgezet in een onder de kapel gelegen crypte. Een geheimzinnige kracht weigerde echter toe te staan dat de doden die werden bijgezet in de kapel van de familie Buxhøwden daar in vrede konden rusten. Onzichtbare handen smeten de zware eiken doodskisten herhaaldelijk door elkaar alsof het speelgoed betrof.

Die vreemde gebeurtenissen begonnen op 22 juni 1844, toen mevrouw Dalmann een bezoek bracht aan het graf van haar moeder. Haar paard, dat ze had vastgebonden aan een daartoe bestemde paal bij de Buxhøwden-kapel, raakte zó geagiteerd en zelfs overdekt met schuim dat er een veearts moest worden gewaarschuwd. Enkele dagen later troffen kerkgangers, die hun paarden eveneens bij de Buxhøwden-kapel hadden achtergelaten, hun rijdieren in een overeenkomstige toestand aan. Wat kon deze dieren zoveel panische angst hebben aangejaagd?

Leden van de familie Buxhøwden besloten daarop om de crypte van hun kapel te inspecteren, want zij wilden de geruchten dat hun kapel op de een of andere manier te maken had gehad met de angstaanvallen van deze paarden de kop indrukken. Zodra ze echter de deur van de crypte hadden geopend, merkten ze dat er zich vreemde dingen in de crypte hadden afgespeeld: de doodskisten waren in het midden van de crypte op elkaar gestapeld!

De Buxhøwdens zetten de doodskisten – die niet open waren geweest – terug op hun plaatsen. Ze sloten de kapeldeur af en verzegelden hem met lood, om er absoluut zeker van te zijn dat niemand nog met de doodskisten van hun dode familieleden aan het stoeien zou slaan.

Niet lang daarna raakten echter elf paarden die voor de Buxhøwden-kapel waren achtergelaten zó in paniek dat drie van de dieren dit niet overleefden. Wéér werd de crypte onder de merkwaardige kapel geopend en opnieuw bleek dat de doodskisten op de een of andere manier in het midden van de vloer waren neergekwakt. Sommige lagen ondersteboven en een kist zag eruit alsof hij van boven naar beneden was gegooid.

Weer zetten de Buxhøwdens de doodskisten op hun plaatsen en sloten zij de deur van de crypte opnieuw af. Na hem weer zorgvuldig te hebben verzegeld, wachtten ze af. Een kerkelijke commissie besloot een onderzoek naar de zaak in te stellen en de afgevaardigde van die commissie, baron De Guldenstubbe, bracht een bezoek aan de crypte. Toen de zegels waren verbroken en de deur van de crypte openzwaaide, zag hij meteen dat de doodskisten opnieuw naar het midden van het gewelf waren gegooid.

Om zich ervan te overtuigen dat de geheimzinnige indringer die telkens met de doodskisten in de weer ging niet via een geheime tunnel of ingang in de crypte kon komen, liet de commissie een diepe geul rondom de kapel graven, maar er werd niets verdachts gevonden.

Daarna werd er as over de trap naar de crypte en over de vloer van de crypte zelf gestrooid, zodat de indringer voetafdrukken zou moeten achterlaten. Weer werd de deur afgesloten en verzegeld, maar deze keer werden er bovendien twee bewapende schildwachten voor de deur geposteerd.

Hoewel deze schildwachten niets van de aanwezigheid van indringers hadden kunnen merken en ook de as ongerept was, zagen de vertegenwoordigers van de kerk, toen ze de crypte voor inspectie weer openden, dat de doodskisten waren verwijderd uit het deel van de crypte waar ze behoorden te staan. Sommige stonden zelfs rechtop.

Niemand heeft kunnen ontdekken waarom de doodskisten in deze familiekapel zo rusteloos waren. De verbijsterde Buxhøwdens, die meer dan hun bekomst hadden van deze raadselachtige geschiedenis, hebben hun overleden verwanten uit de crypte weggehaald en elders begraven.

Ongeluksdroom

Winnie Wilkinson in de Engelse stad Sheffield kon overdag bijna nooit in slaap vallen. Maar op een zomermiddag in 1962 dommelde ze in – en had ze een zeer verontrustende droom.

Ze had, zoals ze de politie later vertelde, gedroomd dat er zwaar op haar voordeur werd gebonsd. Toen ze opendeed, stond ze oog in oog met een vrouw die ze nog nooit had gezien. Deze vreemdelinge vertelde mevrouw Wilkinson dat haar echtgenoot Gordon, van wie ze gescheiden leefde, ernstig gewond was geraakt. 'Hij is van een steiger gevallen,' zo legde de droombezoekster uit, 'en heeft gevraagd of u onmiddellijk wilt komen, mevrouw.'

Hoewel ze ernstig overwoog zich officieel van hem te laten scheiden, vond Winnie de gedachte dat hij gewond kon zijn heel verontrustend. Toen ze wakker werd, noteerde ze de tijd (15.12 uur) en belde haastig naar zijn werkgever, om zich ervan te overtuigen dat hij het goed maakte.

Gordon Wilkinson? Met hem was alles dik in orde, werd mevrouw Wilkinson verzekerd. Maar de volgende dag – exact om twaalf minuten over drie – stierf Gordon Wilkinson aan de gevolgen van een val van de steiger waarop hij aan het werk was.

De slaperige moordenaar

De Franse rechercheur Robert Ledru was met vakantie in Le Havre toen hij de politie van die stad zijn hulp aanbood bij het oplossen van de moord op een zekere André Monet. Monet, een kleine middenstander met weinig vrienden, die echter voor zover bekend ook geen vijanden had gehad, was op een strand in de buurt – waar hij kennelijk was gaan zwemmen – neergeschoten en gestorven. Er scheen geen enkel motief te zijn en er waren slechts twee vage aanwijzingen gevonden. De eerste was dat de kogel afkomstig was uit een Luger-pistool. Het is een veel voorkomend merk – zelfs Ledru bezat er een. De tweede aanwijzing bestond uit voetsporen in het zand, maar die waren van weinig waarde, want de moordenaar had zijn schoenen uitgedaan en was op kousevoeten naar zijn slachtoffer toe gelopen.

Bij het onderzoeken van die voetafdrukken schrok Ledru hevig: de moordenaar miste een teen aan zijn rechtervoet, net als hijzelf! Hij maakte een afdruk van zijn eigen kousevoet naast die van de moordenaar. Daarna liet hij zich de kogel geven die de patholoog-anatoom uit het lichaam van de dode had verwijderd, ging naar huis en vuurde zijn Luger af in een kussen, zodat hij beide kogels met elkaar kon vergelijken. Daarna meldde hij zich bij zijn superieuren in Parijs om zichzelf aan te geven.

Volgens de *Encyclopedia of Aberrations, A Psychiatric Handbook*, had zelfs de hoofdcommissaris van politie in Parijs het bewijsmateriaal niet van tafel kunnen vegen. Ledru, die altijd met zijn sokken aan in bed stapte, had op de ochtend na de moord vastgesteld dat zijn sokken om onverklaarbare redenen nat waren. Het was duidelijk dat Ledru als slaapwandelaar Monet had vermoord.

Kalendertweelingen

De term *idiot savant* wordt gebruikt voor iemand met een abnormaal geringe intelligentie maar niettemin uitblinkt in een bepaalde verstandelijke vaardigheid. Volgens sommige experts zal een *idiot savant* – als hij ontdekt dat hij vanwege zo'n opmerkelijk talent belangrijk wordt geacht – zich vaak op die vaardigheid concentreren en deze herhaaldelijk demonstreren, waardoor hij er door oefening steeds bekwamer in wordt.*

* Een aangrijpende en verhelderende vertolking van zo'n *idiot savant* werd door Dustin Hofmann ten beste gegeven in de film *Rainman*. (Vert.)

Volgens het *American Journal of Psychiatry* vormden de identieke tweeling George en Charles een tegenbewijs voor deze redenering. De twee broers bezaten een welhaast griezelig geheugen voor datums. Ze konden zich nagenoeg iedere dag uit hun leven herinneren en precies zeggen wat voor weer het op die datum was geweest. Daarnaast gaf George blijk van een nog opmerkelijker talent: hoewel Charles alleen nauwkeurige opgaven kon doen van datums uit de 20ste eeuw, kon George zelfs datums uit vroegere eeuwen identificeren. Daarentegen konden de tweelingen met evenveel accuratesse datums in toekomstige eeuwen benoemen: ze konden bijvoorbeeld meteen zeggen dat de 15de februari 2002 op een vrijdag zou vallen. Maar als ze datzelfde moesten doen voor een datum in, laten we zeggen, de 15de eeuw, waren de resultaten van George nauwkeuriger dan die van Charles. En hoewel de tweelingen nooit van het verschil tussen de Juliaanse en de Gregoriaanse kalender hadden gehoord, hielden ze bij het benoemen van datums van vóór 1582 (toen de nieuwe kalender werd ingevoerd) onveranderlijk rekening met het verschil van tien dagen. Deze vaardigheid is des te indrukwekkender gezien het feit dat de broers niet konden optellen, aftrekken, vermenigvuldigen of delen.

Toch beschikten de tweelingbroers niet over het vermogen tot leren of het zich iets te herinneren. Bovendien hielden hun vaardigheden niet op bij de gebruikelijke 'eeuwige' kalender van 200-400 jaar: ze konden zelfs teruggaan tot het jaar 7000 v.Chr. Ofschoon de factor 'motivatie' een belangrijke rol kan spelen bij de ontwikkeling van een vaardigheid, is dit toch geen afdoende verklaring voor de desbetreffende gave.

Vorstelijke ontmoeting met de *Vliegende Hollander*

De legende over de *Vliegende Hollander*, de koopvaardijkapitein die God had vervloekt en als straf werd veroordeeld om met een spookschip voor eeuwig over de oceanen te zeilen, is niet alleen in zeemansverhalen vereeuwigd, maar ook in de naar hem genoemde opera van Richard Wagner.

Zeelieden beweerden vaak dat zij de *Vliegende Hollander* in een hevige storm of dichte mist hadden gezien. Als er een onbemand zeilschip op zee werd gezien, werd het onveranderlijk 'de Vliegende Hollander' genoemd. Een ontmoeting met het echte schip uit de legende wordt door alle zeelieden uitgelegd als een waarschuwing voor een naderende ramp.

Aan boord van het Britse oorlogsschip de HMS *Inconstant*, dat op 11 juli 1861 de Grote Oceaan doorkruiste, werd een merkwaardige waarneming gedaan. In het scheepsjournaal van de *Inconstant* werd de volgende aantekening gemaakt:

> 16.00 uur: De *Vliegende Hollander* voer dwars voor onze boeg langs. Van het schip ging een merkwaardig fosforiserend licht uit, alsof het spookschip overal gloeide, en te midden van dat licht staken de masten, ra's en zeilen van een brik – die zich op ongeveer 200 meter recht voor ons uit bevond – scherp af toen dat schip ons aan stuurboordzijde naderde, waar het tevens werd waargenomen door de officier van de wacht op de brug, en ook door de adelborst op het halfdek, die onmiddellijk naar voren werd gestuurd. Toen hij echter in de bak was aangekomen, was er links noch rechts aan de horizon nog een spoor of wat dan ook te bekennen van een concreet schip, ofschoon de nacht helder was en de zee kalm.

Dit bericht over de waarneming van een spookschip in volle zee is bijzonder vanwege de identiteit van de adelborst die het in het scheepsjournaal optekende. Hij was een Britse koningszoon die, zoals te doen gebruikelijk, zijn dienstplicht vervulde bij de Royal Navy. Later zou deze prins worden gekroond tot George V, koning van Groot-Brittannië en 'keizer van India'.

Een tijd om te zwijgen

Gedurende een oorlog is het soms moeilijk en gevaarlijk om toe te geven dat een bepaalde gebeurtenis jouw partij geweldig heeft geholpen.

Een dergelijk dilemma diende zich aan na het rampzalige Duitse bombardement van de met een prachtige kathedraal gezegende Engelse stad Coventry, in de Blitzkrieg van 1940 tegen Engeland. De Britse spionagedienst was van tevoren op de hoogte geweest van deze geplande massale aanval op Coventry, want al in het eerste begin van de oorlog had zij de *Enigma*-code van de Duitsers gebroken, maar het was uiterst ongewenst zelfs maar te suggereren dat MI6 in staat was geheime radioboodschappen van de Duitsers te kunnen 'lezen'. Op bevel van Churchill mocht de stad daarom alleen worden verdedigd door het gebruikelijke luchtafweergeschut en de normaal beschikbare jachtvliegtuigen en werd er geen massale verdediging georganiseerd. De Duitse luchtaanval op de niets vermoedende stad veroorzaakte grote schade, maar het grote geheim dat de Engelsen in het bezit waren van de sleutel tot de *Enigma*-code was veilig. Die sleutel werd later met groot succes gebruikt in de veldtochten tegen Rommel in Noord-Afrika en andere belangrijke operaties.

De supergeheime *Purper*-code – de Japanse tegenhanger van *Enigma* – was al door Amerikaanse crypto-analisten gekraakt voordat Amerika ging deelnemen aan de Tweede Wereldoorlog. Tijdens vlootoperaties in de Grote Oceaan bleek uit een onderschepte Japanse radioboodschap waar en wanneer admiraal Yamamoto, opperbevelhebber van de Japanse vloot, de verdediging van de door de Japanners bezette Solomon Eilanden ten noordoosten van Australië wilde gaan inspecteren. Gewapend met die informatie waren vanaf vliegdekschepen opstijgende jagers van de Amerikaanse marine in staat om het vliegtuig van Yamamoto en de escorterende Japanse jagers uit de lucht te halen. Ondanks de propagandawaarde van dit militaire succes werd deze operatie strikt geheim gehouden, teneinde te voorkomen dat de Japanners zouden ontdekken dat de Verenigde Staten hun voornaamste code hadden gebroken.

Die geheimhouding wierp vrucht af. Tijdens de cruciale zeeslag bij het eiland Midway konden Amerikaanse code-experts de gecodeerde Japanse radioberichten even snel lezen als hun Japanse collega's.

Ontbrekende schakels

Om aan de talloze plagerijen en de spot van de mensen in zijn Russische dorp te ontkomen, vluchtte de jonge Andrian de bossen in. Daar huisde hij in een grot, leerde hoe hij kon overleven en verwekte zelfs kinderen. Op zijn minst twee van die kinderen – een jong overleden dochter en een zoon die volwassen werd en voortaan zijn vader op diens lange omzwervingen vergezelde – moeten onmiskenbaar op hem hebben geleken.

Volgens een artikel in *Scientific American* was Andrian een aapmens. Toen hij in de jaren vijftig tijdens een medisch seminar in Berlijn werd 'getoond', bleek dat Andrian inderdaad over zijn hele lichaam, gezicht en hals zwaar behaard was.

Overigens was Andrian niet de eerste mens die grote gelijkenis vertoonde met een van de ontbrekende schakels tussen de moderne mens (*Homo sapiens*) en zijn naaste verwanten in de evolutieketen. Zo was de Mexicaanse Julia Pastrana bijvoorbeeld behept met het vernederende feit dat zij een welhaast dierlijke haarvacht bezat. En volgens het tijdschrift *Science* overleed zij in het kraambed toen ze van een zoon beviel met dezelfde regressieve kenmerken.

De geestvermogens van zulke spelingen van de natuur hoeven echter zeker niet regressief of 'onmenselijk' te zijn. Zo had de in Borneo ontdekte zesjarige Kra-o dikke manen van ruig haar over haar schouders en rug, en de overeenkomst tussen haar uiterlijk en dat van een gorilla was des te opvallender omdat ze een tamelijk platte neus had, die schuins wegliep naar haar wangen. Bovendien had ze zakvormige wangen, waarin ze graag wat voedsel opborg, zoals apen plegen te doen. Toch leerde ze echter, zoals een ander artikel in *Scientific American* bericht, snel Engels en kon ze zich, toen ze was overgebracht naar het Verenigd Koninkrijk, heel goed verstaanbaar maken.

Volgens de deskundigen lijkt een beharing als die van Kra-o zich te ontwikkelen uit het *lanugo*, het embryonale haarkleed dat bij de mens tegen het eind van de derde embryonale maand verschijnt en dikwijls na de geboorte nog een poosje te zien blijft. Bij zoogdieren ontwikkelt zich uit dit zachte, donsachtige haar de vacht of het verenkleed, maar gewoonlijk niet bij de mens. Het schijnt dat in het DNA van sommige mensen nog wat genen van onze prehistorische voorouders aanwezig zijn en deze zich soms kunnen laten gelden.

De ware Schone Slaapster

Op 21 mei 1883 viel Marguerite Boyenval ten gevolge van overmatige angst in een kataleptie-achtige slaap toen de politie bij haar huis aanbelde. Het lichaam van de tweeëntwintigjarige vrouw was zo stijf als een plank en de armen bleven letterlijk uitgestrekt in de houding waarin ze zich oorspronkelijk hadden bevonden.

Hoewel Marguerite Boyenval zich nauwelijks bewust was van wat er om haar heen gebeurde, deden er zich ogenblikken voor waarin ze vaag hoorde wat er werd gezegd. Na een maand of vijf deed ze tijdens een lichamelijk onderzoek zelfs plotseling haar ogen open om iets te zeggen. 'U knijpt me!' riep ze uit.

Hoewel ze kunstmatig werd gevoed, ging haar gezondheid gestaag achteruit. Ze liep tuberculose op. Haar lichaam kwijnde weg en ze overleed ten slotte in 1903, na een slaap van twintig jaar.

Zonnevlekken en zakendoen

De econoom William Stanley Jevons geloofde dat economische crises op de een of andere manier verband hielden met de constellaties en omloopbanen van hemellichamen. Om dat idee te toetsen, besloot zijn grote Britse collega John Maynard Keynes de geschiedenis van economische crises vanaf het begin van de 18de eeuw te traceren en te vergelijken met de astronomische gegevens. Nadat hij had vastgesteld dat crises in het bedrijfsleven zich met tussenpozen van 10-11 jaar schenen voor te doen, slaagde hij erin verband te leggen tussen enerzijds zonnevlekken, die om de 10 3/4 jaar aanmerkelijk heviger worden, en anderzijds economische crises.

Keynes zelf opperde een mogelijke verklaring voor deze geheimzinnige correlatie toen hij zei: 'Meteorologische verschijnselen spelen een rol in de fluctuaties die optreden in oogsten, en fluctuaties in de landbouwopbrengsten spelen weer een rol in de economische cyclussen. De ideeën van de heer Jevons mogen zeker niet lichtvaardig van tafel worden geveegd.'

Niemand is er echter na Keynes ooit in geslaagd hard te maken dat er werkelijk een verband bestaat tussen cyclisch optredende economische crises en de activiteit van zonnevlekken.

Een enorme glazen plaat

Pas halverwege de 20ste eeuw slaagden ingenieurs en wetenschappers erin het grootste voorwerp van glas dat ooit op aarde is vervaardigd te realiseren: de reusachtige spiegellens (met een middellijn van vijf meter) van de Hale-telescoop op Mount Palomar. Toch moet iemand in Bet-Sje'ariem – in de oudheid een centrum van joodse geleerdheid in het zuidwesten van Galilea – er *duizenden* jaren geleden al in zijn geslaagd een massieve glasplaat te vervaardigen die ongeveer half zo zwaar was (ruim acht ton).

Deze glazen plaat werd in 1956 ontdekt toen een oude cisterne – naast enkele catacomben – werd schoongemaakt ten behoeve van de bouw van een museum. Een bulldozer stuitte op iets zwaars en groots dat in de grond verborgen lag. Het bleek een zware glazen plaat van 3,40 meter lang en 1,95 meter breed te zijn. Omdat de dikke, massieve plaat veel te groot en te zwaar was om te kunnen worden verplaatst, bleef hij waar hij was – midden in het tegenwoordige museum.

Het glas is ondoorschijnend, als gevolg van de weersinvloeden van duizenden jaren, en bovendien zitten er massa's minuscule kristallen in. Als het schoon en nat is, heeft het een purpurachtige kleur, met in elkaar overlopende banen van groen en purper in een van de hoeken.

Onderzoekers zijn ervan overtuigd dat de glazen plaat onmogelijk het resultaat kan zijn van natuurlijke geologische invloeden. Ook kan het geen 'afvalprodukt' van het smelten van kopererts zijn. De deskundigen verklaren unaniem dat het een door de mens gemaakt artefact moet zijn – ook al blijft het een raadsel hoe en waarom deze immense glasplaat werd vervaardigd.

De raadselachtige bollen van Costa Rica

Ongeveer vijftig jaar geleden hakten medewerkers van een bananenconcern zich een weg door het regenwoud van Costa Rica, in de hoop er grond te ontdekken die geschikt was voor de aanleg van een bananenplantage. Ze vonden niet alleen de vruchtbare bodem waarnaar ze op zoek waren, maar bovendien iets dat ze er geen van allen hadden verwacht: een reusachtige stenen bol met een diameter van 1,80 meter.

Toen ze de omgeving afzochten, ontdekten ze onder de lagere vegetatie nog veel meer van deze ronde stenen bollen. Sommige hadden een diameter van circa 10 centimeter, maar er waren er ook bij met een middellijn van maar liefst 2,40 meter én een gewicht van bijna 17 ton. Al die bollen waren glad afgewerkt en leken zó volmaakt rond dat er heel zorgvuldig moest worden gemeten voordat kwam vast te staan dat het geen volmaakte bollen waren.

Toen de vinders hun ontdekking meldden, stelden ze vast dat weinig mensen in deze streek de bollen ooit hadden gezien. En er was niemand – met inbegrip van de wetenschappelijk onderzoekers uit alle delen van de wereld die naar Costa Rica kwamen om de stenen bollen te onderzoeken – die kon zeggen wie ze had gemaakt, of waarom.

De bollen waren overwegend van graniet, hoewel sommige van kalksteen waren gemaakt. De meeste lagen in groepjes van drie bollen gerangschikt, en in totaal werden er vijfenveertig gevonden. Sommige bollen vormden onverklaarbare driehoeken, andere maakten deel uit van een cirkel. Weer andere bollen lagen in een lange, rechte lijn van noord naar zuid, hetgeen het vermoeden wettigde dat een oud en in vergetelheid geraakt volk de bollen had gebruikt om de posities van hemellichamen te volgen. Kortom, volgens deze hypothese zou het om een prehistorisch planetarium gaan.

Katachtige röntgendetectors

Biologen van het Veterans Administration Hospital in Long Beach, Californië, vroegen zich af of katten röntgenstraling konden bespeuren. De onderzoekers stelden enkele katten met tussenpozen van vijf seconden bloot aan zwakke röntgenstraling. Ze richtten een slechts vijf millimeter dikke straal op de diverse lichaamsdelen en ontdekten dat de sterkste reactie optrad als deze straal op het reukslijmvlies (bij de kat achter de neusgaten en keelholte) werd gericht. Omdat de straal op de neus zelf nauwelijks reacties opriep, kon de gedachte dat katten het door röntgenstraling opgewekte ozon konden ruiken definitief overboord worden gezet.

Volgens een bericht in de *New Scientist* moesten de onderzoekers op het laatste nippertje echter ook terugkomen op hun vermoeden dat het reukslijmvlies verantwoordelijk was voor de gevoeligheid van katten voor röntgenstraling. Want als het reukepitheel was uitgeschakeld, bleven de katten toch tot op zekere hoogte gevoelig voor röntgenstraling, en die gevoeligheid nam toe naarmate de sterkte van de straling werd opgevoerd.

Het is mogelijk, zo concludeerden de onderzoekers, dat méér dan een centrum van receptoren in staat is röntgenstraling te bespeuren. Die mogelijkheid wordt onderstreept door onderzoekingen waaruit is gebleken dat de gevoeligheid voor röntgenstraling hoogstwaarschijnlijk over het hele kattelijf is verdeeld.

Walvisstrandingen

Op de avond van 19 augustus 1971 werden drie walvissen van een kleine soort met korte vinnen aan het strand van Sarasota in Florida in een getijdenpoel van slechts 1 meter diep aangetroffen. Anderhalve kilometer verderop waren nog eens zes walvissen van dezelfde soort gevangen geraakt in zo'n getijdenpoel. Pas toen de bevolking massaal meehielp om de zware dieren naar dieper water te duwen, konden ze zich weer bij hun kudde voegen, die op ongeveer 150 meter van het strand was blijven wachten. Daarna zwom de hele kudde langzaam langs de kust zuidwaarts, maar zo'n 18 kilometer verderop strandden opnieuw enkele walvissen en moesten ook deze dieren met menselijke hulp naar dieper water worden overgebracht. Op een gegeven moment verspreidde de walviskudde zich echter – waarbij wéér enkele dieren strandden omdat ze een aquariumbeheerder volgden die een jonge walvis naar de kust sleepte. De redding werd herhaald, maar vijf dagen later waren deze walvissen opnieuw gestrand, deze keer 260 kilometer zuidelijker.

Er is een flink aantal veronderstellingen geopperd ter verklaring van deze strandingen, zoals 'massale zelfmoord' of 'belaagd worden door haaien'. Sommige onderzoekers opperden de gedachte dat er zich in de neusholten en het middenoor van deze grote zeezoogdieren wellicht bepaalde parasieten vestigen die hun sonarsysteem – met behulp waarvan ze zich onder water kunnen oriënteren en hun voedsel vinden – kunnen verstoren, zodat de dieren hun richtingsgevoel verliezen en stranden.

Een andere hypothese is afkomstig van walvissenexpert F.G. Wood, die zegt dat zeezoogdieren wellicht soms hun toevlucht nemen tot het primitieve gedrag van hun vroege voorouders, die instinctief terugkeerden naar het land als ze gewond, ziek of aangevallen werden. Het ontbreekt ook, wat de hypothese van Wood betreft, aan concrete bewijzen – en dat geldt in feite voor alle tot nu toe geopperde veronderstellingen.

Degenen die het niet met Woods hypothese eens zijn, wijzen er bovendien op dat een dergelijke neiging van walvissen – die wellicht ooit nuttig is geweest – tegenwoordig uitdraait op regelrechte zelfmoord en daarom door de evolutie allang geëlimineerd had moeten zijn.

Vooralsnog blijft het dus een raadsel waarom walvissen soms massaal stranden.

Muzikale muizen

Philip Ryall werd 's nachts vaak gestoord door, zoals hij zelf dacht, vogels die in zijn schoorsteen tsjirpten. Op een gegeven moment ontdekte hij echter een muis, die uit een spleet kwam kruipen. Het diertje ging op zijn achterpoten zitten en keek om zich heen, waarbij het een zacht, van toonhoogte wisselend gefluit liet horen alsof het aan het zingen was.

Deze bezoeken werden een dagelijkse gang van zaken – totdat Philip Ryall deze volwassen vrouwelijke witvoetmuis wist te vangen en ze doorgaf aan Samuel Lockwood, die in *Popular Science Monthly* een artikel over deze wondermuis publiceerde. Lockwood behield de vermakelijke muis, gaf ze een ruime kooi en noemde ze Hespy.

Van een soortgelijk geval werd verslag gedaan in het tijdschrift *Zoölogist*. De bioloog John Farr vermoedde dat het 'zingende' geluid werd opgewekt doordat het muisje met de tanden knarste. Nader onderzoek wees echter uit dat het keeltje van de muis vibreerde en duidelijk de indruk wekte dat het geluid in de keel ontstond.

Als dat werkelijk zo was, had de muis echter onmogelijk kunnen 'zingen' bij het verorberen van voedsel, zoals vaak gebeurt. Het 'zingen' is evenmin een uiting van vreugde, omdat deze muizen ook zingen wanneer ze van hun nest worden verjaagd.

In hun pogingen het geheim van deze muzikale muizen te ontsluieren, hebben veel mensen vergeefs geprobeerd met allerlei soorten muizen 'zingende' muizen te kweken. Maar welke kruisingen er ook werden uitgeprobeerd, lang niet alle muizekindertjes wilden zingen. Zo moest een liefhebber in Maryland honderden van deze muizen kweken voordat hij één exemplaar vond dat kon zingen.

Marskanalen

Onder aardbewoners heerst een welhaast universele neiging om de gedachte dat wij de *enige* intelligente wezens in het universum zijn of zelfs intelligente buren in ons eigen zonnestelsel zouden kunnen hebben, van de hand te wijzen.

Toen de grote astronoom Giovanni Schiaparelli in de vorige eeuw een hypothese over de kanalen van Mars ontvouwde, waren de meeste mensen dadelijk bereid hem te geloven, omdat hij een internationale reputatie had en vooral ook omdat zijn veronderstellingen zo logisch klonken.

Schiaparelli zei dat hij in 1877 op het kale landschap van Mars een stelsel van lijnen had ontdekt die via knooppunten met elkaar waren verbonden. Giovanni noemde deze lijnen 'kanalen' (*canalli*), een naam die werd overgenomen door andere theoretici, die de kanalen beschouwden als een bewijs dat er intelligent leven op Mars moest hebben bestaan, een hoogontwikkelde beschaving die deze kanalen had gegraven om de slinkende watervoorraden op Mars te distribueren. Andere astronomen die de soms rechte en soms golvende lijnen bestudeerden, meenden dat het 'wildpaden' of 'trekroutes' konden zijn, in de loop der eeuwen veroorzaakt door kudden martiaanse dieren. Weer anderen hielden het erop dat de lijnen eenvoudig de uitgedroogde beddingen zijn van rivieren die ooit in thans lege zeeën hebben uitgemond.

Die laatste veronderstelling wordt tegenwoordig algemeen onderschreven, omdat er nu sterke aanwijzingen zijn dat er zich vroeger inderdaad rivieren op Mars hebben bevonden, en ook omdat er aan de polen van Mars resten van ijskappen zijn ontdekt.

Maanbewoners

In 1835 werd een zuiver denkbeeldige beschrijving van 'leven op de maan' gepubliceerd alsof het een wetenschappelijk bewezen feit betrof, toen de *New York Sun* een reeks artikelen uitbracht onder de titel 'Recente astronomische ontdekkingen van sir John Herschel aan Kaap de Goede Hoop'.

Alleen al de naam Herschel – in zijn tijd een wereldberoemd astronoom – was ruimschoots genoeg om het vertrouwen van het publiek te wekken. Bovendien werd de voorstelling van zaken in deze reeks artikelen niet door Herschel ontkend, eenvoudig omdat hij niets van de reeks te weten kwam voordat er al vier afleveringen waren gepubliceerd. De reeks was zó populair dat de oplage van de *Sun* met meer dan 650 procent toenam.

Al spoedig bracht een gebundelde uitgave van de reeks duizenden dollars extra op. Om de een of andere reden gaf een redactioneel hoofdartikel in de *New York Times* de reeks het predikaat van 'de uitgebreidste en meest accurate informatie op astronomisch gebied'. De artikelen waren gebaseerd op aan sir John Herschel toegeschreven uitspraken (die in werkelijkheid door Richard Locke van de *Sun* uit de journalistieke duim waren gezogen). Zo schreef hij dat een nieuwe telescoop met een lens met een gewicht van zeven ton, die in het observatorium op Kaap de Goede Hoop zou zijn geïnstalleerd, elk detail op de maan 4200 keer vergrootte, en dat het maanoppervlak en de details daarop door de telescoop te zien waren alsof ze zich slechts 8 kilometer van de aarde bevonden.

Ook beweerde hij dat sir John in staat was geweest verscheidene diersoorten op de maan te onderscheiden. Sommige zagen eruit als Amerikaanse bizons, andere hadden meer weg van beren. Ook waren er blauwe geiten met één hoorn, grote kraanvogels en allerlei andere grote vogels ontdekt, vliegend boven bergen van amethist. Grote meren hadden stranden met een lengte van wel 430 kilometer. Tot slot berichtte Locke nog over mensachtige, gevleugelde wezens met een gezicht als van orang-oetans, die niet alleen konden vliegen maar ook op twee benen liepen; ze schenen ongeveer 1,20 lang te zijn (de lengte die vaak ook in moderne verhalen over ontmoetingen met buitenaardsen wordt genoemd).

Aangezien het maanoppervlak er – gezien door de nieuwe telescoop – uitzag alsof het acht kilometer ver van de aarde was, vroegen sommige lezers zich af hoe sir John Herschel dergelijke details ooit had kunnen zien. In een volgend artikel werden zij gerustgesteld: de astronoom had dergelijke kleine wezens en zelfs boomsoorten kunnen beschrijven door eenvoudig zijn lens te verstellen, waardoor het maanoppervlak eruitzag alsof het zich slechts tachtig meter van de waarnemer bevond.

Aangezien het nieuws in 1835 veel meer tijd nodig had om zich te verbreiden dan tegenwoordig, werd het boerenbedrog pas ontdekt toen Locke de waarheid opbiechtte aan een andere journalist, die het verhaal dadelijk aan de openbaarheid prijsgaf door er in de *Journal of Commerce* over te schrijven. Toen sir John Herschel eindelijk zelf over de zaak hoorde, merkte hij goedgemutst op dat hij het een geweldige grap vond. Niettemin waren veel mensen die blindelings in deze 'rapporten' over mensen en dieren op de maan geloofd hevig teleurgesteld toen ze vernamen dat ze voor het lapje waren gehouden.

Een Italiaans spreekwoord heeft ons in dat opzicht iets te leren: *Se non è vero, è ben trovato* – 'Ook al is het niet waar, dan is het toch goed verzonnen.'

Meer dan toevallig

Vroeg of laat zullen bepaalde 'toevalligheden' zich voordoen, maar soms is zo'n 'toeval' zó verbluffend dat het ernaar uitziet dat er méér achterzit dan alleen stom toeval, zoals twee automobilisten in Sheboygan, Illinois, uit de eerste hand ontdekten.

Thomas Baker was klaar met zijn inkopen in het winkelcentrum Northgate en wilde naar huis. Hij wandelde naar zijn kastanjebruine Concord van American Motors en opende het portier. Nu ontdekte hij dat er iets niet klopte. Het leek wel alsof de bestuurdersstoel was versteld, want hij kon zijn 1,95 lange lichaam niet achter het stuur wringen. Hij keek in de auto om zich heen en ontdekte een houder met koffiebekers en andere voorwerpen die hem onbekend voorkwamen. Baker besloot de politie erbij te halen.

Terwijl hij de situatie met een paar agenten besprak, kwam er een Concord aanrijden die er exact zo uitzag als de zijne. Het oudere echtpaar in die auto legde uit dat het levensmiddelen in de kofferbak had staan verstouwen toen man en vrouw merkten dat de auto persoonlijke bezittingen bevatte die ze niet kenden. Een blik op de kentekenplaat had uitgewezen dat ze in andermans auto rondreden, hoewel hij er exact zo uitzag als die van hen.

Volgens Ben Dunn, woordvoerder van de American Motor Company (AMC), is de kans dat twee auto's van dat merk met dezelfde sleutel kunnen worden geopend één op duizend. 'Maar als je dan ook nog een auto wilt vinden die precies dezelfde kleur heeft, exact hetzelfde is uitgerust en bovendien – in een land met het oppervlak van de Verenigde Staten, met een bevolking van ruim 260 miljoen mensen – op dezelfde parkeerplaats is neergezet, neemt die kans af tot één op tienduizend of minder.'

Daarmee waren de toevalligheden van dit incident echter niet uitgeput, want de automobilisten ontdekken dat zij méér met elkaar gemeen hadden dan alleen hun smaak op het gebied van auto's. Thomas Baker en Richard Baker en zijn vrouw hadden ook nog eens dezelfde achternaam.

De psychiater James Hall van het Wetenschappelijk Gezondheidscentrum van de Universiteit van Texas in Dallas zegt dat de samenloop van omstandigheden in het geval van de identieke auto's met eigenaren die dezelfde achternaam hadden een schoolvoorbeeld is van wat Carl G. Jung bedoelde met *synchroniciteit*, een term die hij invoerde ter verklaring van betekenisvolle samenlopen van omstandigheden waarvoor 'toeval' geen bevredigende verklaring is.

Dr. Hall voegt hieraan toe dat dit soort meervoudige coïncidenties wellicht een afspiegeling is van de onzichtbare ordening van het universum. 'Coïncidenties als deze hebben een diepere betekenis,' betoogt hij, 'en die kan via onderzoek aan het licht worden gebracht.'

Een geïnspireerd slot

Charles Dickens overleed in 1870, waardoor zijn laatste boek, *The Mystery of Edwin Drood*, onvoltooid bleef. Kan het zijn dat hij een manier ontdekte om aan gene zijde zijn roman te voltooien? Een jonge monteur met mediamieke gaven in Vermont, T.P. James, hield bij hoog en bij laag vol dat de geestverschijning van Charles Dickens zelf hem in 1873 had bezocht om hem de rest van de roman te dicteren.

De parapsycholoog Jerry Solfin en zijn mede-onderzoeker Jo Coffey, verbonden aan de John F. Kennedy-universiteit in Orinda, Californië, gebruiken de computer om een analyse van de bekende schrijfstijl van Dickens te vergelijken met een analyse van de stijl waarin het vermeende 'geïnspireerde' slot is geschreven, teneinde vast te stellen of het materiaal van dezelfde auteur afkomstig is.

Solfin zegt met nadruk dat de uitslag van die analyse geen onomstotelijk bewijs zal opleveren inzake de vraag of Dickens' geest wel of niet *The Mystery of Edwin Drood* heeft voltooid. 'Dat is niet ons uiteindelijke doel,' zegt hij. 'Wij willen alleen aantonen dat computeranalyse een waardevolle hulp kan zijn bij het evalueren van via spirituele communicatie (*channeling*) verkregen informatie.

De idiot savant van Lafayette

Reuben Field, in de 19de eeuw woonachtig in het district Lafayette, Missouri, was een sterke, zwaargebouwde man met het verstand van een kind. Hij was nooit naar school geweest, want iedereen had hem altijd voor zwakzinnig aangezien en hij kon dus niet lezen en schrijven. Desondanks kon hij de ingewikkeldste wiskundige problemen oplossen, hoewel hij geschreven cijfers niet kon lezen!

Indien iemand bijvoorbeeld tegen hem zei: 'De omtrek van de aarde in ronde cijfers is 40.000 kilometer. Hoeveel vlaszaadjes zijn er nodig – wanneer er achtenveertig stuks in tien centimeter gaan – om de hele omtrek van de aarde in rechte lijn te beplanten?' Vrijwel ogenblikkelijk antwoordde Reuben Field dan: 'Negentien komma twee miljard zaadjes.' En als hem werd gevraagd op welke dag een historische gebeurtenis zich had afgespeeld en hem de datum werd genoemd, kon hij in een oogwenk zeggen welke dag van de week het toen was geweest. Volgens een artikel van N.T. Allison in de *Scientific American* kon hij bovendien op elk willekeurig gekozen moment van de dag zeggen hoe laat het was zonder naar de klok te kijken. Een keer vroeg Allison hem hoe laat het was, waarop Field antwoordde: 'Zestien minuten over drie.' Nadat hij zeventien minuten lang met de analfabeet was blijven praten om hem af te leiden, vroeg Allison onverwachts opnieuw hoe laat het was. Prompt antwoordde Field: 'Drie minuten over halfvier.'

Een huiveringwekkend kunstje

Op het jaarcongres van de Amerikaanse Vereniging van Psychologen in 1940 vertoonde onderzoeker Donald Lindsley een filmpje van een man die al sinds zijn tiende jaar in staat was naar believen het haar op zijn armen overeind te zetten. Hij hoefde zichzelf geen angst aan te jagen of zich iets angstaanjagends te verbeelden. Hij zette zijn haar eenvoudig recht overeind, op dezelfde manier als waarop hij zijn spieren gebruikte, beweerde hij zelf, maar er gebeurde in werkelijkheid veel meer dan hij dacht. Wanneer 'de haren hem ten berge rezen', zo zette dr. Lindsley uiteen, verwijdden de pupillen van deze man zich. Het ritme van zowel zijn hartslag als zijn ademhaling werd sneller en zelfs zijn hersengolfactiviteit veranderde. Kortom, op alle mogelijke manieren was hem aan te zien dat hij hevig geschrokken was, hoewel hij zelf beweerde dat hij geen spoor van angst ervoer.

Afrikaanse griezels

De inboorlingen noemen hem *khodoemodoemo*, een naam die zoveel betekent als 'gapend junglemonster'. In stille, donkere nachten besluipt de khodoemodoemo vaak afgelegen boerderijen, klimt achteloos over twee meter hoge omheiningen in de kralen waarin geiten, schapen of kalveren worden gehouden en gaat er met zijn buit vandoor. Volgens ooggetuigen zijn de 'ronde, schotelvormige sporen met nagelafdrukken ter lengte van vijf centimeter' anders dan van alle andere dieren die de mens kent.

Sommige onderzoekers opperden dat de khodoemodoemo een gemuteerde hyena zou kunnen zijn. Anderen zijn het daar niet mee eens en wijzen erop dat hyena's hun prooi altijd over de grond slepen. En welke hyena zou in staat moeten zijn om met een kalf tussen de kaken over een twee meter hoge omheining te springen? Daar komt nog bij dat de hyena zeker geen 'sluipende' veedief is: hij huilt voordat hij een prooi slaat en begint daarna te krijsen. Om dezelfde redenen kan worden betoogd dat de khodoemodoemo evenmin een leeuw of luipaard kan zijn.

Bovendien is de khodoemodoemo niet de enige onbekende diersoort in Afrika. Op het 'zwarte werelddeel' doen nog veel meer verhalen over geheimzinnige dieren de ronde. Zo heeft nagenoeg iedere jager op Afrikaans wild weleens gehoord van de merkwaardige 'huilende *ndalawo* van Oeganda, de *mbilintoe* (een kruising tussen nijlpaard en olifant) van de Kongo, en van de stille, 'spinnende' *mngwa* die door de kokosnootbossen langs een groot deel van de Afrikaanse kust zwerft.

En Afrika heeft bovendien zijn eigen watermonsters à la Loch Ness. Zo worden de *laoe* en de *loekwata* geacht immense waterslangen te zijn die onder het oppervlak van Afrikaanse meren en moerassen leven. Volgens de griezelverhalen zouden ze tientallen meters lang zijn, de omvang hebben van een ezelsbuik en met hun luide, zware gebrul 's nachts zeedieren en mensen aanlokken. Hoewel hij er zelf nooit een heeft gezien, heeft wetenschapsbeoefenaar E.G. Wayland, directeur van de Dienst voor Geologisch Onderzoek van Oeganda, ooit een stuk bot van een vermeende loekwata gezien en zegt hij het nachtelijke gebrul zelf te hebben gehoord.

Afrikaanse ooggetuigen beschreven ook de *agogwe*, een kleine en zwaar behaarde aapmens die maar 1,20 groot wordt. Volgens de overlevering zal de *agogwe* je tuin schoffelen en wieden als je een schaal met voedsel en een kruik *ntoeloe*-bier voor hem klaarzet.

Ofschoon sommige legendarische Afrikaanse dieren vermoedelijk niet meer zijn dan dat, legenden, kunnen sommige ervan best bestaan. Per slot van rekening is er ook een tijd geweest waarin de geleerden weigerden geloof te hechten aan het bestaan van de goedmoedige reuzenpanda.

Het reuzenei van Australië

In de jaren dertig vond een Australische boer een ei ter grootte van een voetbal, dat de geleerden sindsdien voor een raadsel plaatst. Onderzoekers bevestigden dat het inderdaad een ei betreft, en bovendien het ei van een vogel. Dit ei is echter dertien keer zo groot als het ei van de reuzenemoe, het grootste ei dat de biologen ooit op het Australische continent hebben gevonden.

Hoewel de herkomst van het oude reuzenei tot nu toe een mysterie is gebleven, ontbreekt het ook in dit geval niet aan vermoedens. Het zou bijvoorbeeld een ei kunnen zijn van een vogelsoort die bekend is als de *Aepyornis* en al heel lang uitgestorven werd geacht te zijn in zijn natuurlijke habitat op Madagascar, 6500 kilometer ten westen van Australië. Het ei zou in theorie over de Indische Oceaan kunnen zijn gedreven en op de Australische kust aangespoeld, opperen enkele experts, zoals ook vaak gebeurt met ander materiaal dat afkomstig is uit het gebied waar de Indiase en het zuidelijke deel van de Grote Oceaan in elkaar overgaan. Het reuzenei zou echter ook door mensen meegenomen en vervolgens op de Australische kust achtergelaten kunnen zijn.

Andere geleerden zoeken het dichter bij huis: volgens hen kan het een ei van een uitgestorven *Australische* vogelsoort betreffen, want in de buurt van het ei werden een schedel alsmede de fossiele pootafdrukken van een reusachtige vogel gevonden.

Massale sterfte onder kameleonvissen

Het was een koude, stormachtige dinsdagmiddag en een krachtige noordwester zweepte de wit schuimende golven van de zee op tot razernij. Overal rondom de Noorse trawler *Sidon*, zo verklaarde de gezagvoerder later, dreven honderden dode vissen ter lengte van 90-120 centimeter aan de oppervlakte. Ook toen de trawler met een vaart van 8-10 knopen (15-18,5 km/uur) over een afstand van 50 zeemijl (ruim 90 km) de golven had doorkliefd, dreven er nog steeds overal rondom de *Sidon* dode vissen. Kort daarna – in de maanden maart en april 1882 – meldden de bemanningen van ten minste twaalf andere schepen hetzelfde verschijnsel.

De visserijcommissaris van de Verenigde Staten, Spencer Baird, begon de zaak te onderzoeken. Aanvankelijk meende hij dat het om kabeljauw ging, maar later kwam Baird tot de overtuiging dat het vermoedelijk zogeheten kameleonvissen (*Lopholatilus chamaeleonticeps*) betrof, een in de Golfstroom levende soort die pas enkele jaren eerder, in 1879, was ontdekt. Zodra hij een van de dode vissen onder ogen kreeg, wist hij dat hij het bij het juiste eind had.

Volgens een artikel in *Nature Magazine* kwamen Baird en zijn medewerkers tot de slotsom dat er ongeveer 1,5 miljoen dode exemplaren in de zee moesten hebben gedreven, met een gezamenlijk gewicht van 7.000.000 kilogram – een schatting die gebaseerd was op het feit dat de dode vissen gelijkmatig verspreid over een gebied van 275 bij 40 kilometer waren aangetroffen. Er werden allerlei mogelijke verklaringen voor deze massale vissterfte bedacht, zoals onderzeese vulkaanuitbarstingen, giftige gassen, oververhitting en verhongering. De populairste hypothese luidde dat deze vissen uit een warmer gebied verlamd en hulpeloos raakten toen ze in aanraking kwamen met aanzienlijk kouder water en ten slotte waren gestorven. Hoe het ook zij, aan de onderzochte exemplaren werd geen spoor van een ziekte of afwijking ontdekt.

De soort verdween gedurende een jaar of tien volledig uit het menselijke blikveld en de zeebiologen zijn nooit in staat geweest met onomstotelijke zekerheid te bepalen wat de massasterfte onder deze vissen had veroorzaakt.

De raadselachtige Inca-schat

Toen Pizarro en zijn kleine expeditieleger in het rijk der Inca's doordrongen en dat ten slotte ook onderwierpen – een immens territorium dat Peru, Columbia, Ecuador, Bolivia, delen van Chili en delen van Argentinië besloeg – veroverden zij voor zichzelf en Spanje een enorme goudschat.

Het leeuwedeel van die goudschat had Pizarro in één keer in handen gekregen. Nadat hij de Indiaanse krijgers, die de Inca-koning Atahuallpa beschermden, had afgeslacht en de koning levend gevangen had genomen, beloofde Atahuallpa – om zijn vrijheid terug te kopen – voor Pizarro een grote kamer in zijn paleis te zullen vullen met gouden voorwerpen, en wel tot een streep aan de muur die werd aangebracht ter hoogte van de opwaarts uitgestrekte hand van een staande man.

Pizarro nam het aanbod aan, maar toen hij al een groot deel van de beloofde goudschat in de vingers had, besloot hij cynisch dat de Indiaanse koning toch maar moest worden geëxecuteerd. Hij liet hem genadig de keus tussen levend verbranden of wurging – de gebruikelijke executiemethode voor Indianen die zich tot christen hadden laten dopen. De Inca liet zich dopen en werd gewurgd.

Na zijn dood bleef het goud uit alle delen van het Inca-rijk binnenstromen (beelden, afgodenbeeldjes, kruiken, staven, borden, ceremoniële wapens en kettingen), maar plotseling kwam er een eind aan. Pizarro was vooral hevig teleurgesteld over het feit dat hij de beloofde gesmede ketting van massief goud niet had gekregen, waarvan hij had gehoord dat er zestig Indianen nodig waren om ze te versjouwen. Niemand is ooit te weten gekomen wat er precies met deze goudschat is gebeurd, die vaak wordt aangeduid als *el peje grande* – 'de grote vis'.

In Peru bestaat een onuitroeibare legende: het geloof dat een afstammeling van Atahuallpa nog altijd de beschikking heeft over een immens fortuin dat hij geheim houdt, net als zijn eigen identiteit. De Indianen in de Andes vertellen elkaar verhalen over een gedistingeerde Indiaan met een welhaast blanke huid die een driedelig pak draagt, zoals de blanke zakenman, maar nog wel de oude Inca-taal, het Quechua, spreekt en soms naar een in moeilijkheden verkerend bergdorp komt. Dat kan het geval zijn als bepaalde gezinnen of zelfs alle dorpelingen dringend verlegen zitten om voedsel, andere levensbehoeften of geld. Deze vorstelijke figuur arriveert in een grote, door een chauffeur bestuurde zwarte limousine van het soort dat in de bergen zelden of nooit wordt gezien. Hij brengt zo'n dorp dan goud – nu eens voor de aanschaf van voedsel, dan weer voor het aantrekken van onderwijzers of de aankoop van medicamenten – en vertrekt weer. Zijn identiteit is onbekend en niemand schijnt ooit in staat te zijn het kenteken van zijn limousine te onthouden of zelfs maar te kunnen zeggen of die auto wel kentekenplaten had.

De Indianen zijn echter zeker van één ding: iemand beschermt hen in tijden van nood. Misschien is hun geheimzinnige weldoener inderdaad een afstammeling van de Grote Inca, de Zoon van de Zon, die zich nog altijd om zijn volk bekommert.

De regenboom

In oude dagboeken van ontdekkingsreizigers op het westelijk halfrond komen verhalen voor over een boom die wolken zou hebben aangetrokken, waarna het onveranderlijk onder de boom begon te regenen.

Deze verhalen werden altijd beschouwd als puur visserslatijn, totdat een dergelijke boom – waarvan de takken water kunnen versproeien – in het begin van de 19de eeuw in Brazilië werd ontdekt. Ongeveer vijftig jaar later werd een soortgelijke vondst vermeld, deze keer in Peru. De bladeren van de Peruaanse 'regenboom', zo berichtte de *Scientific American*, lijken in staat waterdamp in de lucht te laten condenseren, waarna dit condenswater in straaltjes van de boom druipt.

De legende over de regenboom lijkt te zijn ontstaan op de Fortunate Islands, waar condens uit de bomen de enige 'regen' was. Vroege ontdekkingsreizigers kwamen thuis met verhalen over soortgelijke bomen in de Indonesische archipel (Oost-Indië), het Afrikaanse Guinea en Brazilië.

Moderne onderzoekers hebben een plausibele verklaring geopperd. Veel planten nemen via hun wortelstelsel water op uit de grond, zo luidt hun redenering, en geven het teveel aan vocht weer af aan de atmosfeer, in de vorm van damp. Indien de omringende lucht al verzadigd is van water en er een overvloedige hoeveelheid water door de wortels kan worden opgenomen, zullen de bladeren die vloeistof soms in grote hoeveelheden uitscheiden. Dit proces – dat *guttatie* wordt genoemd – doet zich voornamelijk 's nachts voor, wanneer de relatieve vochtigheid van de lucht het grootst is. In de tropen, waar de dampkring zeer veel vocht bevat, kan het guttatieproces in bomen vermoedelijk zó omvangrijk worden dat de naam 'regenboom' een passende omschrijving mag worden genoemd. Het proces werkt echter niet in een droog klimaat (want daar neemt de lucht gretig iedere druppel vocht op), zodat de aanplant van regenbomen geen oplossing is voor droge gebieden.

Wezens in de tuin

Het huis van Marius Dewilde stond te midden van bossen en velden op minder dan twee kilometer afstand van het Franse dorp Quarouble bij de Belgische grens. Ofschoon de spoorlijn van de staatskolenmijnen langs een zijde van Dewildes tuin liep, werd de nachtelijke rust zelden verstoord. Op de late avond, als het overal stil was en zijn vrouw en zoon gewoonlijk al in bed lagen te slapen, zat Dewilde, een metaalarbeider, graag in de keuken de krant te lezen alvorens zelf ook naar bed te gaan. De avond van 10 september 1954 zou echter heel anders verlopen.

Dewilde hoorde zijn hond luid blaffen en janken en hij vermoedde dat er een inbreker in de buurt rondsloop. Hij pakte zijn grote zaklantaarn en ging op onderzoek uit. Buiten ontwaarde hij een donkere vorm bij de spoorlijn, maar veronderstelde dat het een vrachtwagen van een boer was.

Terwijl de hond op zijn buik naar hem toe kwam kruipen, schrok Dewilde van een geluid aan zijn rechterhand. Met een ruk draaide hij zich om – en ving een glimp op van iets heel vreemds: twee wezens met zeer brede schouders, maar zonder armen en gekleed in iets dat veel weg had van een duikpak met helm. Ze waren niet groter dan ongeveer een meter en schenen zich op korte benen schuifelend te verplaatsen. En ze waren op weg naar de donkere vorm die hij voor een vrachtwagen had aangezien.

Dewilde rende naar het tuinhek, met de bedoeling de kleine wezens de pas af te snijden. Een plotselinge, verblindend felle lichtbundel die afkomstig was van de donkere vorm op de spoorbaan scheen hem recht in het gezicht en liet hem verstarren. Hij kon zelfs niet meer schreeuwen, hoewel hij de wezens op nog geen meter afstand langs zich heen zag lopen, op weg naar de spoorbaan.

Het licht werd echter spoedig gedoofd en Dewilde zette zijn achtervolging moedig voort, maar te laat. De wezens hadden kennelijk hun doel bereikt, want de donkere vorm begon met een fluitend geluid op te stijgen en braakte aan de onderkant een witte dampwolk uit. Op een hoogte van ongeveer dertig meter begon het toestel naar het oosten te vliegen, waarbij het steeds hoger klom en een rode gloed begon uit te stralen.

Geschokt meldde Dewilde het incident aan het plaatselijke politiebureau, maar daar stuurden ze hem lachend weg, in de veronderstelling met een fantast te maken te hebben. De commissaris realiseerde zich echter dat Dewilde een serieuze man was en gelastte alsnog een minutieus onderzoek. Aanvankelijk opperden de onderzoekers dat Dewilde misschien had gehallucineerd, als gevolg van vroeger hoofdletsel.

Die veronderstelling hadden ze meteen overboord kunnen zetten als ze aandacht hadden besteed aan opmerkelijk diepe krassporen in het ijzerharde hout van de spoorwagons. Een spoorwegingenieur schatte dat dergelijke sporen uitsluitend gemaakt hadden kunnen worden door een object dat op zijn minst een eigen gewicht van dertig ton moest hebben gehad. En bovendien zou er intense hitte nodig zijn geweest om de ballaststenen tussen de wagons te doen smelten, zoals die avond was gebeurd.

UFO boven Valencia

De chartervlucht van een Spaanse luchtvaartmaatschappij had al zeker vier uur vertraging toen het toestel eindelijk kon opstijgen van het vliegveld van Salzburg in Oostenrijk, voor een vlucht naar Tenerife op de Canarische Eilanden. De ontevredenheid van de passagiers nam nog toe toen het toestel bovendien een niet geplande landing bij Valencia in Spanje maakte. Als zij hadden geweten wat de aanleiding was voor deze omweg op die zondagavond in november van het jaar 1979 zouden zij zich nauwelijks druk hebben gemaakt over die nieuwe vertraging.

Het begon toen het vliegtuig Ibiza was gepasseerd. Kort voor elf uur 's avonds zag gezagvoerder Lerdo de Tejada links en schuin achter zijn toestel twee felle rode lichten naderen. Het object haalde het passagiersvliegtuig snel in 'en het verplaatste zich daarna naar believen naar boven en naar beneden en in alle mogelijke richtingen om ons heen, waarbij het manoeuvres uitvoerde die voor een normaal vliegtuig absoluut onmogelijk zijn', verklaarde Tejada later. Hij voegde eraan toe dat het object even groot scheen te zijn als een grote Boeing.

De UFO volgde het lijntoestel gedurende circa acht minuten. Op ongeveer 100 kilometer van Valencia noodzaakten de snelheid en vooral de nabijheid van de UFO Tejada tot een scherpe zwenking, teneinde een botsing te voorkomen. Na nog eens 55 kilometer verdween de UFO.

De directeur van de luchthaven van Valencia, de verkeersleiders en ook ander personeel beaamden allemaal dat zij iets met rode lichten hadden gezien. De journalist Juan Benitez kwam later te weten dat de Spaanse luchtmacht de UFO zelfs op haar radarschermen had gezien, en wel in het gebied waarin het toestel van Tejada zich bevond. Enkele minuten na diens landing in Valencia waren er twee straaljagers opgestegen, waarvan de piloten het object met eigen ogen hadden waargenomen. Een van de piloten maakte gedurende die vlucht melding van de aanwezigheid van wat hij 'een UFO' noemde in zijn onmiddellijke nabijheid.

Cayces kosmische kennis

Edgar Cayce, de beroemdste paragnost van de Verenigde Staten, droomde eens dat hij door Indianen op de rivier de Ohio werd achtervolgd en dat ze van plan waren hem te doden. Deze droom had hij alleen aan zijn naaste familieleden verteld. Daarom was hij op een dag in 1923 tamelijk verbaasd toen een kleine jongen op zijn schoot kwam zitten en tegen hem zei: 'Wij hebben samen honger geleden op de rivier.'

Cayce was zijn leven lang een trouw kerkganger geweest en daarom geneigd de reïncarnatiegedachte als 'onchristelijk' van de hand te wijzen, totdat hij zich zijn eigen vroegere levens herinnerde. In zijn trancetoestand – hij stond bekend als 'de slapende profeet', omdat hij de zieke mensen die zijn hulp kwamen inroepen 'slapend' in een stoel te woord stond en hun dan vertelde wat zij moesten doen om weer gezond te worden – kwam Cayce tot zijn eigen verbazing te weten dat hij niet alleen ooit een Engelse soldaat in het koloniale Amerika was geweest, maar ook nog een hogepriester in het oude Egypte, en gedurende de Trojaanse Oorlogen een artsenijkundige.

Hoewel hij aanvankelijk gekant was geweest tegen het zich verdiepen in de mogelijkheid van reïncarnatie, was Cayce er hierna van overtuigd dat vroegere levens een realiteit waren. Zo kwam het dat hij de herinnering aan zijn vroegere leven als Engelse soldaat bevestigd zag door een eveneens gereïncarneerde kameraad uit dat leven, in de persoon van een kleine jongen.

Redeneren dieren net als mensen?

De mens heeft een aantal dieren, zoals paarden, ezels, duiven, honden, kamelen, olifanten, ossen, dolfijnen en apen, zodanig afgericht dat ze bepaalde dingen voor hem kunnen doen. Ook bracht hij dieren als beren, apen, pony's, geiten, leeuwen, tijgers, schildpadden, zeerobben, orka's en dolfijnen allerlei kunstjes bij – dat alles met behulp van een systeem dat bestond uit een combinatie van beloningen (in de vorm van lekkere hapjes) en straffen.

Soms lijkt het er echter sterk op dat dieren, als ze complexe 'handelingen' moeten verrichten, op een hoger niveau dan dat van het instinct moeten kunnen redeneren, en dat terwijl toch de 'rede' algemeen wordt beschouwd als datgene wat de mens onderscheidt van alle dieren.

Kunnen dieren logisch denken, net als wij? Indien we op bepaalde gevallen van 'wonderdieren' mogen afgaan, lijkt het er sterk op dat die mogelijkheid bestaat. Zo werden er in de Tweede Wereldoorlog – in de kolenmijnen waar de Duitsers dwangarbeiders te werk stelden – Duitse herdershonden gebruikt om het aantal dwangarbeiders dat per paternoster (een stelsel van op en neer gaande liften) omlaag werd gebracht of naar boven kwam te tellen. Deze honden hadden van hun nazi-bazen geleerd mensen bijeen te drijven en de gevangenen te tellen in groepjes van maximaal twaalf: als er meer dan twaalf in een paternosterlift stapten, sloeg de hond die daar toezicht hield aan om de bewakers te alarmeren.

Een gewonde spoorwegarbeider in Afrika gebruikte in 1877 een baviaan om zich te laten assisteren. James Wide had bij een spoorwegongeval beide benen verloren en had daarna van de spoorwegmaatschappij een baan als seinwachter gekregen. Zijn oogappel – een baviaan die Jack heette – deed voor hem alle huishoudelijke klusjes die Wide niet meer zelf kon doen, en zorgde bovendien voor de tuin. Jack duwde zijn baas James Wide in een karretje langs de spoorbaan als hij aan het werk was en ook haalde hij de seinhefbomen voor hem over en zette zelfs wissels om. Wide heeft op deze manier jarenlang met succes kunnen werken en hij heeft nimmer een ongeluk of zelfs maar vertraging veroorzaakt.

Herodotus, de vermaarde Oudgriekse ontdekkingsreiziger en auteur van tal van reisbeschrijvingen verhaalde dat priesters in het Egypte van de farao's in hun tempels bavianen hielden – dieren die met behulp van bezems de vloeren voor hen schoonveegden. Deze bavianen leerden snel en ze hielden de tempels keurig schoon. Als bavianen werkelijk kunnen denken, moeten ze zich heel gevleid hebben gevoeld door het feit dat in veel Oudegyptische tempels een standbeeld van een god met het hoofd van een baviaan stond opgesteld.

(Aan)vallende meteoriet

Een passagierstoestel van Olympic Airlines was op 24 november 1983 op weg naar Frankfurt toen het kort na het vertrek uit Athene door een vreemd object werd getroffen. Het toestel vloog op een hoogte van 30.000 voet (9 km) boven het noorden van Italië toen 'iets' de rechtervoorruit van de cockpit raakte en het glas deed sneuvelen, zoals de Atheense kranten berichtten. De bemanning slaagde erin het toestel te laten dalen om de luchtdruk in de cabine op peil te houden. De zestig passagiers hadden er geen flauw vermoeden van dat er iets vreemds was gebeurd, totdat het toestel zijn bestemming had bereikt en onmiddellijk in de hangar verdween om te worden gerepareerd.

De vis die uit het niets kwam

In de Griekse mythologie overwon Hercules de *stymphalides ornithes* – woeste, mensenetende vogels met *ijzeren* klauwen, snavels en vleugels (!) – die de omgeving van het Stymphalis-meer terroriseerden. Tegenwoordig bestaat die streek in de bergen van Korinthië voornamelijk uit landbouwgrond, maar het meer is altijd rijk aan vis geweest.

Tot het jaar 1976 dankten de plaatselijke vissers een zekere mate van welstand aan de rijke visstand van het meer, maar dat jaar begon er een ernstige droogte, waardoor het meer uitdroogde totdat het oppervlak minder was dan de helft die het was geweest: 20.000 ha. De vis in het meer stierf massaal en verdween volledig uit het ondiepe, modderige water.

Hoewel de droogte zich voortzette tot in 1978, begon het waterpeil van het meer in februari van dat jaar plotseling weer te stijgen en herkreeg het al spoedig zijn oude grootte. En op mysterieuze manier verscheen ook de vis weer in het meer. Binnen een maand, zo meldde het tijdschrift *Nea*, voeren de vissers weer met hun bootjes het Stymphalis-meer op en konden ze dagelijks zo'n tachtig pond vis binnenbrengen.

Massale visflauwten

De wateren rondom het Griekse eiland Elaffonisos nabij Kaap Malea worden al heel lang door Griekse vissers bevist, maar in de laatste twee weken van oktober 1986 ontdekten zij dat er talloze diepzeevissen aan de oppervlakte ronddreven – levend maar bewusteloos.

Iets scheen het zenuwstelsel van deze vissen te hebben verlamd, maar vreemd genoeg bleven vissoorten die normaal dicht onder de oppervlakte leefden verschoond van dit verschijnsel, zoals het Griekse blad *Ethnos* berichtte. De onderzoekingen van ichtyologen en toxicologen op deze vissen leverden geen aanwijzingen op voor de oorzaak van deze massale bewusteloosheid onder zeevissen.

Toch was het niet de eerste keer dat dit verschijnsel in Griekse wateren werd opgemerkt. Zo werden er ook in de periode 1984-1986 diepzeevissen drijvend aan de oppervlakte in de Canea-baai nabij het eiland Kreta en in de omgeving van Gythium bij het eiland Elaffonisos aangetroffen.

Prehistorisch vliegend reptiel op Kreta

Volgens het Griekse dagblad *Ethnos* waren Nikolaos Sfakianakis, Nikolaos Chalkiadakis en Manolis Calaitzis in 1986 aan het jagen langs een riviertje in het Asterousia-gebergte op West-Kreta toen ze 's morgens om halfacht een vreemd geluid hoorden dat klonk als het klapwieken van een vogel. Aanvankelijk schonken ze er geen aandacht aan, maar na een poosje zagen ze een enorm grote, donkergrijze 'vogel' boven hun hoofden rondcirkelen.

Het gevleugelde beest zag er heel vreemd uit, op zijn zachtst gezegd. De vleugels leken te bestaan uit een soort vliezen die aan die van vleermuizen deden denken, maar ze waren aan de vleugeltips voorzien van vingerachtige uitsteeksels. Bovendien waren de poten uitgerust met geducht grote en scherpe klauwen en leek de bek op die van een pelikaan. De mannen bleven naar het vreemde beest kijken totdat het in de bergen verdween.

Toen ze thuis waren, doken de drie jagers hun boekenkasten in en zochten net zolang tot ze een afbeelding hadden gevonden die het vreemde beest tamelijk juist weergaf. De enige gelijkende afbeelding was die van de pterodactylus, een vliegend reuzenreptiel dat geacht wordt al miljoenen jaren geleden te zijn uitgestorven.

West-Virginia's vijandige hemel

Vlucht 1083 van Delta Airlines steeg op 15 juni 1987 op van het vliegveld van Pittsburgh, Pennsylvania, naar Atlanta in Georgia, het gokparadijs aan de oostkust. Het passagiersvliegtuig vloog boven West-Virginia toen de piloot een object waarnam dat naar zijn toestel onderweg was. Het 'projectiel' van circa een meter lang was uitgerust met staartvinnen, zo vertelde hij later aan de *St. Louis Post-Dispatch*, en het verplaatste zich met grote snelheid. Het had het vliegtuig op het nippertje gemist toen het van opzij onder het toestel doorschoot.

Het ministerie van Defensie ontkende echter ook maar iets van het vermeende 'projectiel' te weten, en de Nationale Meteorologische Dienst liet weten dat het geen weerkundig instrument was geweest. De woordvoerster van het regionale hoofdkwartier van de FAA (het Amerikaanse equivalent van de Rijks Luchtvaart Dienst), Kathleen Bergen, opperde dat het een zeppelinvormige heliumballon kon zijn geweest. De meteorologen wierpen tegen dat de windsnelheid van de straalstroom boven West-Virginia te gering was geweest om een heliumballon zo snel mee te voeren als volgens de piloot het geval was geweest.

Toch bleef de FAA officieel vasthouden aan de verklaring dat het object een ontsnapte reclameballon moest zijn geweest. 'Ballons kunnen grote afstanden afleggen,' verklaarde mevrouw Bergen, en ze voegde er – misschien een tikje overbodig – aan toe: 'Wij geloven niet in het bestaan van UFO's.'

Een telepaat in Mexico

Toen Maria Zierold-Reyes in 1919 onder hypnose werd behandeld tegen haar slapeloosheid, vertelde zij aan haar arts – een Duitse dokter die Gustav Pagenstecher heette en in Mexico praktizeerde – langs haar neus weg dat zijn dochter aan de deur van zijn behandelkamer luistervink speelde. Om de vrouw ervan te overtuigen dat er niemand was, opende dr. Pagenstecher plotseling de deur en zag tot zijn stomme verbazing dat het kind er inderdaad achter stond, zoals zijn patiënte had beweerd. Dit voorval intrigeerde de brave dokter, en hij begon met mevrouw Zierolds instemming aan een uitgebreid experimenteel onderzoek van haar helderziende vermogens.

Al spoedig ontdekte Pagenstecher dat mevrouw Zierold onder hypnose in staat was een levendige en correcte beschrijving te geven van gebeurtenissen die verband hielden met een voorwerp dat ze in haar handen hield. Zo hield zij bijvoorbeeld een eindje koord in haar handen toen ze een visioen kreeg van een slagveld op een kille, mistige ochtend. Ze zag overal groepjes mannen en hoorde onophoudelijk schoten knallen. 'Ik zie een grote bal door de lucht naderen, met grote snelheid!' riep ze plotseling uit. 'Hij komt midden in een groep van vijftien mannen terecht en rukt hun lichamen aan flarden.' Het eindje koord, zo bleek nu, was bevestigd geweest aan het identificatieplaatje van een Duitse soldaat. En de scène waarvan mevrouw Zierold onder hypnose 'getuige' was geweest, was – zo verklaarde de oorspronkelijke eigenaar van het koord later – 'de eerste sterke indruk van de oorlog die ik er altijd aan ben blijven bewaren'.

Kort nadat de onderzoeker Walter Prince van de Amerikaanse Vereniging voor Parapsychologisch Onderzoek van Pagenstechers experimenten met mevrouw Zierold had gehoord, arriveerde hij in Mexico om te bepalen of zij telepathisch of helderziende was. Bij een van zijn experimenten met haar gebruikte hij twee identieke lapjes zijde, opgeborgen in twee identieke doosjes. Hij husselde ze flink door elkaar, zodat de proefpersoon niet kon weten welk doosje welk lapje zijde bevatte. Toen mevrouw Zierold het ene doosje in haar handen hield, beschreef ze een Mexicaanse kerk met dansende Indianen; het andere doosje, zo zei ze, wekte bij haar de impressie van een lintfabriek in Frankrijk. Het eerste stukje zijde was afkomstig van een kerkaltaar; het tweede was rechtstreeks betrokken van een lintenfabrikant.

Bridey Murphy

Bridget (Bridey), de dochter van Duncan en Kathleen Murphy, protestantse inwoners van Cork (Ierland), was verzot op dansen, las graag Ierse mythen en sagen en zong uit volle borst Ierse volksliedjes. In 1818 trouwde Bridey met een rooms-katholieke Ier, Brian MacCarthy, en reisde het jonge paar per postkoets naar Belfast. Bridey was echter geen historisch belangrijke persoon en naar alle waarschijnlijkheid zouden we nooit iets over haar hebben vernomen als Virginia Tighe, een in Chicago opgegroeide inwoonster van Madison, Wisconson, er niet was geweest.

In een reeks hypnoseances, die plaatsvonden van november 1952 tot oktober 1953, openbaarde Tighe dat ze al eerder had geleefd, en wel als Bridey Murphy in het 19de-eeuwse Ierland. Wanneer ze onder hypnose was en via regressie was teruggevoerd naar dat vorige leven, sprak ze met een onvervalst Iers accent en gebruikte ze vaak woorden waarvan de betekenis in de 20ste eeuw is veranderd, op de correcte 19de-eeuwse manier. Voor een bepaald soort onderrok van een kind gebruikte zij bijvoorbeeld het woord *slip* in plaats van het moderne woord *petticoat*.

Virginia Tighe was nooit in Ierland geweest en ontkende steeds dat zij zelfs maar met Ierse mensen in aanraking was geweest. Maar toch kon zij eens onder hypnose de dans ten beste geven die in de 19de eeuw populair was geweest onder de naam *The Morning Jig* en die ze beëindigde met een gestileerde geeuw. De juistheid van haar beschrijving van een andere dans uit die tijd werd bevestigd door een oude vrouw die haar eigen ouders de desbetreffende dans had zien dansen. Virginia Tighe beschreef bovendien volkomen correct een Iers ritueel dat in Bridey's tijd van leven in zwang was geweest: het kussen van de 'Blarney Stone'.

Volgens Bridey (die via Virginia sprak) was haar broer Duncan in 1796 geboren en later getrouwd met Aimee, de dochter van de hoofdonderwijzeres van een school die Bridey op haar vijftiende had bezocht. Na haar eigen huwelijk waren haar man en zij per postkoets naar Belfast gegaan – ze kon de namen noemen van alle plaatsen die ze onderweg waren gepasseerd. Ze hadden 'gekerkt' in de St. Theresa's Church van een zekere pastoor John Gorman en boodschappen gedaan in winkels die Bridey kon noemen. Ook beschreef ze correct de munten die in die periode in gebruik waren geweest. En bij haar begrafenis, zo wist ze te vertellen, was er op *uilean pipes* (een soort doedelzakken) gespeeld.

William Barker werd door het Amerikaanse tijdschrift *Empire* naar Ierland gestuurd. Hij kreeg drie weken de tijd om het verhaal over en van Bridey Murphy na te trekken. Hij slaagde erin een aantal feiten te verifiëren, met name de onbetekenende details van haar verhaal. Van andere door Bridey genoemde feiten kon hij aantonen dat ze onjuist waren en weer andere feiten konden niet worden geverifieerd.

Dat gold helaas ook voor de datums van geboorten, huwelijken en sterfgevallen, omdat de overheid van Cork pas in 1864 was overgegaan tot het invoeren van archief van de burgerlijke stand; en hoewel Bridey had gezegd dat de Murphy's dergelijke feiten in hun familiebijbel plachten te noteren, kon dat exemplaar niet worden opgespoord. Ook was er nergens iets te vinden over St. Theresea's Church, laat staan over een pastoor Gorman. Na minutieus onderzoek ontdekte Barker echter wel dat Carrigan en Farr, twee winkels die Bridey had genoemd, inderdaad hadden bestaan. En het was op begrafenissen de gewoonte geweest op een *uilean pipe* te spelen, omdat dit instrument een zachte, ronde toon had.

UFO in Argentinië

Ongeveer drie kilometer buiten het stadje Trancas in het noordwesten van Argentinië lag de Santa Teresa Ranch van de familie Moreno, die over een eigen stroomgenerator beschikte. Toen die elektriciteitsleverancier er op de avond van 21 oktober 1963 plotseling de brui aan gaf, ging het gezin vroeg naar bed, hoewel de eenentwintigjarige Yolie Moreno-de Valle wakker bleef om haar zoon de borst te geven.

Er heerste in huis een vredige stilte toen het dienstmeisje, Dora, plotseling op Yolie's kamerdeur klopte en haar zachtjes toeriep dat er buiten vreemde lichten waren te zien. Op het hele erf van de boerderij leek het wel klaarlichte dag. Yolie en haar zuster Yolanda gingen naar buiten om de zaak te onderzoeken. In de verte, ten oosten van de boerderij bij de spoorlijn, zagen ze twee heldere, schotelvormige objecten die door een soort glanzende buis met elkaar verbonden waren. Het zag eruit, zei Yolie later, 'als een kleine, fel verlichte trein'. In de buis zagen ze een aantal silhouetten bewegen. In het begin dachten ze dat er misschien een trein was ontspoord.

Ze wandelden om de boerderij heen naar de voorzijde, waar ze bij het hek twee lichten zagen die een lichtgroen lichtschijnsel verspreidden. Toen Yolie haar zaklantaarn erop richtte, zag ze dat het een schotelvormig toestel met een ronde koepel was, waarvan ze de middellijn op circa tien meter schatte. Het zweefde in de lucht en maakte een zacht zoemend geluid. Door de zes raampjes konden de twee jonge vrouwen een band van veelkleurige lichtjes zien; toen deze band van lichtjes begon rond te draaien, ontstond er een witte nevel rondom het toestel. Zonder waarschuwing vooraf braakte het opeens vlammen uit, waardoor de twee jonge vrouwen tegen de grond werden geslagen.

Nu floepte er aan de bovenzijde van het object een sterke lichtbundel met een doorsnede van ongeveer drie meter aan: deze lichtbundel tastte het hele huis af. Er verschenen boven de spoorbaan nog drie andere UFO's, die hun lichtbundels op de kippenloods, de tractorschuur en het huis van een buurman richtten. Yolie vluchtte naar binnen, waar de temperatuur van 16 °C tot een verstikkende 38 °C was gestegen en de onmiskenbare stank van zwavel was te ruiken.

Na een minuut of veertig doofde de lichtbundel van de UFO bij de boerderij en zweefde hij terug naar de andere bij de spoorbaan. Uiteindelijk stegen de zes UFO's gezamenlijk op en vlogen weg naar de Sierra de Medina, een bergketen ten oosten van Trancas.

De wolk die rondom de UFO bij het huis had gehangen, vervluchtigde pas vier uur later. Een verslaggever die de volgende dag een bezoek bij de familie Moreno afstak, schreef dat de hitte en de zwavelstank toen nog niet waren verdwenen. Op de grond bij het hek – precies op de plaats waarboven de UFO had gezweefd – werd een stapeltje kleine witte bollen aangetroffen, die samen een volmaakte kegel ter hoogte van 90 centimeter hoog vormden. Soortgelijke kegels van witte bollen werden ook op de spoorbaan aangetroffen. Bij analyse van dit materiaal door het Instituut voor Chemical Engineering van de Universiteit van Tucuman werd vastgesteld dat de bolletjes grotendeels uit calciumcarbonaat (een mineraal in de vorm van kalksteen, krijt en marmer) bestonden, met een geringe hoeveelheid kaliumcarbonaat (potas).

Een onderzoek van de plaatselijke politie bracht aan het licht dat nog ten minste zes andere inwoners van Trancas de verlichte objecten boven de spoorbaan hadden gezien. Een man verklaarde dat hij zes schotelvormige UFO's om kwart over tien 's avonds aan de hemel had zien vliegen, ongeveer op het tijdstip waarop de enerverende gebeurtenissen voor de Moreno's waren geëindigd.

Kanonschoten en het meer

Iedere herfst keert Albert Ingalls trouw terug naar het Seneca-meer, waar hij in zijn jeugd maandenlang kon genieten van activiteiten als zwemmen, kamperen, spelevaren en hengelen. En in het zomerseizoen hoort hij er vrijwel dagelijks gedempte, dof klinkende explosies die uit de verte lijken te komen. Overigens werden die geluiden ook al gehoord door de Indianen uit de omgeving, lang vóór de komst van de eerste blanke kolonisten.

In een aantal landen is het verschijnsel van kanonschoten in of bij een meer een bekend verschijnsel, zoals in Italië, Haïti, België en overal in Afrika. Zo worden er bijvoorbeeld bij het Lough Neagh, in het noorden van Ierland, het hele jaar door kanonschotachtige geluiden gehoord. Lough Neagh is een langwerpig meer met een oppervlakte van 375 km^2, dat ontstond ten gevolge van vulkaanuitbarstingen. Hoewel er veelvoudig vissers op het meer aan het werk zijn, heeft nog niemand ooit enige beweging in het water waargenomen. En de 'kanonschoten' klinken altijd veraf, onverschillig waar men zich op of bij het meer bevindt. In de winter van 1896 was het meer helemaal dichtgevroren. Dat jaar berichtte een zekere dominee W.S. Smith dat hij en enkele andere schaatsers op het meer de explosies hadden gehoord en dat ze naar schatting op ongeveer een kilometer afstand gelokaliseerd moesten zijn. Het ijs, zo vermeldde hij, was niet gescheurd.

Niemand weet met zekerheid wat de oorzaak of de aard is van deze explosies, hoewel er al heel wat veronderstellingen over zijn geopperd. Zo hebben onderzoekers gewezen op de mogelijkheid dat de kanonschoten ontstaan als aardgas ontsnapt uit zandsteenlagen op een diepte van honderden meters onder het meer. Er zijn weliswaar nooit grote gasbellen in het meer waargenomen, zo vervolgt deze redenering, maar dat zou mogelijk zijn doordat het gas al in kleine bellen uiteenvalt voordat het de oppervlakte van het meer heeft bereikt.

Een onderzoeker – de geoloog A.M. Beebee van de Rochester Gas and Electric Corporation – zegt dat er wellicht spoedig een eind zal komen aan de kanonschoten bij het Seneca-meer. De reden: zijn nutsbedrijf heeft gasputten geboord voor de winning van aardgas, waardoor de gasdruk onder het meer zal gaan afnemen. Dan zal het aardgas niet meer via het meer kunnen ontsnappen.

Akoestische luchtspiegelingen

Op 14 juni 1903 schrok Ann H. Bourhill in de Zuidafrikaanse provincie Transvaal wakker van geluiden die veel leken op kanonschoten. Die explosies werden gevolgd door een lang aanhoudend 'gesuis', enkele seconden later gevolgd door een tweede explosie. Niet lang daarna herhaalde zich die gang van zaken, en het had er alle schijn van dat er een groot gebouw met kanonnen werd beschoten. Overeenkomstige geluiden werden in een gebied met een straal van 20 kilometer gehoord. Toch was er nergens in Transvaal met kanonnen geschoten.

Dit incident staat overigens niet op zichzelf. Al decennia lang zijn er op allerlei plaatsen ter wereld onverklaarbare detonaties gehoord. Hoewel de oorzaak een mysterie is gebleven, opperen sommige onderzoekers dat de geluiden wellicht afkomstig zijn van ontladingen van atmosferische elektriciteit.

Zo beweerde een waarnemer in Texas bijvoorbeeld dat hij een 'suisend geluid' had gehoord, voordat hij een meteoor de dampkring zag binnenkomen. Toen hij het incident onderzocht, veronderstelde de Amerikaanse meteorenexpert H.H. Nininger dat het 'gesuis' wellicht kon ontstaan doordat het menselijk oor de elektrische activiteit rondom de meteoor tot geluid converteert. Hoewel nog niemand het mechanisme heeft beschreven dat daarvoor verantwoordelijk zou kunnen zijn, hebben wetenschappers geopperd dat 'akoestische luchtspiegelingen' ook een gevolg kunnen zijn van elektrische activiteit die is opgewekt door supersone straaljagers en aardbevingen.

Het fluisterende meer

S.A. Forbes voer met zijn bootje over het Shoshone-meer in het Yellowstone National Park toen hij een geheimzinnig geluid hoorde. Evenals anderen die dit verschijnsel in zowel het Shoshone- als het Yellowstonemeer hebben gehoord, vergeleek hij dit geluid met de vibrerende snaren van een reusachtige harp of met het geluid van telegraafdraden die 'snel en regelmatig in de wind zwaaien', hoewel er soms zelfs vaag stemmen bij waren te horen.

Het geluid begon zacht en kwam kennelijk van veraf, zo rapporteerde hij in het *Bulletin of the United States Fish Commission*. Daarna leek het naderbij te komen en luider te worden en leek het zich weer te verwijderen en weg te sterven. Het geluid herhaalde zich enige malen en de (schijnbare?) verplaatsing ervan duurde van enkele seconden tot soms wel een halve minuut.

Het geluid boven het Shoshone-meer – en ook dat boven het Yellowstone-meer (waar het zich nog veel vaker voordoet) – wordt in de regel waargenomen op heldere, stille ochtenden, kort na zonsopgang, hoewel het toch ook wel later op de dag is vernomen, ook als er wind staat. Er zijn natuurlijk weer talloze hypothesen ontvouwd ter 'verklaring' van dit verschijnsel: elektriciteit, het gesuis van eendevleugels, insekten, watervallen en geisers, of eenvoudig de wind zelf.

Grillige meteoren

De meteoor die op 10 augustus 1972 boven het westelijke deel van de Verenigde Staten en Canada werd waargenomen, was een gloeiende bol van vuur die een blauwachtig wit licht uitstraalde. Hij verplaatste zich langzaam langs de hemel en liet een spoor van rook en damp achter, dat na zijn verdwijning nog zeker een uur lang zichtbaar bleef.

Als een meteoor de dampkring binnendringt, bereikt hij nagenoeg altijd de aardbodem en slaat ergens in. Maar dit exemplaar werd, zoals het tijdschrift *Nature* meldde, als een keilende platte kiezelsteen op een wateroppervlak 'terugslingerd het heelal in'.

Het is vaker voorgekomen dat zich 'traag' verplaatsende meteoren op hun weg naar het aardoppervlak plotseling weer omhoogveerden of dat er een plotselinge 'knik' in hun valtraject werd waargenomen. Op 14 november 1960 werd een dergelijke meteoor waargenomen door een stuurman aan boord van het stoomschip *Hector*, dat vanuit Adelaide in Australië onderweg was naar Aden in Zuid-Jemen. Een meteoor is in de regel slechts enkele seconden lang als een fel lichtende stip te zien, maar deze leek een plotselinge duik te maken en daarna weer omhoog te veren. Andere grillige meteoren konden niet echt diep in de dampkring doordringen, doordat ze als keilsteentjes terugveerden van het 'dampkringoppervlak'.

Gas, ijs en andere vluchtige bestanddelen van een meteoor worden door de wrijving met de atmosfeer verhit en zetten uit, waardoor de meteoor soms uit zijn koers wordt geslagen. Per slot van rekening zijn meteoren geen volmaakt ronde bollen, zodat ze zich niet altijd op berekenbare manieren gedragen.

Fata morgana

Als de zon een bepaald punt aan de hemel bereikt en de zee rustig is, kan een waarnemer aan de overzijde van de Straat van Messina beelden zien van bogen, torens en paleizen met balkons en hoge vensters. Er zijn bovendien rijen bomen te bewonderen, en ruiters te paard en voetgangers.

En als er boven het kalme water nevel hangt, verschijnen er ook nog in de lucht afspiegelingen van deze mensen, dieren, bomen en gebouwen. Een *fata morgana* – een verschijnsel dat is genoemd naar de boosaardige zuster van de legendarische koning Arthur, Morgan le Fay, die steden en havens uit het niets toverde om nietsvermoedende zeelieden aan te lokken en te doden – is een luchtspiegeling van wonderbaarlijk mooie steden en landschappen die zich op enkele plaatsen ter wereld kan voordoen, maar vooral in gebieden met een wat kouder klimaat, zoals in de Firth of Forth in Schotland.

Niemand heeft ooit een plausibele verklaring voor deze spookachtige visioenen kunnen geven, hoewel sommige cynici erop hebben gewezen dat je altijd dingen gaat zien die er niet zijn als je lang genoeg naar een stel rotsformaties of een zandstrand blijft staren.

Luchtspiegeling op zee

Op 15 april 1949 ontdekte de tweede stuurman van de *Stirling Castle* aan stuurboord een schip op een afstand van circa 8 kilometer in Het Kanaal. Hij richtte er zijn verrekijker op, zo rapporteerde hij later in de *Marine Observer*, en zag de lichtjes van het schip zo nu en dan kort bewegen. Deze lichten leken een dubbel beeld te creëren, en toen het hogere beeld met het lagere versmolt, zag de stuurman zelfs verticale lichtbanen ontstaan.

Dergelijke luchtspiegelingen zijn gewoonlijk verantwoordelijk voor de dubbele beelden van laag boven de horizon waargenomen sterren en planeten, aardse 'spooklichten' en vermoedelijk ook een aantal 'UFO'-waarnemingen. Het betreft geen fata morgana's in de klassieke betekenis van die term, maar de verlenging van deze beelden maakt deel uit van hetzelfde optische verschijnsel dat het aanzien van verre kusten verandert.

Verschijningen van de Heilige Maagd

Het komt niet echt zelden voor dat een eenzame man of vrouw beweert dat hij of zij een geestverschijning heeft gezien. In Zeitoun, Egypte, beweren echter *duizenden* mensen dat zij een lichtende gestalte – die volgens velen niemand minder dan de H. Maagd Maria moet zijn geweest – hebben gezien, bovenop de koepel van de Koptische Kerk van de Heilige Maagd in Zeitoun.

Deze merkwaardige verschijningen begonnen in 1968 en duurden voort tot in 1971. Halverwege de jaren tachtig begonnen ze opnieuw, maar nu boven een andere Koptische kerk buiten Caïro, de Kerk van de Heilige Demiana. Aanvankelijk verscheen de gedaante – omstraald door een helder licht – alleen op de vroege ochtend, maar later werd zij ook verscheidene keren 's nachts waargenomen.

In de straten beneden de kerk verzamelden zich grote menigten en volgens een aantal ooggetuigen begon de koepel van de kerk gedurende deze 'visitaties' op onverklaarbare wijze te gloeien. Andere mensen wisten te vertellen dat de geur van wierook soms tot in de verre omtrek was te ruiken.

Bij een gelegenheid bleef de 'mysterieuze vrouwe wel twintig minuten', aldus de journalist Mousaad Sadik, die in de in Caïro verschijnende krant *Watani* over de verschijning berichtte. 'De mensen waren geheel in de ban van de verschijning', schreef hij de volgende dag, 'en begonnen massaal te smeken en te bidden'.

Vikingen aan de westkust van Amerika

Na de ontdekking van eeuwenoude resten van Noorse dorpen in Newfoundland en het noordelijke deel van Labrador betwijfelen nog maar weinig mensen dat de zeevarende vikingen de Nieuwe Wereld lang vóór Columbus hebben bereikt. Er zijn echter bovendien hier en daar aanwijzingen gevonden dat de vikingen veel verder zijn gegaan dan tot de oostkust. Ze schijnen in feite zelfs langs de noordkust van het Noordamerikaanse continent te zijn gevaren totdat ze de westkust hadden bereikt.

Zoals D. en M.R. Cooliege in hun boek *Last of the Seris* uiteenzetten, was de noordelijke hemisfeer gedurende de 10de en 11de eeuw – de periode waarin grote Scandinavische ontdekkingsreizigers als Erik de Rode en Leif Ericson de oceanen doorkruisten – warmer dan ooit sedert de laatste ijstijd het geval was geweest. Doordat de ijsvelden binnen de poolcirkel grotendeels smolten en verdwenen, zullen vikingschepen niet veel moeite hebben gehad om via de eilanden in de zogeheten 'Noordwestpassage' ten noorden van Canada naar de westkust te navigeren.

Uit de stamlegenden van de Seri-Indianen in de Californische Golf kan worden opgemaakt dat Scandinavische ontdekkingsreizigers in elk geval het eiland Tiburón hebben bereikt. Volgens een uiteenzetting die Ronald L. Ives van het Aeronautisch Laboratorium van de Cornell-universiteit gaf op het jaarcongres van meteorologen van 1953 in Toronto verhaalde de overlevering van de Seri van de 'Mannen-van-verre' die met een 'lange boot met een slangekop' op de voorsteven op Tiburón waren geland... heel lang geleden, 'toen God nog een kleine jongen was'. Volgens de Seri-overlevering hadden deze mannen 'witte haren en een witte baard' en hadden hun vrouwen 'rood haar'.

Naar verluidt, hadden deze vreemdelingen in de Californische Golf op walvissen gejaagd en die op het strand uitgekookt. Ze waren weggezeild naar het zuiden, maar hun schip was al spoedig door een enorme breker aan stukken geslagen. De overlevenden van de schipbreuk hadden echter zwemmend de kust weten te bereiken en waren er door leden van de Mayo-stam opgevangen. Later hadden deze vreemdelingen Indiaanse meisjes tot vrouw genomen.

Betreft het hier historische feiten of alleen een fantasie? Nu nog worden sommige Mayo-kindertjes met blond haar of blauwe ogen (of allebei) geboren, en volgens de Indianen zelf zijn die kenmerken afkomstig van de 'Mannen-van-verre'. Tot in de jaren twintig gold zelfs de regel dat iedereen die met iemand van buiten de Mayo-stam trouwde, moest worden uitgestoten, omdat de Mayo's beslist dit oude erfgoed wilden bewaren.

Brad Williams en Choral Pepper wijzen er in hun boek *The Mysterious West* op dat er in het Amerikaanse westen overblijfselen van echte vikingschepen zijn aangetroffen. Een oude weduwe in Baja, Californië, stuitte op de bodem van een canyon dicht bij de grens tussen Amerika en Mexico op de romp van een heel oud schip, uitgerust met schilden als die de Noormannen altijd op hun dolboorden bevestigden. De bekende oudheidkundigen Louis en Myrtle Botts uit Julian in Californië vonden in maart 1933 de drakeboeg van wat een vikingschip leek te zijn geweest: de boeg stak uit een canyonwand nabij Agua Caliente Springs, aan de Amerikaanse kant van de grens met Mexico. Voordat ze de boeg konden uitgraven, veroorzaakte een aardbeving echter een rotslawine die de canyon hermetisch afsloot.

Oude Romeinse artefacten in Arizona

Op 13 december 1924 deed een zekere Charles Manier even ten noordwesten van Tucson in Arizona op het traject van de Silverbell Road een vondst die hij volgens de gangbare lezing van de wereldgeschiedenis onmogelijk op die plaats had kunnen doen. Het betrof een flink aantal *Romeinse* artefacten. Tot deze 'onmogelijke' vondst behoorden ook een kruis van 60 pond zwaar en dolken, speren, batons en zwaardachtige wapens.

De archeologen en mijningenieurs die bij deze graafwerkzaamheden aanwezig waren, zagen dat er zich rondom al deze artefacten een harde korst van *caliche* had gevormd – een materiaal dat in woestijnachtige grond in de loop der jaren 'groeit' ten gevolge van een reactie tussen calciumcarbonaat, zand, water en andere bestanddelen. Het feit dat er zulke zware caliche-deposito's hadden kunnen ontstaan rondom metalen voorwerpen op zo grote diepte, hield in dat deze Romeinse artefacten al heel oud moesten zijn.

Toen deze korst van de artefacten was verwijderd, bleken er op veel van deze voorwerpen Latijnse woorden, letters en symbolen te zijn aangebracht. Aan de hand van deze informatie konden de oudheidkundigen de ouderdom van deze artefacten achterhalen: ze stamden uit de periode tussen 560 en 800 n.Chr. en wettigen het vermoeden dat misschien een groep Romeinse avonturiers uit die tijd een verkenningstocht door het tegenwoordige Arizona heeft gemaakt.

De poolmetropool

Toen de archeologen Magnus Marks en Froelich Rainey voor een tweede seizoen opgravingen verrichtten op Ipiutak, een eiland binnen de poolcirkel, deden ze een verbazingwekkende ontdekking. Ze waren er aangekomen in de periode dat de grassen en mossen in dit gebied groen beginnen te worden – maar dat was niet overal zo. Sommige grasvlakten waren hoger en letterlijk geel van kleur, en de beide archeologen zagen dat de verkleuringen een duidelijk patroon van rechthoeken vormden. Verder onderzoek bewees dat het gele gras groeide boven de oude ruïnes van wat Rainey 'een metropool binnen de poolcirkel' noemde.

Lange lanen van gele rechthoeken markeerden ruim 600 huizen die zich van oost naar west langs de noordkust uitstrekten. Latere opgravingen brachten aan het licht dat er nog 200 andere huizen onder het zand waren bedolven. Deze kleine stad was bijna anderhalve kilometer lang en ongeveer 400 meter breed. Rainey schatte dat er ongeveer 4000 mensen in de stad moeten hebben gewoond – een ongelooflijk aantal inwoners voor een jagersdorp binnen de poolcirkel.

Rainey en Marks ontdekten bewerkelijk en fraai gestileerd houtsnijwerk bij hun opgravingen, waaruit blijkt dat de bewoners van hun 'metropool' waarschijnlijk geen verwantschap hadden met 'primitieve' Eskimoculturen. Rainey vermoedt dat 'de mensen die deze poolmetropool bouwden hun ambachten en kunsten uit een hoger ontwikkelde beschaving hebben meegebracht'.

Luchtkastelen

Elk jaar verschijnt van 21 juni tot 10 juli 'de stille stad van Alaska' boven de gletsjer van Mount Fairweather in Alaska. Deze luchtspiegeling is tussen 07.00 en 09.00 uur zichtbaar en veel waarnemers geloven dat het een weerspiegeling is van de Engelse havenstad Bristol, op een afstand van ruim 7000 kilometer – verder dan de bron van iedere andere luchtspiegeling is gezien. (De grootste afstand van andere geprojecteerde luchtspiegelingen bedroeg slechts 965 km.) Volgens mensen die zich in dit wonder hebben verdiept, is in de luchtspiegeling een toren zichtbaar die als twee druppels water lijkt op die van St. Mary Redcliff in Bristol.

Er bestaat nog geen onomstotelijke verklaring voor deze luchtspiegeling, maar volgens veel experts zou het fenomeen kunnen worden veroorzaakt door als een 'lens' fungerende luchtlagen, die verre landschapskenmerken enorm vergroten.

Het geheugenwonder

Uit de geschiedenis zijn veel verhalen bekend over mensen die op bepaalde gebieden van kennis een fenomenaal geheugen bezaten, vanaf W.A. Mozart tot de Engelse koning George III. Het schijnt dat sommige kalenderexperts vrijwel ogenblikkelijk konden zeggen welke dag van de week het op iedere willekeurig gekozen datum is geweest, en tot wel honderd jaar terug.

De Engelsman Daniel McCartney vormde zelfs onder deze categorie mensen met een wonderbaarlijk geheugen een uitzondering. Hij kon zich *alles* herinneren dat hem ooit door het hoofd was gegaan, zolang hij leefde. Toen hij eens tijdens een optreden dit vermogen demonstreerde, waarbij een neutrale buitenstaander bereid was de accuratesse van zijn geheugen te verifiëren, vroeg een man in de zaal aan McCartney welke dag van de week het was geweest, op een bepaalde datum vijftien jaar geleden. 'Vrijdag,' zei McCartney prompt, waarop de vragensteller hem verzekerde dat hij het mis had. 'Het was namelijk mijn trouwdag,' zei de man, 'en dat was een donderdag.' Om het meningsverschil uit de wereld te helpen, controleerde de neutrale buitenstaander de datum aan de hand van een oude kalender. McCartney bleek gelijk te hebben. Zijn geheugen ging echter veel verder dan alleen datums en beschrijvingen van het weer op zo'n willekeurig gekozen dag: hij kon zich zelfs exact herinneren wat hij op die bewuste dag had gegeten (ontbijt, lunch èn avondmaaltijd) over een periode van veertig jaar. McCartney behield zijn wonderbaarlijke geheugen tot op de dag waarop hij in 1887 op de leeftijd van zeventig jaar overleed.

De ongelooflijke bouwblokken van de Inca's

Veel van de monumentale ruïnes in Peru en Bolivia belichamen onopgeloste bouwkundige en archeologische raadsels. De immense steenblokken waaruit de 'cyclopische' muren van Sacsahuaman en Ollantay in Peru en Tiahuanaco in Bolivia zijn opgetrokken, zijn vervaardigd door een beschaving die aan die van de Inca's vooraf is gegaan. Op de een of andere manier zijn deze bouwers erin geslaagd om machtige rotsblokken – waarvan er veel circa 150 ton wegen – over bergen, rivieren en diepe dalen te transporteren en er op andere bergen mee te bouwen. Ze hebben ze daar met verbluffende nauwkeurigheid bewerkt en op hun plaats gebracht. En daar zijn ze tot op de huidige dag gebleven, ondanks aardbevingen die latere steden in de naaste omgeving hebben verwoest.

Bouwwerken die uit zulke onregelmatig gevormde rotsblokken zijn opgetrokken, worden 'cyclopisch' genoemd en hun vele zijvlakken sluiten zo keurig op elkaar aan dat ze min of meer als de 'stukjes' van een driedimensionale legpuzzel in elkaar passen en een nagenoeg onverbrekelijk geheel vormen. Voor cyclopische bouwwerken geldt het cliché dat de naden zo goed op elkaar aansluiten dat er geen 'pennemesje' tussen te steken valt.

Er bestaat geen enkele aanwijzing voor de manier waarop de bouwers kans hebben gezien zulke immense rotsblokken zo nauwkeurig ineen te passen. Er is geen spoor van cement aan te pas gekomen. Het lijkt onmogelijk dat dergelijke steenblokken met hamer en beitel of soortgelijke primitieve middelen zijn pasgemaakt, waarbij ze talloze keren op hun plaats moesten worden gebracht en weer weggehaald, net zolang tot ze volmaakt in elkaar pasten.

Kolonel Percy Fawcett, de Britse avonturier en publicist die vele jaren de bergstreken en regenwouden van Centraal Zuid-Amerika heeft verkend, heeft geopperd dat de uitzonderlijke en onverbrekelijke aaneenvoeging van immense rotsblokken wellicht mogelijk werd gemaakt door het uitgieten van een soort (plantaardige) week makende pasta over op elkaar gestapelde ruwe rotsblokken.

Uit eigen ervaring vertelde hij van bepaalde vogelsoorten in de regenwouden die de natte bladeren van een bepaalde vegetatievorm in de bek namen en deze gebruikten om de steen in een rotswand boven een rivier zacht te maken, waardoor ze de kans kregen nestholen in zo'n rotswand te maken. In een ander bericht verhaalt hij over een man die, nadat hij een veld was overgestoken dat begroeid was met een lage plantesoort met rode bladeren, moest vaststellen dat de lange metalen sporen aan zijn rijlaarzen zacht waren geworden en dat ze aan het uiteinde zelfs waren gesmolten. Later vroegen Indianen hem of hij soms door een veld met dergelijke planten had gelopen, en toen hij dat vermoeden bevestigde, hadden ze hem verteld dat de Inca's die planten vroeger hadden gebruikt om 'rotsen te smelten'.

Een soortgelijk smeltverschijnsel deed zich voor, aldus Fawcett, toen enkele Amerikaanse onderzoekers een verzegelde kruik uit een oude graftombe hadden opgegraven. Die oude kruik bevatte nog wat vloeistof, en ze vermoedden dat het *chicha* was, een sterk alcoholische drank die in de Andes veelvuldig wordt gedronken. Toen ze er iets van aanboden aan een van hun arbeiders weigerde de man ervan te drinken. Toen ze probeerden hem daar toch toe te dwingen, ontstond er een worsteling, waarop de kruik op een stuk rots aan scherven viel. Tot hun stomme verbazing zagen ze hoe de rots onder het plasje vloeistof zacht begon te worden, maar tegen de tijd dat andere leden van hun expeditie ook een kijkje kwamen nemen, werd de rots alweer net zo hard als eerst.

Kolonel Fawcett had geen verklaring voor dit mysterie. Jaren na dit incident, in 1924, leverde hij een persoonlijke bijdrage aan het geheel van Zuidamerikaanse mysteries door in de omgeving van de Xingu, een zijarm van de Amazone, spoorloos te verdwijnen.

Zingend zand

De *Djzebel* Nagoes, een hoge zandheuvel langs de westkust van het schiereiland Sinaï, laat luide muzikale klanken horen wanneer het zand in beweging komt. Volgens een legende van de plaatselijke bevolking is deze 'muziek' afkomstig van de *nagoes* (houten gong) van een in deze omgeving onder het woestijnzand bedolven klooster. Het geluid is moeilijk te beschrijven, volgens mensen die er zijn geweest en het hebben gehoord. Eigenlijk lijkt het niet op het geluid van een gong of klok. Sommigen omschreven het als een 'harpachtige' klank, of ze vergeleken het met de klank die ontstaat als een natte wijsvinger over de rand van een wijnglas wrijft. Weer andere bezoekers vergeleken het met lucht die door de hals van een lege metalen fles wordt geblazen, of met de lagere tonen van een cello of het zoemen van een draaiende bromtol.

Ook op andere plaatsen op de wereld is 'zingend zand' gehoord: bijvoorbeeld bij Reg-Ravan ten noorden van Kaboel, de hoofdstad van Afghanistan, of op de Arequipa-vlakten van Peru. De meeste geluiden klinken echter eerder als een gebulder, donderslagen of eenvoudig een hoog gekrijs. In het oostelijke deel van het district Churchill in Nevada veroorzaakt een 'wandelende zandheuvel' met een oppervlakte van ongeveer 20 km een oorverdovend geluid dat sommige streekbewoners doet denken aan het vibreren van telefoondraden in de wind.

Zij overleefde het

De gepensioneerde Engelse leerkrachten Margaret en Wilhelmina Dewar waren hun leven lang gerespecteerde inwoonsters van Whitley Bay in Northcumberland geweest, maar na Wilhelmina's onverwachte dood kwam Margaret plotseling in een kwaad daglicht te staan. In de vroege uren van 23 maart 1908 waarschuwde Margaret enkele buren en ging hen voor naar Wilhelmina's slaapkamer. Daar vonden ze het verkoolde lijk van Wilhelmina in bed. Het beddegoed was om onverklaarbare redenen niet eens geschroeid en er was nergens een ander spoor van brand in het huis te vinden. Precies zo, zei Margaret, had ze haar zuster die ochtend aangetroffen.

Tijdens de lijkschouwing verklaarde de plaatselijke lijkschouwer dat hij Margarets verhaal ongeloofwaardig vond. De politie beweerde bovendien dat Margaret op dat moment zo dronken was dat ze zelf niet meer wist wat ze zei. De lijkschouwer besloot de zitting te schorsen teneinde Margaret de tijd te geven zich op haar verhaal te bezinnen.

Toen de rechtszetting werd hervat, bracht Margaret inderdaad een verandering aan in haar verhaal: ze had Wilhelmina elders in huis brandend aangetroffen, maar toen had ze nog geleefd. Ze had daarna haar zuster naar boven geholpen, waarna ze was overleden. De lijkschouwer en de jury accepteerden deze lezing, omdat ze geloofwaardiger klonk. Niemand kwam op de gedachte zich hardop af te vragen hoe een letterlijk in vuur en vlam staande vrouw een trap had kunnen opkomen, of hoe het mogelijk was dat haar zuster geen brandblaartje had opgelopen toen ze haar naar boven hielp.

De grootste zoogdierenpopulatie

Terwijl veel andere diersoorten geheel of gedeeltelijk van de aardbodem zijn verdwenen, zijn twee soorten altijd blijven groeien en elkaar qua aantallen naar de kroon blijven steken: mensen en bruine ratten.

Nu we in het laatste decennium van de 20ste eeuw leven, heeft de menselijke bevolking van de aarde voor het eerst de rattenpopulatie numeriek overvleugeld – en nog altijd verdubbelt de menselijke bevolking zich om de vijfendertig jaar. Tot voor kort hebben bepaalde invloeden – oorlogen, hongersnoden, epidemieën (vaak door ratten verbreid) en andere rampen – de groei van de mensheid aan banden gelegd, maar als gevolg van nieuwe ontwikkelingen in de geneeskunde en vooral een betere hygiëne is de aanwas van het aantal mensen groter dan ooit. Deze onrustbarende ontwikkeling zou in de nabije toekomst weleens tot een wereldvoedseltekort en gebrek aan leefruimte kunnen leiden. Beide kunnen in een aantal landen op de wereld nu al worden waargenomen.

Er bestaat een interessante symbiose tussen mens en rat, waarvan vooral de ratten profiteren, aangezien ratten altijd samenkomen op plaatsen waar mensen leven en gemakkelijk te bereiken voedselvoorraden voor ratten vormen, zoals graanschuren en vuilnisbelten. Door mensen vervaardigde transportmiddelen – vooral schepen – hebben de rat naar alle uithoeken van de aarde verbreid. Alle pogingen om met behulp van rattenkruit, chemicaliën, fretten, honden en katten de aanwas van de rattenpopulatie tegen te gaan (een vrouwelijke rat kan om de zes weken een nest van vijf tot zes jongen werpen!) lijken tot nu toe vergeefs te zijn geweest.

Nu ruimteverkenners vanaf de aarde naar andere planeten in het zonnestelsel worden gestuurd en de speurtocht naar nieuwe habitats voor het menselijke bevolkingssurplus op aarde serieuze vormen begint aan te nemen, is het te hopen dat er geen ratten als proefdieren meegaan in ruimteschepen, omdat ze op andere planeten ongetwijfeld manieren zullen weten te vinden om de mens zijn opperheerschappij te betwisten, zoals ze al sinds mensenheugenis op aarde hebben gedaan.

Spontane zelfontbranding en de ervaringen van medici

Toen dr. B.H. Hartwell op 12 mei 1890 door Ayer in Massachusetts reed, werd hij staande gehouden en kreeg hij het verzoek mee te lopen, een bos in. Daar zagen hij en andere ooggetuigen een vrouw ineengekrompen op de grond zitten, haar lichaam omhuld door vlammen. Dr. Hartwell kon echter evenmin als de andere ooggetuigen achterhalen wat de oorzaak van dit folterende vuur was.

Hoewel dit betrekkelijk zelden is toegegeven, is dr. Hartwell niet de enige geneesheer geweest die ooggetuige was van spontane zelfontbranding bij een mens. Tijdens een lezing voor leden van de Vereniging van Artsen en Juristen in Massachusetts, gehouden in de herfst van 1959, zeiden andere dokters dat ook zij gevallen van spontane zelfontbranding onder ogen hadden gehad. De lezing werd gehouden door de Britse arts D.J. Gee van de Universiteit van Leeds. Hij werd beloond met luid applaus en stelde tot zijn eigen verbazing vast dat verscheidene medici onder zijn gehoor verklaarden soortgelijke ervaringen te hebben opgedaan. Het fenomeen was lang niet zo uitzonderlijk als uit schriftelijke rapporten zou kunnen worden opgemaakt, verklaarde deze groep dokters. Eén arts verklaarde zelfs dat hij zo ongeveer om de vier jaar op een geval van spontane zelfontbranding was gestuit.

De stem

'Kom maar niet, het haalt tòch niets uit,' zei de stem die de Duitse tandarts Kurt Bachseitz luid in de rede viel toen hij met een patiënt telefoneerde.

In de loop van de volgende maanden hoorde Bachseitz de stem herhaaldelijk. Vaak maakte hij brutaal-geestige of gewaagde opmerkingen. De stem noemde zichzelf 'Chopper' en begon zelfs belangstelling aan de dag te leggen voor de receptioniste van de tandarts, de knappe Claudia. Na een poosje kwam de stem letterlijk overal vandaan, met inbegrip van de wastafel en het toilet.

De telefoonmaatschappij, die vermoedde dat er elektronische interferentie van een amateur-radiozender in het spel was, stelde een onderzoek in. Besloten werd een nieuwe leiding in de praktijkruimte van de tandarts aan te leggen, en ook de telefoonkabel in de rest van het gebouw te vervangen. Niet alleen ging de stem verder met zijn hinderlijke uitspraken, maar op een gegeven moment was hij zelfs te beluisteren op de golflengte van Radio München. 'Jullie hebben me mijn centrale afgepakt,' zei Chopper. 'Maar ik kan jullie even goed horen. Denk dus niet dat ik niet luister!'

Het verhaal over 'Chopper' haalde de voorpagina's van de kranten en het leek wel alsof iedereen wel een verklaring had voor het eigenaardige fenomeen. Volgens sommige 'paragnosten' betrof het een paranormaal verschijnsel, een filosoof zei dat het wellicht een manifestatie was van iemands onderbewustzijn en enkele dokters meenden dat het weleens een mentale projectie zou kunnen zijn van een kankerpatiënt van wie de stembanden waren weggenomen.

De waarheid kwam in maart 1982 aan het licht. Het bleek om een practical joke van de tandarts zelf te gaan – de man was een voortreffelijke buikspreker. Na die bekentenis kon Bachseitz zijn praktijk sluiten en werd hij opgenomen in een sanatorium.

Een dwaallicht

Op 17 november 1882 verscheen een torpedovormige wolk van licht boven de horizon van noordelijk Europa. Nog maanden later debatteerden de geleerden over de aard ervan. Uiteindelijk werd besloten het een 'noorderlichtmeteoor' te noemen, omdat het immense 'dwaallicht' zich als een grote meteoor langs de hemel verplaatste.

In 1849 was overigens boven Cincinnati iets waargenomen dat nog vreemder was: er was plotseling een heldere baan van licht aan de hemel verschenen. Nadat deze baan was opgestegen tot een bepaalde hoogte boven de horizon, leek het licht te 'exploderen' en verbreidde het zich over de hele hemel. Dit werd gevolgd door vijf opeenvolgende lichtexplosies, die allemaal vanuit hetzelfde punt begonnen.

Anders dan echte meteoren van mineralen en metalen zijn noorderlichtmeteoren vermoedelijk storingen die zich door de stratosfeer verplaatsen. Niemand weet precies waardoor ze worden veroorzaakt, maar twee van de in aanmerking komende 'verdachten' zijn golven van zwaartekracht en vlagen van zonnewind.

Fotograferende hersenen

Toen Ted Serios uit Chicago herstelde van een ernstige ziekte, ontdekte hij dat hij een zeer uitzonderlijk vermogen had ontwikkeld. Hij kon van scènes op vele kilometers afstand een Polaroidfoto maken, eenvoudig door de cameralens op zijn voorhoofd te richten en af te drukken.

In 1963 besloot een uitgever in Evanston, Illinois, Serios' onverklaarde vermogen te testen. Hij overhandigde Serios een Polaroidcamera met onbelichte film erin en lette scherp op toen de paranormale fotograaf de camera op armslengte van zich af hield, zodat de lens naar zijn voorhoofd wees. Toen drukte hij op de sluiterknop.

De foto kwam uit het toestel en de uitgever zag dadelijk dat hij belicht was. Er was een soort hangar op te zien, met de woorden AIR DIVISION erop. Een aantal woordfragmenten scheen te verwijzen naar de Canadian Mounted Police.

De paranormale kiek werd naar het hoofdkwartier van de Mounties gestuurd en de afbeelding erop werd al spoedig herkend als de hangar van de Mounties in Rockcliffe, Ontario. Op de een of andere manier was Ted Serios erin geslaagd een foto te nemen van een luchthaven op vele honderden kilometers afstand, eenvoudig door zich in gedachten een voorstelling te maken van het object (of door er in gedachten naartoe te gaan) en daarna de lens van het fototoestel op zijn hersenen te richten.

De Indiaanse Messias

Eind jaren tachtig van de vorige eeuw verwijderde een Cheyenne-Indiaan zich van zijn stam teneinde om de dood van een dierbare verwant te rouwen, zoals de gewoonte was. Tijdens die rouwperiode raakte hij in trance en droomde dat hij door het land zwierf. Hij zag wild dat al lang geleden van de jachtgronden van zijn volk was verdwenen en bereikte ten slotte een tentendorp van overleden leden van zijn familie die een leven van overvloed leidden. Toen hij over de nederzetting uitzag, ontdekte hij een groot en helder licht, dat zich vanaf het dorp tot aan de horizon uitstrekte. In die baan van licht naderde een in een lang gewaad gehulde gedaante, een man met een lichtere huidkleur dan van de Cheyenne-Indianen, die verklaarde dat hij de Zoon van God was. Hij was gekomen, zei hij, om de Indianen te helpen. Hij kon hun wildstand herstellen, hun honger uitbannen en de levenden herenigen met de doden. Het verdorven blanke ras, zo voegde hij eraan toe, zou omkomen en uitsterven, als de Indianen hem maar aanbaden en volgden.

Na zijn thuiskomst vertelde de rouwende Cheyenne-Indiaan aan niemand wat hij had gedroomd. Kort daarna begonnen echter verschillende andere leden van zijn eigen stam en leden van andere stammen overeenkomstige visioenen te krijgen en hoorden zij stemmen die liederen zongen. Ze kwamen bijeen om de liederen zelf te zingen en op het ritme ervan te dansen. Net als bij de oude bijeenkomsten van Indianenstammen raakten er mensen in trance als ze zich in dit ritueel oefenden. Niet lang daarna begonnen mensen elkaar verhalen te vertellen over Indianen die de Messias in de bergen bij Mexico zouden hebben gezien.

Hoewel het geloof in een messias gerust een archetypisch verschijnsel mag worden genoemd, heeft niemand ooit kunnen verklaren hoe het kwam dat de Christus-figuur een centrale rol vervulde in de messiasvisioenen van deze Cheyenne-Indiaan.

Stenengooiende spoken

De bewoners van een straat in een voorstad van Birmingham in Engeland leiden in alle opzichten het rustige leven van mensen die een bovenmodaal inkomen verdienen, maar er is één ding dat hun rust verstoort: al jaren en jaren worden er stenen naar de achtergevels van hun huizen gegooid. Onder dit geweld zijn er al talloze ruiten gesneuveld, deuren beschadigd en dakpannen naar beneden gekomen. Omdat zij zelf niet in staat waren de boosdoeners te ontdekken, stapten de belegerde bewoners van Thornton Road naar de politie.

Een routine-onderzoek bracht niets aan het licht en de kwestie werd voorgelegd aan hoofdinspecteur Len Turley. Vastbesloten om in deze kwestie de 'onderste steen boven te halen', probeerden Turley en zijn mannen van alles en nog wat om het raadsel te ontsluieren. Ze hielden nachtenlang de wacht, gebruikten automatische camera's en bleven de huizen zelfs bij de strengste nachtvorst observeren. Onderzoek van de stenen zelf wees uit dat dergelijke stenen in vrijwel iedere tuin te vinden waren – geen bijzondere kenmerken, laat staan dat er vingerafdrukken of zelfs maar sporen van aarde op werden aangetroffen.

De bewoners van Thornton Road berusten inmiddels in hun lot en ze hebben hun schuttingen verhoogd met kippegaas om hun woningen te beschermen. Ze wagen zich na het invallen van de schemering alleen nog in hun achtertuinen als het absoluut niet te vermijden valt, en het is – zo zeggen ze allemaal – een regelrechte beproeving.

De dood overstegen

Blijft de bewustzijnsvonk van de mens ook na de dood bestaan? Misschien wel, zegt de Poolse fysicus Janusz Slawinski.

Om zijn redenering te staven, wijst Slawinski op een bekend verschijnsel waarbij een verzameling cellen in een petrischaaltje een 'explosie' van straling afgeven op het moment dat ze sterven. Volgens Slawinski's metingen en berekeningen is deze explosie van energie sterk genoeg om de codes van hele encyclopedieën aan informatie mee te dragen, met inbegrip van het menselijk bewustzijn en zijn herinneringen zelf.

Slawinski denkt dat wij soms al tijdens ons leven iets uitstralen dat hij omschrijft als een 'doodsflits', iets dat volgens hem een verklaring voor het fenomeen uittreding zou kunnen zijn. Diezelfde doodsflits zou dan tevens een verklaring kunnen zijn voor de bijna-doodervaring waarin het bewustzijn het stervende lichaam verlaat.

De 'elektromagnetische straling die uitgaat van levende organismen', zo betoogt Slawinski, 'vormt een realistische basis voor de veronderstelling dat er leven is na de dood'.

Therese Neumann

Stigmata – overeenkomstige wonden in handen, voeten en zijde als Christus ten gevolge van zijn kruisiging moet hebben gehad – manifesteren zich het vaakst bij vrouwelijke religieuzen. Een van de beroemdste vrouwen bij wie zich dit voordeed, was Therese Neumann, een arme boerendochter die in 1898 in het Beierse plaatsje Konnersreuth was geboren.

Therese scheen een normale, misschien zelfs 'wereldse' jeugd te hebben. Ze werkte als dienstmeisje op boerderijen in de omgeving totdat een reeks van onverklaarbare ziekten haar het werken onmogelijk maakte. In de lente van 1926 had ze een visioen van Jezus en was ze van het ene moment op het andere genezen van haar toenmalige ziekte. In plaats daarvan manifesteerden zich de stigmata bij haar – en behalve deze vijf kruisigingswonden had ze bovendien op haar rug de striemen van een bloedige geseling en op haar hoofd de bloedende wondjes van een doornenkroon.

Gedurende de volgende negenendertig jaar bloedden Neumanns stigmata ieder jaar op Goede Vrijdag, waarbij ze soms wel een liter bloed verloor en ze gedurende de periode waarin de stigmata open wonden bleven zo'n acht pond aan lichaamsgewicht verloor.

Therese leidde grotendeels het leven van een kluizenaar en bracht de meeste tijd in bed door, gehuld in witte lakens. Ze werd door medici uitgebreid onderzocht, maar niemand heeft ooit een spoor van bedrog bij haar kunnen ontdekken.

Bijna even opmerkelijk als haar stigmata was het feit dat Therese Neumann het gedurende zeer lange perioden zonder voedsel of zelfs water kon stellen. Gedurende de laatste vijfendertig jaar van haar leven gebruikte ze alleen af en toe een slokje miswijn en hosties. Gezien haar levensomstandigheden bleef ze redelijk gezond. Tot aan haar overlijden in 1962 bleef ze visoenen en extatische trances ervaren.

Het eerste UFO-verslag

De zakenman Kenneth Arnold uit de staat Washington stond op het punt om in zijn privé-vliegtuig vanuit Chehalis naar Yakima te vliegen toen zijn vlucht moest worden uitgesteld. Een transportvliegtuig van het Korps Mariniers dat in de nabijheid van Chehalis had moeten zijn, werd vermist en het luchtruim werd vrijgehouden voor de zoekactie. Omstreeks 14.00 uur kreeg de heer Arnold echter toestemming om op te stijgen en zette hij koers naar de majestueuze Mount Rainier. Hij maakte nog een zwenking naar het westen om zelf ook een kleine bijdrage aan de opsporing van het vermiste toestel te leveren, maar toen hij niets bijzonders kon ontdekken, besloot hij door te vliegen.

Hij meldde dat de hemel helder was en er weinig wind stond, en zag dat er achter hem, op een hoogte van 14.000 voet (4300 m) een DC-4 vloog. Plotseling echter nam hij een felle lichtflits waar, alsof de zon door glanzend aluminium werd weerkaatst. Even later zag hij negen in formatie vliegende toestellen uit het noorden naderen, die een koers naar Mount Rainier volgden. Deze objecten verplaatsten zich zó snel dat Arnold vermoedde dat het om een nieuw soort straaljager ging, bezig aan een vliegtest. Het formaat van deze 'straaljagers', schatte hij, was iets kleiner dan dat van de DC-4 die nog steeds boven hem vloog. Uit latere berekeningen bleek dat de diagonale lijn waarin de toestellen vlogen – ze zigzagden tussen de bergreuzen door zonder ook maar even hun formatie te verbreken! – ongeveer acht kilometer lang moest zijn geweest. Arnold klokte hun snelheid en kwam uit op 2665,65 km/uur.

Zo nu en dan, zo berichtte Arnold, maakte een van de objecten een duik of zwenkte plotseling opzij, maar tot zijn verbazing kon hij geen condensspoor ontdekken. En toen hij de vreemde toestellen naderde, zag hij tot zijn schrik en verbazing dat het om een reeks schotelvormige objecten met een koepelvormige bovenkant ging.

Het nieuws over wat Kenneth Arnold had gezien, sijpelde al spoedig door naar de nieuwsmedia en de term 'vliegende schotel' vond ingang. Arnold werd overstroomd door telefoontjes van nieuwsgierigen uit alle delen van Amerika, maar geen enkele functionaris van de overheid nam de moeite zijn verhaal uit zijn eigen mond op te tekenen.

Integendeel: de luchtmacht ontkende niet alleen dat er die middag iets bijzonders te zien zou zijn geweest, maar voegde eraan toe dat Arnold het slachtoffer was geworden van een luchtspiegeling.

Arnold en degenen die zijn verhaal geloofden, bleven zich echter afvragen wat er toch gebeurd kon zijn met de piloot van de DC-4 of met het verdwenen transportvliegtuig van het Korps Mariniers dat nooit werd teruggevonden en volgens sommigen wellicht nooit heeft bestaan...

Croesus en de orakels

Meer dan vijfentwintig eeuwen geleden begon Croesus (*Kroisos*), de koning van Lydië, zich steeds meer zorgen te maken over het machtige rijk van de Parsen. Maar alvorens in actie te komen tegen deze vijand besloot de grote koning een orakel te raadplegen. Welk orakel moest hij kiezen? Om zijn keus te bepalen, besloot Croesus maar liefst zeven kandidaten op de proef te stellen: zes Griekse en een Egyptisch orakel.

De koning zond zeven boodschappers op weg, ieder naar een ander orakel, met de instructie aan het orakel om te beschrijven welke bezigheden de koning op een gespecificeerd tijdstip van de dag verrichtte. Als de koning iets had gedaan dat tot zijn vaste dagindeling behoorde, had natuurlijk iedereen het goede antwoord kunnen raden. Daarom bedacht Croesus een complex ritueel, waarvan alleen een authentiek orakel iets te weten kon komen: hij hakte een geslacht lam en een dito schildpad aan stukken en kookte het vlees ervan in een bronzen ketel, afgedekt met een bronzen deksel.

De boodschappers keerden een voor een terug van hun missie en de koning las de beschrijvingen door. Alleen het Orakel van Delphi had juist beschreven wat de koning op het bewuste tijdstip van de dag had gedaan. De Griekse historicus Herodotus weet ons zelfs te berichten dat de Pythia, zoals het orakel werd genoemd, het antwoord al had gegeven voordat de boodschapper de vraag had kunnen stellen. Croesus was zó onder de indruk dat hij het orakel schenkingen deed ter waarde van ruim 200 miljoen gulden volgens de huidige maatstaven. (De voorspelling kon echter niet verhinderen dat het rijk van de laatste rijke koning van Lydië door Cyrus van Perzië in 549 v.Chr. ten gronde werd gericht. (Vert.)

UFO in Ipswich

Op de avond van de 13de augustus 1956, om vijf minuten voor elf, ontdekte een radaroperator op een door de Amerikaanse luchtmacht gehuurde basis van de Royal Air Force, Bentwaters nabij Ipswich, een object op zijn scherm dat zich heel snel verplaatste. Het dook op toen het zich 50 kilometer ten oosten van Bentwaters bevond en raasde met een snelheid van 3200-6500 km/uur naar zee.

Een verkeersleider omschreef het object als 'wazig ten gevolge van de enorme snelheid' waarmee het over de luchtmachtbasis heen flitste. Een door de verkeerstoren gewaarschuwde Amerikaanse piloot zag een 'wazig licht' tussen zijn toestel en de grond doorschieten.

De verkeersleiding van Bentwaters waarschuwde haar collega's van de eveneens door de Amerikanen gehuurde luchtmachtbasis Lakenheath, want de UFO leek die richting uit te gaan. Kort daarna berichtte Lakenheath dat er op de radarschermen daar diverse objecten te zien waren die zich met verbluffende snelheden verplaatsten, plotseling bleven stilhangen of ogenblikkelijk in een scherpe hoek van koers veranderden (manoeuvres die voor een vliegtuig niet mogelijk zijn). Waarnemers op de grond zagen hoe twee witte lichten elkaar ontmoetten en opeens verdwenen. De Amerikanen lichtten met enige aarzeling de RAF in.

De hoofdverkeersleider van de RAF liet een straaljager opstijgen om een onderzoek naar de UFO in te stellen. Toen dat toestel dichtbij kwam, dook de UFO plotseling op onverklaarbare manier *achter* de straaljager op. Ooggetuigen zeiden dat de UFO een kantelbeweging leek te maken om in een soort sprong achter de straaljager te komen, waarna de straaljagerpiloot op zijn beurt een poging deed de UFO weer voor zich te krijgen.

Dampkringfysicus James McDonald van de Universiteit van Arizona zegt: 'Het kennelijk rationele, intelligente gedrag van deze UFO wettigt het vermoeden dat het een mechanisch toestel van onbekende oorsprong betreft – dat lijkt (althans) de meest logische verklaring te zijn.'

UFO-foto's

De echtgenote van een zekere Paul Trent was op 11 mei 1950 om kwart voor acht 's morgens in de tuin bezig met het voeren van haar konijnen toen ze aan de hemel boven het noordoosten van Oregon een schotelvormig object naar het westen zag vliegen. Paul, die meteen op haar geroep reageerde, realiseerde zich direct dat het een uiterst ongewoon object moest zijn en rende naar binnen om zijn fototoestel te halen, met een filmrolletje waarvan nog enkele opnamen ongebruikt waren.

De geruisloze, zilverkleurige UFO verplaatste zich in een lichtelijk schuine stand ten opzichte van het horizontale vlak, vertelde Trent later, en tijdens de nadering leek het alsof hij door de dampkring 'gleed'. Kort voordat de UFO over hun hoofden heen vloog, voelde het echtpaar uit het plaatsje McMinnville een lichte bries langs zich heen strijken. Trent haalde de hendel van zijn toestel over en maakte een tweede foto, waarbij hij zich iets naar rechts moest omdraaien om de UFO in de lens te houden.

In de hoop zo weinig mogelijk opzien te baren, liet Trent het rolletje bij een plaatselijke fotowinkel ontwikkelen en afdrukken, en hij vertelde maar aan weinig mensen wat zijn vrouw en hij hadden gezien. Toch kreeg een verslaggever van de *McMinnville Telephone Register* lucht van het incident en besloot de zaak te onderzoeken. Op 8 juni, bijna een maand later, verscheen het verhaal in de plaatselijke krant. Op 9 en 10 juni werd het bericht overgenomen door kranten in Portland (Oregon) en Los Angeles. Weer een week later drukte het magazine *Life* de foto's af.

Toen de Amerikaanse luchtmacht zeventien jaar later zelf ook een onderzoek naar het incident instelde, in het kader van het zogeheten *Condon Report*, onderwierpen de experts de foto's aan een grondig onderzoek. Ze moesten erkennen dat het authentieke foto's betrof.

In het *Condon Report* staat te lezen: 'Dit is een van de weinige UFO-meldingen waarin alle factoren – zowel de psychologische als de concrete – met elkaar overeenstemmen'. Natuurlijk zijn de foto's van Paul Trent niet de enige UFO-foto's die er zijn. Volgens de deskundigen behoren ze echter tot de weinige sets UFO-foto's die volstrekt authentiek zijn en niet aan een per ongeluk beschadigde film of boerenbedrog kunnen worden toegeschreven.

UFO's in Frankrijk

Hoe ongerijmd het wellicht ook moge klinken, op 10 september 1954 werden er in het Franse Quaroble dwergachtige wezens met groteske gestalten gezien. Een week later fietste een Franse boer in de omgeving van het stadje Cenon toen hij plotseling over zijn hele lichaam jeuk kreeg. Toen hij stopte en afstapte, verstarde hij bij de aanblik van een 'machine' die hij recht voor zich had. Een in een soort duikerpak gehuld dwergachtig wezen kwam naar hem toe, 'brabbelde' onverstaanbare geluiden en raakte de schouder van de boer aan. Toen keerde het dwergachtige wezen terug naar de UFO en verdween naar binnen. De UFO gloeide groen op toen hij opsteeg en met grote snelheid verdween.

Een dag of tien later waren vier Franse kinderen in de schuur van hun vader aan het spelen. Toen ze de hond hoorden aanslaan, ging de oudste jongen naar buiten om te zien wat er aan de hand was. Plotseling stond hij tegenover een 'blokvormig wezen', dat hem aan een 'suikerklont' deed denken. Toen de jongen kiezelstenen naar het wezen begon te gooien en er ook nog een speelgoedpijl op afschoot, werd de jongen door een onzichtbare kracht tegen de grond gedrukt. Terwijl hij over de grond probeerde weg te kruipen, zag hij het wezen naar het weiland waggelen. De kinderen renden terug naar het huis van de boerderij en zagen een roodgloeiende UFO laag boven het weiland zweven. Onderzoekers vonden de volgende dag een kring van verschroeid gras in het weiland.

Enkele weken na deze gebeurtenis maakte een andere Fransman melding van een ontmoeting met een wezen van ongeveer 1,20 meter lang dat eveneens in een soort duikerpak was gehuld. Het wezen schuifelde langs de weg voordat het tussen de bomen van het bos naast de weg verdween. De volgende dag zagen drie Franse kinderen een overeenkomstig wezen uit een 'glanzend toestel' komen. Ze beschreven het wezen later als een 'spook' met een harig gezicht en grote ogen. Het droeg iets dat aan de soutane van een priester deed denken en de kinderen zeiden dat het wezen woorden sprak die ze niet konden verstaan.

Een dag later reden drie mannen uit Bordeaux naar Royan aan de Atlantische kust van Frankrijk toen zij een vliegend object op ongeveer 10 meter boven de grond zagen zweven. Ze stapten uit hun auto om het object van dichterbij te kunnen bekijken en stuitten op vier wezentjes van ongeveer 1 meter lang, die kennelijk bezig waren reparaties aan hun toestel uit te voeren.

Volgens de deskundigen lijken UFO-waarnemingen zich in een golfbeweging voor te doen. Zo zijn er in de periode van 1957-1958 overal op het westelijk halfrond en ook in Australië en Azië tal van UFO-waarnemingen gepubliceerd, in Zuid-Amerika van 1962-1963 en in de Verenigde Staten in 1964. Een nieuwe golf van UFO-waarnemingen werd in 1977-1978 in het Verenigd Koninkrijk en in Italië geregistreerd. Van alle UFO-hausses was die van 1954 in Frankrijk zonder twijfel de grootste.

Prins Bernhards nipte redding

De lange, smalle weg doorsneed een groen weidelandschap en leidde naar de spoorwegovergang. Een over de weg razende personenauto kreeg een klapband en knalde tegen de spoorboom. Erachter stopte een vrachtwagen. Aan het slot van de droom zag de droomster de bestuurder van de personenauto dood op de grond liggen. Het was prins Bernhard.

Na haar ontwaken schreef de droomster dadelijk een brief aan de vermaarde parapsycholoog prof. W.H.C. Tenhaeff, die later in het *Journal of the Society for Psychical Research* verslag deed van dit voorval. In zijn verslag noemde hij de droomster 'mevrouw O. uit Amsterdam'.

Mevrouw O. had haar paranormale vermogens en voorspellende dromen al eerder aan prof. Tenhaeff beschreven. Deze droom verontrustte haar echter meer dan alle andere. Ze deed haar brief vrijwel meteen op de post en hij viel enkele dagen later bij prof. Tenhaeff in de bus, voorzien van het poststempel 27 november 1937, een zaterdag.

Toen de parapsycholoog die maandagavond 29 november naar het nieuws op de radio luisterde, hoorde hij het bericht dat prins Bernhard die dag betrokken was geweest bij een auto-ongeval. Dank zij de krantebcrichten over dat ongeluk de volgende dag kon Tenhaeff de feitelijke gang van zaken vergelijken met die welke mevrouw O. had beschreven aan de hand van haar droom.

Spoorwegarbeiders, zo meldden de kranten, waren bij het viaduct in de spoorlijn Hilversum-Amsterdam bezig met het afgraven van zand dat in vrachtwagens werd geladen. Toen de snelrijdende auto van prins Bernhard naderde, was een volgeladen zandauto bezig te keren, op de weg van Diemen naar Amsterdam. De rechtervoorzijde van de auto botste tegen de linkerachterzijde van de zandauto. Verscheidene mensen die vlak bij de weg woonden, renden hun huizen uit met dekens om prins Bernhard en de chauffeur van de zandauto toe te dekken totdat er een dokter was gearriveerd. Centrale-verwarmingsinstallateur Van Etten uit Weesp, een enthousiaste EHBO'er, verleende eerste hulp. In de krantebcrichten werd met geen woord gesproken over een klapband of een botsing van de auto van de prins tegen de slagboom van de spoorwegovergang, hoewel die op de foto's wel te zien was. Bovendien was prins Bernhard niet overleden, zoals mevrouw O. in haar droom had gezien.

Het jaar waarin de zomer uitbleef

'Ik herinner me die zevende juni als de dag van gisteren', schreef Chauncey Jerome uit Plymouth, Connecticut, over 7 juni 1816. 'Ik had me dik ingepakt in wollen kleding en droeg een overjas. Mijn handen werden echter zo koud dat ik genoodzaakt was mijn gereedschap neer te leggen en eerst een stel wanten aan te doen.'

Overal in het noordoosten van de Verenigde Staten was het weer die zomer allesbehalve zomers. Van 6-9 juni vroor het zó hard dat de gewassen op de akkers doodvroren. Op twee dagen sneeuwde het zelfs – het meest in het noorden van New England, waar in sommige gebieden bijna een halve meter sneeuw werd gemeten.

Tegen het eind van die junimaand scheen de zomer terug te keren, maar de opnieuw ingezaaide gewassen werden in juli door een nieuwe vorstperiode vernield. En op 20 augustus daalden de temperaturen opnieuw, waarbij het zelfs zo ver zuidelijk als in noordelijk Connecticut begon te vriezen.

Niemand heeft die bizarre zomer van 1816 ooit kunnen verklaren. Sommige moderne meteorologen hebben echter een vermoedelijke boosdoener aangewezen: drie grote vulkaanuitbarstingen die zich tussen 1812 en 1817 hebben voorgedaan. Het lijdt geen twijfel dat er bij die uitbarstingen grote hoeveelheden stof in de dampkring zijn uitgestoten, zeggen deze meteorologen. Dit stof kan het zonlicht hebben geblokkeerd, waardoor deze extreem koude zomer kon ontstaan. Critici werpen echter tegen dat een van de ernstigste vulkaanuitbarstingen sinds mensenheugenis, die van de Krakatau in Indonesië in 1883, een spectaculaire zonsondergang veroorzaakte die over de hele wereld zichtbaar is geweest, zonder dat dit tot een klimaatswijziging leidde.

De reuzenvogel van Egypte

In 1821 ontdekte een zekere James Burton langs de Egyptische Rode-Zeekust drie immense, kegelvormige vogelnesten. De top van de kegel was ongeveer 70-90 centimeter in doorsnee en aan de voet hadden deze nesten een middellijn van maar liefst 4,5 meter. De totale hoogte bedroeg circa 4,5 meter. Ze bestonden uit een allegaartje van materialen – takken, planten, visgraten en zelfs delen van wollen kleding. In de structuur van een van de nesten werden een oude schoen en een zilveren zakhorloge van een vermaard horlogemaker uit de 18de eeuw aangetroffen; in de structuur van een ander nest was de complete borstkas van een mens verwerkt. Aan de hand van wat omwonende Arabieren hem konden vertellen, concludeerde Burton dat de nesten waren gebouwd door exemplaren van een reusachtige vogelsoort die nog maar kort geleden uit het gebied waren verdwenen.

Toen hij in het *American Journal of Science* verslag deed van zijn ontdekking, vermeldde Burton dat de streekbewoners de vogelsoort hadden vergeleken met de afbeelding van een reusachtige vogel in de graftombe van farao Khoefoe, van wie de piramide omstreeks 2100 v.Chr. werd gebouwd. De ooievaarachtige reuzenvogel uit de tijd van de farao's had een wit verenkleed, een lange, rechte bek en lange staartveren. Het mannetje had achter de kop en op de borst pluimachtige uitwassen. De vogel werd naar het schijnt vaak door mensen in de Nijldelta gevangen en aan de farao als geschenk aangeboden.

Aangezien er in latere Egyptische monumenten geen enkele afbeelding van deze reuzenvogel is aangetroffen, werd algemeen aangenomen – tot aan James Burtons ontdekking in 1821 – dat deze vogelsoort was uitgestorven.

Rioolalligators

Beweringen dat er alligators in de riolen van New York City zouden leven, lijken tot de hardnekkigste bestanddelen van de stadsmythologie te behoren. Degenen die erin geloven, beweren dat Newyorkers die met vakantie in Florida waren geweest, uit de Everglades daar jonge alligators hebben meegenomen, bij wijze van exotisch troeteldier voor hun kinderen. Aangezien deze dieren echter al vrij snel forse afmetingen bereiken, werden ze minder wenselijk als huisdier en zouden de bezorgde ouders deze nog kleine alligators door het toilet hebben gespoeld, in plaats van ze te laten villen vanwege de huid. Sommige ervan zouden deze behandeling hebben overleefd, zodat ze nu in de riolen van New York City bivakkeren en zich daar voeden met ratten, een dieet waarop ze formidabele afmetingen zouden bereiken.

Heeft dit sterke verhaal een grond van waarheid? De cryptozoöloge Loren Coleman besloot een onderzoek in te stellen naar het *ware* verhaal achter deze rioolalligators – en de oorsprong van de mythe zelf. In haar verslag in het *Journal of American Folklore* schreef ze dat ze over de periode van 1843 tot 1973 op talloze verhalen over alligators in de riolen was gestuit, maar dat er slechts weinig tussen zaten die als steekhoudend konden worden beschouwd.

Eén geval verschilde duidelijk van de rest. Onder de kop: 'Alligator Found in Uptown Sewer' (Alligator aangetroffen in riool in New York-Noord) bracht de *New York Times* op 10 februari 1935 een verhaal dat als een feitenverslag werd gepresenteerd.

Enkele jongens waren in East 123rd Street bij de rivier de Harlem bezig om de laatste resten sneeuw van de afgelopen winter in het mangat boven een riool te schuiven. Omdat hij zag dat er een sneeuwverstopping dreigde te ontstaan, keek de zestienjarige Salvatore Condulucci wat aandachtiger naar beneden en zag iets bewegen. Nadat hij nog wat langer had gekeken, riep hij zijn vrienden erbij en verzekerde hun dat er een alligator in het riool beneden was. Ze keken een voor een door het mangat en zagen dat hij de waarheid had gesproken: er spartelde inderdaad een alligator in het met sneeuw en ijs bedekte riool rond. Kennelijk kon het dier geen uitweg vinden uit het riool.

Haastig kochten de jongens wat waslijn in een winkel, legden er een glijknoop in en lieten de lijn in het mangat zakken. Na veel gepriegel slaagden ze erin de lus rondom de alligator te krijgen en konden ze het dier heel voorzichtig naar boven halen totdat het op straat lag.

Zodra het reptiel was gered, stapte een van de jongens ernaar toe om de lus los te maken. De halfdode alligator opende zijn kaken en hapte venijnig naar hem; hij scheen niet bepaald dankbaar te zijn voor deze redding. Het medelijden en de nieuwsgierigheid van de jongens sloegen algauw om in angst en afkeer. Met hun sneeuwschuivers en spaden maakten ze het werk af dat het koude water en de smeltende sneeuw al hadden gedaan en sleepten het dode dier naar de winkel waar ze de waslijn hadden gekocht.

De alligator was twee tot tweeëneenhalve meter lang en woog ongeveer 55 kilogram. De deskundigen vermoedden dat het reptiel van een stoomboot moest zijn gevallen die na een bezoek aan de Everglades over de rivier de Harlem langs 123rd Street was gevaren. In een poging uit de koude rivier te ontsnappen, was het dier naar de oever gezwommen, waar het blijkbaar de uitstroomopening van het rioolstelsel had gevonden. Het had zich door de stroom smeltwater geworsteld totdat het halfdood onder het mangat was beland.

Op zoek naar Atlantis

Volgens de theorie over de uiteengedreven aardschollen moeten alle landmassa's op aarde ooit één gigantisch continent hebben gevormd. Dit supercontinent brak in stukken, die langzaam uiteen zijn gedreven en de huidige continenten zijn geworden.

Deze theorie verklaart het feit dat de continenten als de stukken van een immense legpuzzel in elkaar passen – behalve het deel tussen Europa en de Verenigde Staten. Dit ontbrekende stuk van de legpuzzel lijkt ongeveer de vorm en de afmetingen van het hoogplateau op de bodem van de Atlantische Oceaan te hebben. Is het soms mogelijk dat deze onderzeese landmassa het verzonken continent Atlantis is geweest, een beschaving die door sceptici nog altijd als niet meer dan een mythe wordt beschouwd?

Hoewel veel wetenschappers tot deze sceptici behoren, kunnen de verhalen over deze verdwenen beschaving in iedere cultuur op aarde worden aangetroffen. Zo kennen alle rassen het verhaal van een immense overstroming die een machtige beschaving volledig vernietigde. Zelfs de naam Atlantis wordt in alle mogelijke vormen en verbasteringen vrijwel overal ter wereld gevonden. Op de Canarische Eilanden kent de bevolking bijvoorbeeld de term *Atalaya*, een land waarvan de oorspronkelijke bewoners geacht werden de enige overleden te zijn van een verzonken continent, waarvan de bergtoppen veranderden in eilanden toen de hele wereld onder water kwam te staan. De Basken in Noord-Spanje, van wie de tradities teruggaan tot de steentijd, bewaren overleveringen over een immens eiland in de oceaan dat *Atlaintica* heette. De vikingen beschreven ooit een wonderbaarlijk land in het westen dat zij kenden als *Atli*. In Noord-Afrika kennen de Berbers de naam *Attala* als die van een machtig en strijdbaar koninkrijk dat rijk was aan goud en zilver. In de overlevering van de Azteken was *Aztlán* het land waaruit zij afkomstig waren. Noordamerikaanse Indianen in de omgeving van het Michiganmeer verhaalden elkaar van *Azatlán*, het eiland van hun voorouders in de grote zee.

Wat kan er met Atlantis zijn gebeurd? Ongeveer 6000 jaar geleden, zo verhalen de legenden, werd dit land getroffen door een plotselinge catastrofe. Die wereldramp, zo vermoeden de wetenschappers van vandaag, kan gepaard zijn gegaan met het smelten van gletsjers, vulkaanuitbarstingen, zware aardbevingen, enorme vloedgolven – al dan niet veroorzaakt door de inslag van een geweldige meteoor.

Volgens de moderne onderzoekers beschikken we inmiddels over harde bewijzen dat Atlantis werkelijk heeft bestaan. Met behulp van sonarapparatuur en andere staaltjes van geavanceerde technologie zijn er midden in de oceaan 'onderwater'-eilanden met zoetwaterbronnen ontdekt en wezen de bodemmonsters uit dat er vroeger landvegetatie heeft gegroeid.

BZW in Praag

Een eenvoudige, vriendelijke Tsjech, Pavel Stenpanek, had nooit van zichzelf beweerd dat hij over paranormale gaven beschikte. Totdat hij als vrijwillige proefpersoon meewerkte aan een door de parapsycholoog Milan Ryzl uitgedacht experiment. Prof. dr. Rãzl, auteur van het in Nederlandse vertaling verschenen boek *Gebruik uw zesde zintuig* (Bloemendaal, 1986), achtte het mogelijk dat gewone mensen onder hypnose konden worden getraind in buitenzintuiglijke waarneming (BZW).

Voor Stenpanek schenen de opgaven nauwelijks problemen op te leveren en binnen de kortste keren gaf hij blijk van een sterk ontwikkeld vermogen tot BZW. De door prof. Rãzl gevolgde procedure was statistisch van aard en bestond uit het verbergen van een aantal zenerkaarten (groen aan de ene en wit aan de andere kant) in een kartonnen doos. Ze werden eerst flink door elkaar geschud, vervolgens van een code voorzien en daarna in mappen gelegd, zodat er geen enkele visuele aanwijzing resteerde. Deze mappen werden aan de proefpersoon voorgelegd, die dan moest raden of de groene of de witte zijde van de kaart boven lag.

Stenpaneks prestaties doorliepen uiteenlopende stadia. In het begin 'scoorde' hij significant hoger dan het gemiddelde aan 'treffers'. Tegen 1964 waren zijn prestaties echter zo verslechterd dat hij *minder vaak* juist 'raadde' dan op grond van de statistische kansberekening mocht worden verwacht als hij een kleur op goed geluk had genoemd, hetgeen op zichzelf ook een significant resultaat is. Prof. Rãzl vreesde al dat Stenpaneks BZW-vermogens waren verminderd, totdat een andere parapsycholoog die aan zijn onderzoekingen meewerkte, J.G. Pratt, een oplossing bedacht.

In plaats van Stenpanek te vragen zich op het pak zenerkaarten te concentreren, verzochten de onderzoekers hem nu telkens slechts de kleur van één zenerkaart tegelijk te noemen. In deze nieuwe experimentele opzet gaf hij blijk van een verbluffend BZW-vermogen. Hij kon de kleur van de kaarten aanzienlijk vaker juist benoemen dan het geval zou zijn geweest indien hij er op goed geluk naar had geraden.

Genezende naalden: een mysterie

Na vergeefs met medicamenten te zijn behandeld tegen myelitis, een ontsteking van het ruggemerg die verlammingen veroorzaakt, kan een jong meisje thans weer lopen. Een man herstelt zonder operatieve ingreep van appendicitis (ontsteking van het wormvormig aanhangsel van de blindedarm). Een andere patiënt, die aan dysenterie lijdt, wordt beter – niet door de ziekteverwekker te vernietigen, maar door het weerstandsvermogen van het lichaam te verbeteren. Al deze wonderen zijn echter niet verricht door een gebedsgenezer, maar zouden volgens sommigen te danken zijn aan een methode uit de Oudchinese geneeskunde, acupunctuur. Deze behandelmethode zou verlichting kunnen brengen in een brede staalkaart van aandoeningen, zolang er geen onherstelbare (irreversibele) schade aan de inwendige organen is ontstaan.

Acupunctuur zou volgens een legende als behandelmethode zijn ontdekt doordat Chinese soldaten merkten dat zij, na door een pijl te zijn getroffen, soms herstelden van aandoeningen waaraan zij al jaren hadden geleden. De oudste verwijzing naar deze oude kunst werd gevonden in de *Nei Tjing – Het leerboek over inwendige geneeskunde van de gele keizer* – dat uit de periode van 3000 tot 4500 jaar geleden stamt.

De sleutel tot de werkzaamheid van acupunctuur bestaat uit een onzichtbare energie die *chi* of *qi* wordt genoemd, een term die ongeveer 'vitale energie' of 'levensenergie' betekent.* Als de *chi* niet meer harmonieus door het lichaam stroomt, leidt dit tot ziekte. *Chi* circuleert volgens de oude Chinezen door een stelsel van onzichtbare onderhuidse energiebanen die 'meridianen' worden genoemd. Er zijn twee hoofd- of 'middellijnmeridianen': de besturingsgeleider die langs de wervelkolom loopt en de conceptiegeleider over de voorzijde van het lichaam. Twaalf tweezijdige meridianen (ook wel aangeduid als 'paren' van meridianen) aan weerszijden van het lichaam staan in verbinding met het hart, de longen, de nieren, de blaas en andere specifieke organen. De oude Chinezen onderscheiden bovendien twee inwendige organen die de westerse geneeskunde níet kent, namelijk de hartconstrictor, die de bloedsomloop reguleert, en de drievoudige verwarmer, die tot taak heeft de lichaamstemperatuur op peil te houden.

Op al deze meridianen liggen tal van acupunctuurpunten (in totaal 2000). Als deze punten met behulp van in de huid geïnserteerde steriele naalden worden gestimuleerd (of als deze punten worden gestimuleerd met drukpuntmassage), zal de circulatie van *chi* zowel in de desbetreffende meridiaan als het ermee geassocieerde inwendige orgaan verbeteren.

Over de resultaten van acupunctuurbehandeling zijn de meningen verdeeld. En de doeltreffendheid ervan lijkt sterk uiteen te lopen. Sommige patiënten ondervinden ogenblikkelijk verlichting, bij andere patiënten treedt er pas in de loop van weken of zelfs maanden verbetering op. Sommige patiënten zeggen een gevoel van aangename blijdschap te ervaren, maar er zijn er ook die zich een poosje nog beroerder voelen dan eerst. Andere patiënten zeggen dat ze helemaal geen baat bij een behandeling hebben ondervonden.

Beweringen dat de resultaten van acupunctuurbehandelingen allemaal moeten worden toegeschreven aan suggestie, worden tegengesproken door het feit dat deze behandelingen bij dieren gewoonlijk even doeltreffend zijn en goede resultaten opleveren.** Hoe het mogelijk is dat een in

* Vermoedelijk is *chi* identiek met het Indiase begrip *prana*, en vermoedelijk ook met het Griekse *pnoema* en het Hebreewse *roeach*. (Vert.)

** Acupunctuur wordt vooral met succes toegepast als behandeling tegen pijn en als een veilige anesthesiemethode. (Vert.)

een huid gestoken naald iemands vitale energie kan verbeteren, is nog altijd een volslagen raadsel.

Het spook van Redmond Manor

Het geluid – dat klonk alsof een grote rat aan een houten balk knaagde – werd ongeveer vijf minuten lang aan het voeteneinde van het bed vernomen. In het begin volgden ze elkaar in een traag tempo op, maar geleidelijk werd het ritme van het bonken en knagen steeds sneller en sneller. Toen begonnen de dekens en lakens van het bed te glijden alsof iemand ze eraf trok, of alsof er een krachtige bries door de kamer waaide.

N.J. Murphy had kennis genomen van de geruchten over het oude huis in Court Street, dat eigendom was van een zekere Nicholas Redmond, die toegaf dat het in zijn huis spookte, zoals Redmonds echtgenote en twee kostgangers, John Randall en George Sinnott, beaamden.

Murphy en Owen Devereux waren niet bereid iets dergelijks alleen op gezag van anderen aan te nemen en kregen toestemming de nacht in het huis door te brengen. Ze installeerden zich voor hun nachtwake in de kamer van een van de kostgangers, waar de geluiden meestal optraden.

De knagende en bonkende geluiden en de bewegingen van dekens en lakens begonnen omstreeks halftwaalf 's avonds, een minuut of tien nadat de twee onderzoekers het licht hadden uitgedaan. Ze keken onder het bed of ze daar draden of iets dergelijks konden ontdekken, maar vonden niets verdachts. Na een minuut of tien begonnen de geluiden weer, namen geleidelijk toe in tempo, net als de eerste keer, en opnieuw gleden de dekens en lakens van het bed. En toen er een eind kwam aan het bonken en knagen, begon John Randall luid te schreeuwen omdat hij zelf van het bed werd getrokken. Hij was kletsnat van het angstzweet. Murphy en Devereux hielpen hem overeind en haalden hem over weer verder te slapen.

Omstreeks kwart voor twee 's nachts begon het geknaag weer, maar deze keer kwam het uit het midden van de kamer. Het hield ongeveer een kwartier aan en hield toen op. Murphy en Devereux konden geen nuchtere verklaring voor dit verschijnsel bedenken. En tot op de huidige dag is er nog geen verklaring voor het spook van Redmond Manor.

Vallende vissen

De bioloog A.D. Bajkov, in dienst van het ministerie van Wildbeheer en Visserij, zat op de ochtend van de 23ste oktober 1947 in een restaurant te ontbijten toen er buiten commotie ontstond. Omdat hij de serveerster – die hem vertelde dat het 'vissen regende' – niet geloofde, liep hij naar buiten om zelf een kijkje te nemen. En inderdaad, over een oppervlakte van ongeveer 300 bij 24 meter lag de straat bezaaid met verse koude (maar niet bevroren) vis: zwarte baars, voorntjes en zonnebaarsjes, maar overwegend een Amerikaans visje dat *hickory shad* wordt genoemd. Op sommige plaatsen lag de vis zó dicht bijeen dat er negen tot twaalf vissen per vierkante meter werden geteld. Een medewerker van een bank en twee winkeliers waren door de vallende vissen geraakt toen ze te voet onderweg waren naar hun werk.

Ooit had Bergen Evans, een man die bekendheid verwierf door zijn pogingen om merkwaardige verschijnselen die wetenschappelijk 'onmogelijk' waren van tafel te vegen, beweerd dat alle verhalen over vallende vissen naar het rijk der fabelen moesten worden verwezen. Hierop had E.W. Gudger, een geleerde die verbonden was aan het Amerikaanse Museum voor Natuurlijke Historie, dadelijk geantwoord met een stortvloed van bewijzen die hij in de loop der jaren had vergaard. Zo waren er bijvoorbeeld in september 1936, toen het vissen had geregend op het eiland Guam in de Grote Oceaan, tussen de gevallen vissen zeelten aangetroffen. De zeelt is een zoetwatervis die veel voorkomt in Europa en westelijk Azië.

Als het vissen regent, gebeurt dat gewoonlijk tijdens een hevig onweer met zware slagregens. En in de regel valt er slechts één enkele vissoort, in een ellipsvormig gebiedje van hooguit enkele honderden meters lang. De verklaring dat ze door de slurf van een wervelwind zijn opgezogen, klinkt plausibel als het om vissen gaat die in ondiep water leven. Er vallen echter soms ook vissen naar beneden die in diep water leven – en soms zijn deze vissen dood, gedroogd of zelfs zonder kop. Tot nu toe heeft niemand voor deze laatste vormen van vissenregens een sluitende verklaring kunnen geven.

De drieste evolutietheorie van Driesch

In de veronderstelling dat een half ei ook een half embryo zou opleveren, gebruikte de 19de-eeuwse bioloog Hans Driesch een hete naald om het bevruchte ei van een zeeëgel te delen. Tot zijn verbazing ontdekte hij dat beide helften zich ontwikkelden tot een volledig – zij het kleiner – embryo van een zeeëgel. Beide helften van het ei, zo bleek hem, bevatten een 'blauwdruk' van het gehele dier. Als twee bevruchte eitjes werden samengevoegd, vergroeiden ze met elkaar en ontwikkelden zich tot één zeeëgelembryo dat groter was dan normaal. Om die redenen betoogde Driesch dat het leven zelf een dynamische kracht is die altijd streeft naar 'heelheid', onafhankelijk van scheikundige factoren.

Volgens de algemeen geaccepteerde inzichten van de conventionele wetenschap is het leven op aarde het resultaat van een zuiver toevallige samenloop van omstandigheden en laat het zich door de natuurkundige en biologische wetten verklaren. Alles heeft een reden, zo zullen de meeste wetenschapsbeoefenaren volhouden, en in de vrije natuur bestaat er niet zoiets als een 'vrije wil'. Driesch en anderen hebben echter de stelling durven poneren dat het leven weleens zijn eigen doelstellingen en wetten zou kunnen hebben.

Harold Saxton Burr werd zó geïntrigeerd door de ideeën van Hans Driesch dat hij een studie maakte van de elektrochemische energieën die de stoot geven tot de constructie van de blauwdruk voor een organisme in het bevruchte ei. Hij bevestigde een gevoelige spanningsmeter aan bomen en andere organismen en begon de voltages te registreren. Het voltage van een boom, zo leek het, varieerde naargelang het seizoen, zonnevlekken en maanfasen. In de eierstokken van een konijn registreerde de spanningsmeter een plotselinge sprong, telkens als een Graafse follikel openbarstte en er een eisprong plaatsvond. Als de voltmeter werd aangesloten op geesteszieken, bleek de spanning hoger te zijn naarmate de ziekte ernstiger was. De spanningsmeter kon volgens Burr ook de pieken en dalen in het verloop van een lichamelijke aandoening registreren, hetgeen heel nuttig kon zijn voor het zeer vroegtijdig opsporen van kanker.*

Zijn experimenten bewezen, aldus Burr, dat alle levende organismen worden beïnvloed door hun eigen elektromagnetische veld of 'levensveld', zoals Burr het noemde. Zo was er rondom het eitje van een kikker een bepaald patroon van krachtlijnen aanwezig: als het embryo zich ont-

* Kanker zou volgens Kirlian-experts ook in een zeer vroeg stadium (enkele cellen!) op te sporen zijn aan de hand van afwijkingen in de op Kirlian-foto's vastgelegde aura. (Vert.)

wikkelde tot een kikkervisje, bevonden de banen van het zenuwstelsel zich op de plaats van die krachtlijnen. De krachtlijnen 'werden' als het ware het zenuwstelsel van het kikkervisje. Het leek alsof levende cellen zich groepeerden volgens het patroon van het levensveld.*

In de 20ste eeuw hebben andere onderzoekers werk gedaan waarvan de resultaten de conclusies van Burr hebben bevestigd. Zo schenen Semyon Kirlian en zijn echtgenote in de jaren dertig in Rusland erin geslaagd te zijn het levensveld (de aura) van een bloem te fotograferen. Ze hadden in een fotografische plaat een hoog elektrisch spanningsverschil opgewekt en de bloem er eenvoudig opgelegd. Op de aldus gemaakte foto (zonder dat er een lens aan te pas kwam), was rondom de bloem een krans van veelkleurig licht te zien. En als ze een half afgescheurd boomblad op zo'n fotografische plaat legden, bleek de aura van het blad ook aanwezig te zijn rondom het afgescheurde deel van het blad, alsof dat nog aanwezig was.

In het kader van experimenten die zij in de jaren zeventig uitvoerden aan de Universiteit van Wisconsin, kweekten Daniel Perman en Robert Stickgold bacteriën in een oplossing met een antibiotium dat deze bacteriën normaal gesproken zou moeten doden. Deze speciale bacteriën bevatten echter een gen dat dit antibioticum doodt, zodat de bacteriën verzekerd zijn van hun voortbestaan. Volgens de mening van wetenschappelijke sceptici gebeurt dit eenvoudig door middel van het activeren van het weerstandsvermogen, dat weer tot rust komt zodra het gevaar is bezworen. In werkelijkheid reageerden de bacteriën door het repliceren van het beschermende gen, alsof ze *bewust* voor een meer doeltreffende verdediging kozen.

Ook als het leven afhankelijk is van de materie, is het leven toch een hoger principe dan materie – en niet andersom, zoals de meeste weten-

* Burrs 'levensveld' doet sterk denken aan de door de Engelse onderzoeker Rupert Sheldrake ontwikkelde hypothese over het bestaan van 'morfogenetische' velden. Sheldrake betoogt dat elk organisme (zelfs eencellig) zo'n veld bezit en via dat veld in communicatie staat met alle andere levensvormen. Bovendien zou zo'n morfogenetisch veld ervoor verantwoordelijk zijn dat *een hele soort* bepaalde vaardigheden verwerft als één exemplaar die vaardigheid heeft geleerd, zoals allerlei experimenten hebben bewezen. De Amerikaan Clive Backster sloot planten en menselijke celkweken aan op een encefalograaf en constateerde dat planten reageren op de (spontane) gedachten en emoties van mensen, zoals ook witte bloedcellen op grote afstand van hun oorspronkelijke eigenaar reageerden op zijn of haar emoties en gedachten. Ook dit zou verklaarbaar zijn aan de hand van Sheldrakes morfogenetische velden. (Vert.)

schappers momenteel geloven. En als het leven inderdaad boven de stof staat, kan het de wetten waaraan de materie gehoorzaamt overstijgen. Na de programmering van het DNA te hebben onderzocht, is de cyberneticus David Foster ervan overtuigd dat de darwinistische biologie fundamenteel onjuist is. Hij betoogt dat een complexe genetische programmering aangeeft dat er naar alle waarschijnlijkheid een intelligentie bestaat die van hogere orde is dan alles wat op aarde leeft. Hij trekt die redenering door als hij zegt dat het universum te vergelijken is met een magisch wezen dat zich niet in zuiver fysische termen laat beschrijven.

Mene tekel via automatisch schrijven

Een jonge vrouw – door A.A. Liebeault in zijn *Noted Witnesses for Psychic Occurrences* alleen aangeduid als 'mademoiselle B.' – kon via automatisch schrijven de ene bladzijde na de andere volpennen met zorgvuldig gestileerd proza. Zij sprak zelfs van 'boodschappen' van gene zijde en kon dit presteren *terwijl* zij met andere mensen een gesprek voerde. (Een duidelijk voorbeeld van spirituele communicatie of *channeling*.)

Op de ochtend van de 7de februari 1868, omstreeks een uur of acht, voelde 'mademoiselle B.' plotseling de behoefte om pen en papier te pakken en te gaan schrijven. In een koortsachtig tempo schreef ze het ene vel papier na het andere vol met steeds dezelfde woorden. Aanvankelijk waren ze niet te ontcijferen, maar geleidelijk begon er lijn in te komen, totdat zij ze eindelijk begreep.

De boodschap was afkomstig van een zekere Marguerite, die kennelijk haar eigen dood aankondigde. Nadat ze hadden geprobeerd uit te vinden wie deze Marguerite was, kwamen mademoiselle B. en haar familieleden tot de conclusie dat het wellicht haar vriendin en klasgenote kon zijn. Op voorstel van A.A. Liebeault besloot zij naar een onderwijzeres van school te schrijven, maar ze vermeed zorgvuldig melding te maken van het eigenlijke doel van haar brief. De onderwijzeres schreef terug en berichtte haar dat hun gemeenschappelijke vriendin Marguerite op de 7de februari 1868 's morgens om een uur of acht was overleden. De onderwijzeres had de rouwkaart bijgesloten.

Droomkometen

Charles Tweedle werd op een ochtend in 1886 omstreeks vier uur wakker. Hij had zojuist gedroomd van een komeet die aan de oostelijke hemel te zien zou zijn, kort voor het opkomen van de zon. Hij kleedde zich dadelijk aan en ging naar buiten. Hij tuurde door de telescoop die hij op zijn observatieplatje had opgesteld, zo schreef hij in een editie van *English Mechanic* uit 1905, en zag duizenden sterren aan de heldere hemel. Even later zag hij de komeet uit zijn droom verschijnen. Hij was opmerkelijk helder en parelachtig wit, en de dichte kern was omgeven door een ijlere substantie.

Opgewonden bleef hij de rest van de nacht de komeet observeren. Het was de eerste komeet die Tweedle had ontdekt, en zodra het postkantoor open was, verstuurde hij een telegram waarin hij zijn ontdekking wereldkundig maakte. Kort daarna uur werd de post bezorgd en las hij over de ontdekking van dezelfde komeet door de astronomen Barnard en Hartwig, die de komeet los van elkaar hadden geobserveerd. De komeet kreeg de naam Barnard-Hartwig.

Tweedle heeft nooit een andere komeet ontdekt en zijn naam is dan ook niet met een hemellichaam verbonden.

De witte merel

Toen een oude vrouw in het Engelse Somersetshire wat al te hinderlijk werd voor haar buren, sloegen die terug door gebruik te maken van een oude traditie op vastenavond die *crocking* (*crock* = 'bloempot' of 'potscherf') wordt genoemd. Ze bekogelden haar voordeur met alle oude bloempotten, kruiken en ander oud aardewerk dat ze in de loop van het jaar hadden opgespaard en maakten zoveel mogelijk kabaal om haar te ergeren. Met deze poets die ze hun oude, lastige buurvrouw bakten, bleken ze echter ook nog een ander slachfoffer te hebben gemaakt.

De tamme merel van een van de buren, een diertje dat vanwege zijn glanzende verenpak en heldere zang bekend was in het hele dorp, scheen door het geweldige kabaal in paniek te zijn geraakt. Twee dagen lang wipte de vogel geagiteerd in zijn kooi op en neer en weigerde hij ook maar iets te eten. Hoewel de merel daarna tot bedaren kwam, bleek de stress waaraan hij die vastenavond had blootgestaan een blijvend gevolg te hebben. Het dier begon te ruien, aldus rapporteerde Alfred Charles Smith in het blad *Zoologist*, en veel van de glanzende zwarte veren werden vervangen door witte. De vogel was letterlijk grijs geworden van angst.

Bliksemkuur

Martin Rockwell stond uit het raam naar buiten te kijken toen hij de hemel onheilspellend donker zag worden. Zijn hele lichaamsgewicht rustte op zijn linkerbeen en zijn rechterhand rustte op een nat oppervlak naast de gootsteen. Plotseling voelde hij hoe zijn rechterarm en linkerbeen volkomen gevoelloos werden. Het volgende moment sloeg de bliksem op minder dan drie meter afstand van hem in en verloor hij het bewustzijn. Hij kwam een paar minuten later weer bij, maar het duurde dagen voordat hij zijn ledematen weer normaal kon gebruiken.

Die blikseminslag had echter ook een positieve kant. Sinds zijn vroegste jeugd had Rockwell – vooral in de herfstmaanden – te lijden gehad van astma en had hij vaak weken achtereen het bed moeten houden. Na die riskante bliksemkuur, beschreven in het *American Journal Science*, heeft hij nooit meer een aanval van astma gehad.

De kanonnen van Barisal

De geluiden aan boord van het stoomschip hadden G.B. Scott de hele dag belet ook maar iets anders te horen. Maar toen zijn schip die avond bij de delta van de rivier de Ganges voor anker lag, hoorde hij doffe kanonschoten in de verte: nu eens een enkel schot, dan weer een salvo van twee, drie kanonnen tegelijk. Het betrof echter geen echte kanonnen, maar de geheimzinnige geluiden van wat ter plaatse bekend is als de 'kanonnen van Barisal'.

Deze geluiden worden buiten de Ganges-delta nergens in India gehoord en ze lijken uit het zuiden of zuidoosten te komen. Ze worden het vaakst gehoord in de periode van februari tot en met oktober en altijd schijnt er een verband te bestaan met zware slagregens. Veel mensen in de Ganges-delta zeggen dat zij geen verschil horen tussen de 'kanonnen van Barisal' en de vuurwerkbommen die tijdens een bruiloft of ander feest tot ontploffing worden gebracht. Het 'seizoen' voor bruiloften is in India opmerkelijk kort. En de kanonnen worden bovendien zelfs gehoord gedurende de jaarlijkse vastenmaand, als er nergens wordt gefeest.

Sommige onderzoekers hebben deze 'detonaties' toegeschreven aan zeebevingen of onderzeese vulkaanuitbarstingen. De deskundigen zijn het er echter over eens dat er tot op heden nog geen plausibele verklaring voor is gevonden.

Boodschap op het nippertje

Op zaterdag 3 januari 1891, exact om 08.00 uur, wandelde een man een fotozaak binnen en vroeg om 'de foto's van Thompson', die allang klaar hadden behoren te zijn. Hij kreeg te horen dat ze pas later die dag gereed zouden zijn. Na te hebben uitgelegd dat hij de hele nacht had gereisd en niet kon terugkomen, verliet de man abrupt de winkel.

De fotograaf, een zekere Dickenson, besloot de foto's per post te versturen. Hij bekeek de negatieven van tevoren en constateerde dat de man op de foto's de man was die in de winkel was geweest om ze op te halen. Twee dagen later drukte hij de negatieven af. Per ongeluk liet hij de fotografische plaat van glas echter stukvallen.

Dickenson schreef naar de Thompsons om verslag te doen van het ongelukje en aan te bieden nieuwe foto's te maken. Van Thompsons vader hoorde hij echter dat het al te laat was. Thompson was overleden, en wel op de zaterdag dat Dickenson hem in zijn winkel had gesproken. Het merkwaardige was echter dat de overledene die bewuste ochtend om acht uur, het tijdstip van zijn bezoek aan de fotograaf, bewusteloos in zijn bed had gelegen. De vader van de overledene voegde eraan toe dat zijn zoon de dag daarvoor de hele dag had liggen ijlen en voortdurend om de nog niet afgeleverde foto's had gevraagd.

Geest boven schimmels

Al jaren en jaren worden parapsychologen gefascineerd door het verschijnsel van gebedsgenezing of spirituele genezing. Het is echter moeilijk de resultaten van dergelijke behandelingen objectief te evalueren, omdat mensen ten gevolge van de meest uiteenlopende oorzaken herstellen van ziekten of opgelopen letsel. Dit bracht sommige parapsychologen ertoe te gaan onderzoeken of bepaalde mensen inderdaad over het vermogen beschikten om – wellicht via psychokinese – kleine biologische systemen of celkweken te beïnvloeden.

Een van de onderzoekers die pionierswerk op dit gebied hebben verricht, was dr. Jean Barry, een Franse arts die samenwerkte met het Agronomisch Instituut in Parijs. Dr. Barry wilde nagaan of zijn proefpersonen door middel van louter 'geestkracht' de groei van schimmelkweken konden remmen – mede met het oog op het feit dat sommige schimmels schier onuitroeibare parasitaire organismen zijn die mensen ernstig ziek kunnen maken. Op de dag vóór het experiment maakte het laboratorium van het instituut petrischaaltjes met schimmelkweken gereed, waarna ze in een broedstoof werden geplaatst om de kweken snel te laten groeien. De volgende dag kregen dr. Barry's proefpersonen ieder tien petrischaaltjes met schimmelculturen voor zich. Zij kregen het verzoek zich exact vijftien minuten lang op vijf van deze kweken te concentreren en daarbij te proberen de groei van de kweken zo veel mogelijk te remmen. De resterende vijf kweken fungeerden als controlegroep.

Toen het experiment werd beëindigd, waren er elf proefpersonen getest, in negenendertig seances. Het resultaat: de kweken uit de controlegroep waren aanzienlijk meer gegroeid dan die in de behandelde petrischaaltjes, zodat hieruit kon worden geconcludeerd dat de proefpersonen met succes hun paranormale vermogens hadden aangewend om de groei van de schimmels te remmen.

De magiër van Strovolos

Elk jaar reist dr. Kyriacos C. Markides naar Cypres om te spreken met Spyros Sathi, een paragnost en leraar die bekendstaat als 'Daskalos' of 'de magiër van Strovolos'. Bij een van zijn bezoeken aan de paragnost kreeg dr. Markides, een socioloog van de Universiteit van Maine, uit eigen ervaring een bewijs van de genezende en helderziende vermogens van Daskalos.

Het voorval gebeurde toen dr. Markides een collega, die hij had meegenomen, aan Daskalos voorstelde. Deze heer was kort daarvoor gebeten door een hond en hij hinkte enigszins, waarop de paragnost hem vroeg of hij even naar zijn been mocht kijken. Nadat de bezoeker het verband op de wond had verwijderd, maakte Daskalos met zijn hand strijkende bewegingen boven de wond om die te genezen (zogeheten 'passen'), terwijl hij uitlegde dat hij een bloedprop, die hij in gedachten zag ontstaan, moest oplossen.

'Zo, die bloedprop is opgelost,' zei hij even later tegen zijn bezoeker, 'maar ik moet u waarschuwen – u hebt een leverinfectie. U mag geen alcohol gebruiken.'

De collega van dr. Markides geloofde geen woord van die diagnose, aangezien hij zich uitstekend voelde. Dus negeerde hij de waarschuwing van Daskalos. Pas drie maanden later schreef hij dr. Markides vanuit Connecticut om hem mee te delen dat hij geelzucht had, een leverontsteking. Pas toen de ziekte zich bij hem had geopenbaard, had hij zich de diagnose van Daskalos herinnerd. Nu wilde hij weten of ook dr. Markides zich die herinnerde. Gelukkig had dr. Markides hun gesprek met de paragnost op de band opgenomen en was het niet moeilijk de voorspelling te documenteren.

Maar hoe had Daskalos van deze ziekte geweten, ofschoon er zich nog geen symptomen hadden gemanifesteerd? De genezer verklaarde dat hij 'recht in het lichaam van de professor had kunnen kijken'. 'Toen ik het onderbeen van de professor onderzocht,' vertelde hij dr. Markides later, 'en ik mijn aandacht op het inwendige van zijn lichaam concentreerde, ontdekte ik in de lever een bruine vlek, die in aanraking kwam met gal. Uit ervaring wist ik dat dit een voorbode was van een leverontsteking.'

Deze verklaring is niet strijdig met de huidige medische kennis, aangezien bekend is dat geelzucht een incubatietijd van drie maanden heeft, zodat de symptomen zich pas drie maanden na de besmetting openbaren.

Een mislukte 'genezing'

Dean Kraft is een van de bekendste paragnosten in de Verenigde Staten. In 1976 werkte hij met een aantal andere paragnosten mee aan een langdurig project dat door parapsychologen van het Washington Onderzoekscentrum in San Francisco was opgezet. Het onderzoeksteam werd geleid door dr. Roger MacDonald, die wilde vaststellen of paranormale genezers in staat waren elektrische en/of magnetische velden in een 'atomaire nevelkamer'* te verstoren, uiteengevallen watermoleculen weer te binden, enzovoort.

Kraft boekte slechts bescheiden succesjes met deze experimenten. Er gebeurde echter iets onverwachts – iets dat op een morbide manier amu-

* Atomaire nevelkamer: een gesloten glazen buis met een laagje methylalcohol op de aluminium bodem: als de onderzijde wordt gekoeld, ontstaat er door het contact van verdampende methylalcohol met de warmere lucht in de buis een witte nevel in de glazen cilinder. Deze nevel wordt benut om de golfbeweging van elementaire deeltjes zichtbaar te maken. Als een genezer beide handen om de nevelkamer houdt (zonder deze aan te raken) en genezende energie vanuit de ene naar de andere hand laat stromen, wordt er een golfpatroon zichtbaar in de witte alcoholnevel. Dit bleek o.a. zo te zijn in een reeks in 1967 verrichte experimenten met de beroemde Amerikaanse genezeres Olga Worrall, de al even beroemde paragnost Ingo Swann en enkele andere genezers. Bij Olga Worrall trad het (gefilmde) effect zelfs op toen zij zich op duizenden kilometers afstand van de nevelkamer op dat laboratoriumhulpmiddel concentreerde. (Vert.)

sant was – toen er pogingen werden ondernomen om een laboratoriumrat – speciaal gekweekt met een zo hoog mogelijke bloeddruk – te 'genezen'. Op de dag van het experiment werd de rat het laboratorium binnengebracht en in een kooi geplaatst, waar de bloeddruk van het dier via een om de staart aangebrachte drukmanchet werd geobserveerd. De paragnost Kraft mocht het laboratorium pas binnen nadat alle noodzakelijke voorbereidingen voor het experiment waren getroffen. Zodra hij het knaagdier zag, kreeg hij een hekel aan het beest.

'Ik probeerde MacDonald uit te leggen dat ik alleen ervaringen met ratten had opgedaan in de muziekwinkel waar ik vroeger heb gewerkt,' legde Kraft uit. 'In de kelder daar huisden grote, dikke ratten, die af en toe naar boven kwamen en iedereen de stuipen op het lijf joegen. Ik voelde voor ratten alleen maar haat en angst en nu maakte ik me zorgen, want ik had altijd de overtuiging gehad dat ik positieve gedachten moest koesteren ten opzichte van de mensen (of dieren) die ik probeerde te helpen genezen.'

Ondanks zijn bedenkingen ondernam Kraft toch maar een poging de bloeddruk van de laboratoriumrat te verlagen door genezende energie naar het dier te projecteren. Iedereen verliet de ruimte voordat de test plaatsvond. Enkele ogenblikken na het experiment deed een laborante, die was teruggegaan om de bloeddruk van de rat te controleren, een schokkende ontdekking: de rat lag dood op de bodem van zijn kooi!

Voor de dood van het proefdier werd geen bevredigende verklaring gevonden.

Invasie van Marsbewoners

In de jaren vóór de komst van de televisie heeft een science fictionhoorspel – dat werd uitgezonden gedurende een kritieke periode in de wereldgeschiedenis – een welhaast ongelooflijke uitwerking gehad op het radiopubliek. Het gebeurde in 1938, toen het publiek psychologisch al was voorbereid op een nieuwe grote wereldbrand, kort na het München-debâcle, toen de As-mogendheden – nazi-Duitsland en Italië – dreigden hun buurlanden binnen te vallen.

Het hoorspel was een zeer levensecht gedramatiseerd spel – gebaseerd op de sf-roman *The War of the Worlds* van H.G. Wells – waarin denkbeeldige bewoners van Mars een invasie op aarde uitvoerden. De 'nieuwslezer' in het hoorspel was niemand minder dan de acteur Orson Welles. Hoewel het hoorspel van tevoren als zodanig was aangekondigd, wist Orson Welles zijn 'verslag van de invasie van Marsbewoners' op zo'n fascinerende en overtuigende manier te brengen, vooral aan de hand van de berichten van 'verslaggevers ter plaatse' die zogenaamde ooggetuigeverslagen gaven van de verovering van New Jersey door gigantische buitenaardse robottorens, die hun 'vernietigende dodenstraal' zowel op burgers als militairen richtten. Ze interviewden ook 'vluchtelingen' ter plekke, zodat er een regelrechte paniek ontstond onder de radioluisteraars die hun toestel hadden aangezet nadat de introductie al was uitgesproken. Al die luisteraars waren er heilig van overtuigd dat ze een actuele nieuwsuitzending hoorden. Ze begonnen familieleden en vrienden te bellen en vergeleken hun indrukken met elkaar, waarbij ze elkaar er vaak van overtuigden dat er werkelijk een invasie vanaf Mars aan de gang was! De telefoonlijnen stonden roodgloeiend en de opwinding steeg voortdurend. In het hoorspel zelf werd niet meer uitgelegd dat het om een fictief spel ging. De paniek breidde zich uit en de wegen in New Jersey, delen van New York en Long Island raakten verstopt met auto's vol vluchtelingen, politiewagens, brandweerauto's en motorfietsen. Er vonden aanrijdingen plaats en al spoedig stond het verkeer onwrikbaar vast, waarna de politie uren nodig had om de verkeersknopen te ontwarren en een schijn van orde te herstellen.

Zelfs toen nog waren duizenden vluchtelingen ervan overtuigd dat de invasie uit de ruimte aan de gang was en door de regering geheim werd gehouden om paniek te voorkomen.

Een poosje nadat alle ophef over de 'Marsinvasie' was verstild, werd hetzelfde hoorspel ook in het Spaans uitgezonden, vanuit een theater in Lima, Peru. Daar raakte het publiek zó van de kook dat er tijdens de uitzending rellen uitbraken en er vijftien doden en nog veel meer gewonden vielen.

Twee jaar later brak er in West-Europa soortgelijke paniek uit, maar deze keer waren de invallers niet van Mars afkomstig.

Is de ark van Noach inderdaad gevonden?

Een van de oudste legenden die de mensheid kent, is die welke verhaalt van een wereldomspannende overstroming en de bouw van een grote 'ark' die een klein aantal mensen en een groot aantal diersoorten in staat stelden om het leven op een verdronken wereld te hernieuwen.

Deze legende maakt deel uit van de oudste overleveringen van allerlei volken en stammen op alle continenten. Volgens de joodse, christelijke en islamitische overlevering strandde de ark van Noach op de berg Ararat, die tegenwoordig in het noordoosten van Turkije is gelegen.

Het woord Ararat is een verbastering van *Oerartoe*, een oud, Assyrisch woord voor Armenië. De bijbel noemt niet alleen Ararat, maar ook de 'bergen van Armenië' als de plaats waar de ark moet zijn geland. De bijbel zegt echter niet uitdrukkelijk op welke berg precies de ark strandde, ofschoon de Ararat in de overlevering algemeen als de laatste rustplaats van het grote schip wordt beschouwd.

Al eeuwen hebben reizigers beweerd dat zij de ark bevroren in het ijs hebben gezien. Bergbeklimmers namen 'stukjes van de ark' mee naar huis, bij wijze van relikwie, militaire piloten in beide wereldoorlogen zeiden dat ze bij het overvliegen van de berg de ark hadden gezien en op een satellietfoto van de ERTS-satelliet uit 1974 is in een grote kloof op een hoogte van 4300 meter iets te zien dat 'duidelijk anders is dan de hele rest van de berg'. Naar de mening van senator Frank Morse, voorzitter van de Senaatscommissie voor Ruimtevaart en Ruimtewetenschappen, had dit 'iets' ongeveer de juiste vorm en de juiste grootte van de ark.

Aangezien de Ararat in de loop der eeuwen door tal van hevige aardbevingen en vulkaanerupties is getroffen, zal de ark – als hij er werkelijk in het ijs ligt – vermoedelijk zwaar beschadigd of uiteengevallen zijn. Dit zou de verklaring kunnen vormen voor de vondst van wat een lager deel van het machtige schip zou kunnen zijn, op een hoogte van 2100 meter. Het is denkbaar dat dit deel van de arkromp langs de hellingen omlaag is gegleden en op een afstand van circa 19 kilometer van de oorspronkelijke ligplaats in een modderbank is weggezonken (er zijn enorme sleepankers en een deel van de stuurboordzijde van de ark langs de vermoedelijke glijroute aangetroffen). Als dit werkelijk een deel van de ark is, moet het resterende bovendeel zich nog steeds op 4300 meter hoogte onder het ijs bevinden.

Het lagere deel van de romp is sinds 1948 steeds verder boven een bevroren modderlawine uit komen te steken en werd door een aantal mensen onderzocht. Tot aan de jaren tachtig wisten ze er echter nauwelijks raad mee, aangezien deze vondst weliswaar de vorm had van een scheepsromp, maar van *steen* was vervaardigd. De afmetingen van de romp komen vrijwel overeen met die welke in Genesis in ellen ('300 ellen lang, 50 el breed en 30 el hoog') worden opgegeven, een eerste bewijs van de grote nauwkeurigheid van de in de bijbel genoemde cijfers en maten. Naarmate het rompdeel verder boven de bevroren modder uitsteekt, zijn de vormen van een scheepsromp steeds duidelijker te herkennen.

Met behulp van zogeheten '*subsurface interface radar*' (radarapparatuur die ook ondergrondse vormen registreert) werd ontdekt dat de romp van achtersteven tot boeg versterkt is met zware houten spanten en metalen delen en dat de verschillende dekken in talloze secties zijn verdeeld. Het 'stenen' schip blijkt in werkelijkheid een raamwerk van hout en wilgetenen te zijn, dat bestreken is met een soort cement (K-F-R), een term die abusievelijk vanuit het oorspronkelijke Aramees is vertaald als 'goferhout'.

De arkromp is gevuld met een massa bevroren modder en kort geleden door de Turkse regering onder haar bescherming geplaatst, ten behoeve van het archeologisch onderzoek. Een groot, nieuw richtingbord wijst de weg naar dit uitzonderlijke artefact uit lang vervlogen tijden, met het eenvoudige opschrift: *Noeh'oen Gemesi* (Noachs ark).

Het staat nog niet vast of het inderdaad de ark van Noach is, maar het is duidelijk dat het gaat om de resten van een groot schip, waarvan de afmetingen die van alle ons bekende scheepstypen uit de oudheid overtreffen.